La vie, sucrée

de *Juliette Gagnon*

DE LA MÊME AUTEURE

Pourquoi cours-tu comme ça ?, collectif, Éditions
   Stanké, 2014.
La Vie sucrée de Juliette Gagnon, tome 1, *Skinny jeans
   et crème glacée à la gomme balloune*, Éditions Libre
   Expression, 2014.
La Vie épicée de Charlotte Lavigne, tome 4, *Foie gras
   au torchon et popsicle aux cerises*, Éditions Libre
   Expression, 2013.
La Vie épicée de Charlotte Lavigne, tome 3, *Cabernet
   sauvignon et shortcake aux fraises*, Éditions Libre
   Expression, 2012.
La Vie épicée de Charlotte Lavigne, tome 2, *Bulles
   de champagne et sucre à la crème*, Éditions Libre
   Expression, 2012.
La Vie épicée de Charlotte Lavigne, tome 1, *Piment
   de Cayenne et pouding chômeur*, Éditions Libre
   Expression, 2011.

Nathalie Roy

La vie, sucrée de Juliette Gagnon

TOME 2

Camisole en dentelle
et sauce au caramel

Libre Expression

Une société de Québecor Média

Catalogage avant publication de Bibliothèque et Archives nationales du Québec et
Bibliothèque et Archives Canada

Roy, Nathalie, 1967-
 La vie sucrée de Juliette Gagnon
 Sommaire : t. 2. Camisole en dentelle et sauce au caramel.
 ISBN 978-2-7648-0990-7 (vol. 2)
 I. Roy, Nathalie, 1967- . Camisole en dentelle et sauce au caramel. II. Titre.
III. Titre : Camisole en dentelle et sauce au caramel.

PS8635.O911V537 2014   C843'.6 C2014-940382-8
PS9635.O911V537 2014

Édition : Nadine Lauzon
Révision linguistique : Sophie Sainte-Marie
Correction d'épreuves : Julie Lalancette
Couverture et grille graphique intérieure : Chantal Boyer
Mise en pages : Annie Courtemanche
Photo de l'auteure : Sarah Scott

Cet ouvrage est une œuvre de fiction ; toute ressemblance avec des personnes ou des faits
réels n'est que pure coïncidence.

Remerciements

Nous reconnaissons l'aide financière du gouvernement du Canada par l'entremise du Fonds
du livre du Canada pour nos activités d'édition.
Nous remercions le Conseil des Arts du Canada et la Société de développement des entre-
prises culturelles du Québec (SODEC) du soutien accordé à notre programme de publication.
Gouvernement du Québec – Programme de crédit d'impôt pour l'édition de livres – gestion
SODEC.

Les Éditions Libre Expression
Groupe Librex inc.
Une société de Québecor Média
La Tourelle
1055, boul. René-Lévesque Est
Bureau 300
Montréal (Québec) H2L 4S5
Tél. : 514 849-5259
Téléc. : 514 849-1388
www.edlibreexpression.com

Dépôt légal – Bibliothèque et Archives nationales du Québec et Bibliothèque et Archives
Canada, 2014

ISBN : 978-2-7648-0990-7

Distribution au Canada   **Diffusion hors Canada**
Messageries ADP inc.   Interforum
2315, rue de la Province   Immeuble Paryseine
Longueuil (Québec) J4G 1G4   3, allée de la Seine
Tél. : 450 640-1234   F-94854 Ivry-sur-Seine Cedex
Sans frais : 1 800 771-3022   Tél. : 33 (0) 1 49 59 10 10
www.messageries-adp.com   www.interforum.fr

*À tous ceux et celles qui croient en l'amitié
inconditionnelle…*

1

STATUT FB DE **JULIETTE GAGNON**
À l'instant, près de Montréal
Pause sauna avec mes chicks avant le rush total.
Je les aime d'amour ☺
#friends

Y a du front tout le tour de la tête ! Me demander de faire les photos du baptême de son fils. J'en reviens pas encore !

— Juliette, on est ici pour relaxer. Tu peux arrêter de nous écœurer avec ça, s'il te plaît ?

— Ouin, c'est ma première sortie sans mon bébé, j'aimerais ça avoir la paix.

Je suis au spa avec mes deux meilleures amies, Clémence et Marie-Pier. Une journée de filles bien méritée après tout ce que nous avons vécu et enduré, ces derniers mois. Tout d'abord, il y a eu Clémence et sa séparation compliquée d'avec son mari. Et le nouveau rôle de maman de Marie-Pier, dont la fille Eugénie aura bientôt quatre mois. Une petite qui ne lui laisse pas une minute pour elle.

Comme elles, j'essaie de me détendre dans les bulles du bain à remous extérieur. Mais j'y arrive difficilement. C'est que je suis obsédée par le texto que j'ai reçu ce matin. Un message qui m'a complètement chavirée.

Il venait de François-Xavier Laflamme, un gars dont je n'avais pas entendu parler depuis son mariage, il y a neuf mois. F-X est un ami d'enfance que j'ai retrouvé l'été dernier après l'avoir perdu de vue pendant des années. Et dont je suis tombée follement amoureuse.

Il a eu l'audace de m'écrire pour solliciter mes services de photographe professionnelle pour la cérémonie entourant le baptême de son petit Loukas. Non mais, pour qui se prend-il ?

— Il est pas question que je prenne les photos ! Il m'a assez fait suer la journée de ses noces...

— Tu dis ça, mais tu sais bien que tu vas accepter.

— Je te jure que non, Marie-Pier. Je lui ai pas encore pardonné de m'avoir fait ça. Il m'a manipulée sur toute la ligne.

Quand il est revenu dans ma vie, F-X était à quelques semaines de se marier avec Ursula Dimopoulos, une Grecque hyper contrôlante... et enceinte. Mêlé comme pas un, il m'a fait un genre de déclaration d'amour, avant de finalement s'unir à celle que j'appelle miss Tzatziki. Alors que, moi, je venais juste de réaliser qu'il était peut-être l'homme de ma vie. Il m'a fallu des mois à me remettre de cette trahison.

Surtout que, le jour de son mariage, j'étais la photographe attitrée et j'espérais qu'il changerait d'idée. Mais non. Il l'a épousée et ça m'a brisé le cœur. À un point tel que je suis tombée sans connaissance en l'entendant dire oui. En revenant à moi, je n'ai eu qu'une envie : me réfugier dans mon lit et pleurer en petite boule. Mais j'avais des photos de noces à faire. Donc je suis restée et j'ai enduré.

Ç'a été la journée la plus difficile de ma vie. D'autant plus qu'une cowgirl du nom de Sherley, avec qui j'avais eu une aventure un après-midi, m'a relancée jusqu'à l'église. Elle s'est même présentée à la fête pour m'implorer de lui donner une chance. Ce n'est qu'après l'avoir menacée de la dénoncer à son mari qu'elle m'a enfin fiché la paix. Pour de bon. Bref, un épisode à oublier. Complètement.

— Mais non, Juju, il t'a pas manipulée, conteste Clémence. On en a parlé mille fois. Il a pas fait ça méchamment.

— C'est toi qu'il voulait, mais il a choisi d'aller avec elle à cause du bébé. F-X, ç'a toujours été un gars droit, ajoute Marie-Pier.

Comme moi, elle a grandi avec lui dans les rues du Plateau-Mont-Royal. Elle le connaît presque aussi bien que moi.

— *Anyway*, il peut se les mettre où je pense, ses osties de photos de baptême. Il utilisera des Kodak jetables !

— Chutttttt !

Une femme dans la cinquantaine qui patauge elle aussi dans le bain à remous nous lance un regard noir. Nous nous taisons, non sans manquer de nous esclaffer comme des petites filles tannantes qu'on découvre en train de préparer un mauvais coup.

Je ferme les yeux pour jouir des chauds rayons de soleil sur mon visage. Cette première journée de l'été est splendide. J'ai toujours adoré ce moment de l'année où la nuit se fait tardive, où les cloches des écoles annoncent le début des vacances scolaires, où les drapeaux du Québec sont fièrement accrochés aux balcons des Montréalais ou à leurs voitures. Une période bénie.

Je prends une grande respiration pour m'aider à me calmer. J'ai besoin de faire le plein avant le *rush* qui m'attend dans les prochains jours. Ma patronne, la propriétaire du Studio 54, m'a affectée à la couverture des festivités de la Fête nationale du Québec.

Je vais donc me promener de Montréal aux plaines d'Abraham à Québec, en passant par Laval et Longueuil, pour photographier les artistes de chez nous en spectacle. Mon horaire est carrément débile : deux jours pour tout faire. Mais ça ne m'étonne pas. Danicka Malenfant, pour qui je travaille depuis quelques années, fait tout pour me rendre la vie infernale.

— On sort-tu ? J'ai trop chaud, propose Clémence.

— Yep !

Je m'apprête à prendre mon peignoir sur un crochet quand Marie-Pier me l'enlève des mains.

— C'est le mien, ça ! dit-elle en enfilant le vêtement prêté par l'établissement.

Clémence agrippe celui à gauche, et le porte-peignoir se retrouve maintenant vide.

— Eille ! Il est où, le mien ?

— Je sais pas. T'es certaine que tu l'as accroché ici ? vérifie Clémence.

— Ben oui ! Je vois pas pourquoi je l'aurais mis ailleurs. Quelqu'un l'a pris ! On me l'a volé !

Sentant que je suis sur le point de paniquer, mon amie tente de me rassurer.

— C'est pas grave, Juju. Va en demander un autre à la réception.

— Je m'en fous, du peignoir ! Mais j'avais mis mon cell dans la poche. Mon nouveau cell, en plus !

— Calme-toi, c'est peut-être juste quelqu'un qui s'est trompé.

— Ouin, c't'idée, aussi, de tous porter des peignoirs pareils.

— Va voir à la réception. Peut-être qu'on l'a rapporté.

— T'as raison. Je reviens.

Un peu embarrassée de devoir me promener dans mon bikini rayé marine et turquoise alors que les autres sont camouflés sous l'ample vêtement, je me dirige vers l'accueil quand un homme vêtu d'un short de bain noir ajusté et au ventre plat se manifeste. Il tient un peignoir.

— Euh… excusez-moi, est-ce que c'est à l'une d'entre vous ? J'ai trouvé un téléphone rose dans une poche.

— Qu'est-ce que vous faites avec mon peignoir ?

Je le lui arrache des mains pendant qu'il m'explique s'être tout simplement trompé en sortant du bain tourbillon, en plus de me présenter des excuses. Ce qui me ramène à de meilleurs sentiments.

— OK, désolée de m'être emportée. C'est juste que j'ai eu peur d'avoir perdu mon cell.

— Mais on se connaît, non ? me demande-t-il.

Surprise, j'observe le visage de l'homme. Environ la trentaine, les yeux d'un brun profond, le cheveu court foncé et la peau basanée, je l'imagine d'origine maghrébine… mais je ne le reconnais pas deux secondes.

— Euh, je suis pas certaine.

— T'es Juliette Gagnon ?

— Oui.

Je scanne le disque dur dans ma tête, à la recherche d'un indice. Rien à faire, je n'arrive pas à le situer. Un camarade de cégep ? Un ancien client ? Pas un ex-amant, toujours ! *OMG !* Vingt-sept ans et déjà des trous de mémoire…

— Je suis Hachim, je travaille au resto de ton père.

— Ahhhhh oui ! Je te replace, maintenant.

Hachim Aloui a été engagé comme sous-chef au bistro italien que possède papa avec un autre associé. Je l'ai rencontré il y a quelques semaines alors que j'y soupais avec mes parents, venus me visiter depuis le Costa Rica où ils habitent dorénavant.

— Excuse-moi, je t'avais pas reconnu sans ton tablier et ton bandana.

Je me souviens que, ce soir-là, je l'avais trouvé très réservé. Un peu trop, même, à la limite ennuyant. Mais il voulait probablement faire bonne impression auprès de son patron.

— *No offense.* Tu viens pas souvent au resto, ces temps-ci.

— Trop occupée, faut croire.

— On a un super plateau de fruits de mer pour l'été, tu devrais venir l'essayer.

— *Nice!*

— Moi, j'adore les fruits de mer, mentionne Clémence en s'immisçant dans la conversation comme elle le fait rarement.

Surprise, je lance un coup d'œil à Marie-Pier et je constate qu'elle a la même réaction que moi : où est passée notre discrète amie ? La voilà qui discute avec Hachim comme si elle le connaissait depuis la nuit des temps. Je rêve ou elle laisse son peignoir s'ouvrir sur son corps vêtu d'un bikini et d'une culotte garçonne ? Bon, d'accord, elle s'est mise à l'entraînement ces derniers mois et elle est vraiment *top*, mais ce n'est pas une raison pour s'exhiber de la sorte. C'est mon genre de faire ça, pas le sien !

— Moi, j'étais *Team* Hachim, je t'ai appuyé tout le long de la compétition et, quand t'as été éliminé, j'étais vraiment triste.

— Hein ? De quoi vous parlez ?

— Ben là ! lance-t-elle en me regardant comme si j'étais une demeurée. De l'émission à laquelle il a participé.

— S'cusez, je suis pas au courant.

Elle m'informe que l'employé de papa s'est rendu en demi-finale de la populaire émission de compétition de chefs, diffusée l'été dernier. Avant son arrivée au resto.

Je détourne la conversation pour lui présenter Marie-Pier. Aussitôt que c'est fait, Clémence l'accapare à nouveau pour lui parler de sa « formidable recette de médaillon de biche aux figues et au bleu ».

— Je vais la faire au resto à l'automne. Tu viendras y goûter, lui propose-t-il en lui faisant un grand sourire charmeur.

— Ah, mais je vais y aller bien avant ça. Même qu'on pourrait réserver pour la fin de semaine prochaine, qu'est-ce que vous en pensez, les filles?

— Euh… je peux pas, je suis sur la route pour la job.

— Moi non plus, je suis pas libre, ajoute Marie-Pier.

Déçue, Clémence ne fait aucun effort pour dissimuler son sentiment, elle qui est si *poker face*, d'habitude! Non mais, qu'est-ce qui lui arrive?

— Vous vous reprendrez, suggère Hachim.

Puis il se tourne vers Clémence.

— Fais-moi une demande d'amitié sur Facebook. Comme ça, tu pourras communiquer directement avec moi pour réserver.

— Oh, wow! Bonne idée, susurre-t-elle, mielleuse.

— J'ai été heureux de vous rencontrer, les filles. À bientôt, j'espère.

Il nous quitte en spécifiant qu'il doit aller rejoindre «une amie». Le sourire de Clémence s'efface d'un coup.

— Un autre qui est pris! lance-t-elle, mécontente.

— Pas nécessairement, dis-je. C'est peut-être juste une copine.

— Au spa avec une copine? Me semble, oui.

— Ben oui, ça se peut!

Je suis vraiment stupéfaite de son attitude; depuis des mois, elle fait comme si les hommes n'existaient pas et, d'un seul coup, elle est prête à tout. Sa méfiance envers la gent masculine est finalement en train de s'estomper. Tant mieux!

— Ouin, Clem. Il t'est tombé dans l'œil vrai, le beau Hachim.

Un peu gênée de s'être ainsi trahie, elle rougit.

— Ah, t'es trop *cute*! On dirait une ado! la taquine Marie-Pier.

— Bon, bon. J'ai le droit de trouver un gars à mon goût.

— Mais oui! On est super contentes que tu reviennes à la vie.

— Je suis pas plus avancée s'il a une blonde, par exemple.

— Ça, tu le sais pas. Pis même s'il en a une, ça veut pas dire que c'est sérieux.

— Pis c'est sûr qu'il va la laisser tomber pour toi. T'es trop *hot*! dis-je, pour appuyer Marie-Pier.

S'il y a une règle qui détermine notre amitié, à nous trois, c'est bien celle de la valorisation. Interdiction formelle de se dénigrer. Et obligation systématique de se trouver plus belles, plus intelligentes, plus sexy et plus *successful* que toutes les autres femmes de la Terre.

— Vous êtes trop chou, les filles. Enfin, on verra bien.

— Bon, on est rendues où dans notre séance, là? Faut-tu aller dans le bain turc ou dans la chute d'eau froide? demande Marie-Pier.

— Eille, on s'en fout de la routine. Il me semble que j'aurais plus envie d'un verre. Vous autres?

Elles se laissent convaincre de terminer notre séjour au spa pour retourner au centre-ville prendre l'apéro.

Aussitôt que nous mettons les pieds dans notre bar préféré, mon amie nouvelle maman se réfugie aux toilettes pour répondre à sa gardienne, Sabrina. Je m'installe à une table avec Clémence, qui continue sur le sujet Hachim.

— Je ne me souviens pas de son âge. Je suis même pas certaine qu'il ait trente ans.

— Pis ça? Qu'est-ce que ça fait?

— Ça fait qu'il est plus jeune que moi. J'ai trente-trois ans, si tu te rappelles bien.

— Pff… On s'en fout!

— Il va me trouver trop vieille, c'est sûr.

— Ben voyons donc! T'as juste à le *googler* si tu veux savoir son âge.

Elle s'exécute pendant que je commande trois mojitos, le *drink* préféré de Marie-Pier. Elle le mérite bien, elle qui vient à peine de sevrer son bébé pour pouvoir retourner au boulot la semaine prochaine.

16

Depuis que sa fille est née, Marie-Pier s'y consacre nuit et jour, n'ayant plus une minute à elle. D'autant plus qu'Eugénie est un bébé particulièrement difficile qui ne dort pas plus de trois ou quatre heures d'affilée et qui pleure pour un rien. Comble de tout, l'unique endroit au monde qui fait son bonheur, ce sont les bras de sa mère.

Clem et moi avons fait notre possible pour lui donner un coup de main, mais notre présence n'a pas remplacé celle d'un conjoint. D'ailleurs, sur l'acte de naissance d'Eugénie Laverdière, on peut lire: «Père inconnu.» Ce qui n'est pas vrai. Marie-Pier le connaît, le papa de sa fille. Elle ne veut juste pas l'avoir dans sa vie. Nuance.

Aujourd'hui, c'est la première fois qu'elle laisse son bébé à une gardienne. Et à voir son air anxieux au moment où elle nous rejoint à table, ça ne se déroule pas à la perfection.

— Qu'est-ce qui se passe?

— Rien, rien. C'est correct. C'est moi qui m'en fais pour rien.

— Pourquoi elle t'appelait, d'abord?

— Parce que je lui ai envoyé un texto tantôt, lui demandant de me rappeler pour me donner des nouvelles.

— C'est qui, ta gardienne? intervient Clémence en levant le nez de son cellulaire.

— Celle de mon frère. Il a super confiance en elle.

— Et toi, t'as confiance?

— Ben, ça s'est bien passé quand je l'ai rencontrée la semaine dernière, elle a adoré Eugénie.

— Elle a quel âge?

— Seize.

— Seize ans, c'est pas douze. Ça va bien aller.

— T'as raison, Clem. Faut que je lâche prise un peu. D'autant plus que la garderie en milieu familial, ça débute la semaine prochaine.

— C'est pas facile, mais tu vas voir, on s'habitue.

Notre amie sait de quoi elle parle puisqu'elle a d'adorables jumeaux de six ans. Pour ramener le sourire à la nouvelle maman, je propose notre traditionnel toast en trois langues. L'italien pour moi, l'anglais pour Marie-Pier et le français pour Clémence.

— *Salute!*

— *Cheers!*

— Santé!

Mon mojito est trop bon. Je le bois à la vitesse de l'éclair pendant que Clémence nous informe qu'Hachim a... vingt-huit ans.

— Cinq ans de moins que moi! Je suis mieux d'oublier ça.

— C'est quoi, cette attitude défaitiste?

— Tu sais, Juju, c'est pas tout le monde qui a autant de succès que toi, avec les gars.

— Voyons, Clem! Tu dis n'importe quoi!

— Je pense pas, moi.

— *Anyway*, moi, j'attire juste les gars *fuckés*. C'est pas mieux!

— Bah, t'exagères, toi aussi! F-X, c'est un gars très sain, lance Marie-Pier.

— Non. Je trouve ça *fucké*, moi, quelqu'un qui joue sur deux tableaux.

— Ouin, tu lui as vraiment pas pardonné, hein?

— Non. Pis ce qui me met le plus en tabarnak, c'est que je commençais juste à l'oublier. Et là, il revient avec son histoire de photos de baptême.

— Il a pas l'air si heureux que ça.

Sa remarque me surprend. Comment peut-elle être au courant de sa vie? Nous l'avons éliminé de nos amis Facebook.

— C'est quoi? Vous vous êtes écrit?

Marie-Pier semble soudain très mal à l'aise et je comprends qu'elle a laissé échapper cette information sans le vouloir. Trop tard, maintenant, elle doit me dire de quoi il retourne.

— Euh... ouin, un peu, oui.

— Pis tu m'as caché ça ?

— J'ai essayé de te le dire, mais je faisais juste prononcer son nom et ça te mettait dans tous tes états, Juliette.

— C'est pas une raison !

Je me sens trahie par mon amie et j'ai tout à coup envie de faire l'enfant et de quitter le bar pour aller finir mon pot de crème glacée double caramel à la maison. Mais je veux en savoir plus.

— Quand est-ce que t'as eu de ses nouvelles ?

— Euh, la dernière fois, c'était…

— La dernière fois ? Coudonc, vous vous êtes écrit combien de fois ?

— Euh… On s'est pas juste écrit. On a pris un café ensemble.

— *WHAT* ?

Ça, je ne m'y attendais pas. Je me lève d'un bond. Clémence me demande de me calmer et de me rasseoir. Je lui obéis. Parce que c'est elle et que j'ai confiance en son jugement.

— Quand est-ce que vous vous êtes vus ?

— Y a une couple de semaines.

— Où ça ?

— Euh… chez moi.

— Ah ouin ? Comment ça, chez vous ?

— Pense pas mal, Juliette ! C'était juste plus simple à cause de la petite.

— On va dire !

— Juju, intervient doucement Clem, je veux pas te juger, mais… est-ce que tu te rends compte que t'es hyper susceptible dès qu'on parle de F-X ?

— C'est pas vrai !

Elle hausse les épaules en signe d'abandon, mais Marie-Pier, qui n'a pas la langue dans sa poche, en remet.

— Clem a raison. T'agis comme s'il t'appartenait !

— Mais non ! C'est juste que… Ah, pis vous le savez !

— Oui, on le sait que t'as eu beaucoup de peine quand il a choisi Ursula.

— Et que tu lui en as voulu parce qu'il a coupé tous les ponts avec toi après son mariage, ajoute Clémence.

— Je lui en veux encore.

— Lui aussi, il se sent coupable, précise Marie-Pier.

— Ah ouin? C'est ce qu'il t'a dit?

— Oui. Tu sais, on a pratiquement parlé juste de toi cet après-midi-là.

— Pour vrai?

— Pour vrai. Et il m'a dit que s'il avait continué à te voir une fois marié, c'est évident que tu serais devenue sa maîtresse. Et ça, il voulait pas ça.

— Ç'aurait été mieux que rien!

— T'es pas sérieuse, j'espère?

Aussitôt qu'on parle d'infidélité, Clémence s'emporte, elle qui a souffert de la trahison du père de ses enfants.

— OK, t'as raison, Clem. C'est juste que, depuis ce temps-là, ma vie sexuelle est plate en crisse!

— La mienne, astheure! allègue Marie-Pier.

— Ouin, mais toi, c'est normal. T'as eu un bébé.

Mes deux copines ne trouvent rien à ajouter à mon affirmation qui, je l'avoue, manque de nuance. Marie-Pier en profite pour rappeler Sabrina et s'assurer que tout va aussi bien qu'il y a dix minutes... Pas mère poule à peu près!

Clémence, elle, sirote son mojito en silence. Mon verre étant vide, je cherche le serveur des yeux pour en commander un autre, mais il se fait un peu trop discret à mon goût.

— Coudonc! Pas moyen d'avoir du service ici.

— Ah, que t'es impatiente, Juju, me reproche Clem.

— Il est temps que tu baises, pis c'est vrai! ajoute Marie-Pier en posant son téléphone sur la table.

— Facile à dire.

— T'as juste à sortir plus souvent.

— Ah non! Je suis tannée de ça.

Ces derniers mois, mes seuls amants ont été les « amis » que je fréquente dans les bars. Quelques gars qui sont toujours prêts à me divertir quand j'en ai besoin, mais avec lesquels je refuse de m'engager.

Pour la plupart, ça suffit, mais, récemment, l'un d'eux m'a fait la mauvaise surprise de s'attacher… Pourtant, j'avais été très claire à ce sujet: pas d'obligations, que du sexe.

— Je suis contente de t'entendre dire ça, avoue Clémence.

Ma copine se fait constamment du souci pour moi. Mon style de vie lui fait craindre le pire pour ma santé. J'ai eu beau lui expliquer que je me protégeais toujours, que je limitais mes amants à trois gars que je connaissais bien, elle a peur que j'attrape une foule d'ITSS.

— Le prochain qui va se retrouver dans mon lit, ce sera pas pour une baise d'un soir.

— Ah non?

— Non. Je veux quelque chose de sérieux.

— C'est une bonne idée.

— Ben voyons donc! intervient Marie-Pier. Le prochain avec qui tu vas coucher, c'est F-X. C'est écrit dans le ciel.

— Quessé tu racontes là?

— Pourquoi tu penses qu'il veut que tu fasses les photos du baptême de son fils? Parce qu'il veut te revoir, il s'ennuie trop.

Cette information jette un baume sur ma peine. Moi qui croyais être la seule à regretter notre complicité. Il me manque tellement depuis qu'il a choisi sa folle d'Ursula.

— C'est ça qu'il t'a dit? Qu'il s'ennuyait de moi?

— Hum, hum. Il m'a dit qu'il pensait souvent à toi.

— Je comprends pas trop ton affaire. Il veut me revoir, mais il veut pas qu'on soit amants. Et toi, tu penses qu'on va coucher ensemble si j'accepte sa *fucking* proposition pour le baptême. Qu'est-ce qui te fait dire ça?

— C'est évident, non ?

— Euh… non.

— C'est sa raison qui lui dit de ne pas coucher avec toi. Mais c'est pas sa raison qu'il va écouter s'il te voit.

— Tu crois ?

— C'est clair. Et c'est pareil pour toi. Tu l'as trop dans la peau, ce gars-là.

— Pas tant que ça.

— Juju, intervient Clémence, c'est vrai, ce que dit Marie. Tu peux pas le nier. Tu l'as jamais oublié.

Je hausse les épaules. C'est à mon tour de n'avoir plus rien à ajouter. Elle poursuit son analyse de la situation.

— Mais comme il est marié et nouveau papa, je vois pas trop ce qu'il peut apporter de bon dans ta vie.

— *Damn right !* renchérit Marie-Pier.

— De toute façon, la chose est réglée, hein, Juju ?

— Euh… Pourquoi tu dis ça, Clem ?

— T'as été assez claire au spa, tantôt, non ?

— Me souviens plus trop, là.

— Ben oui ! Quand t'as juré que tu irais pas faire ses photos de baptême. Donc il n'y a plus de problème, non ?

— Vu de même…

— Fait que tu promets de pas les faire ? insiste-t-elle.

— Oui, oui, promis.

— Ohhh, que c'est pas convaincant, ça ! D'autant plus que t'as le temps de changer d'idée. Tu m'as pas dit que le baptême était juste au mois d'août ?

— Oui, mais…

— Va falloir qu'on t'aide à tenir ta promesse, suggère Marie-Pier avec un sourire narquois.

— Ah, les filles, *come on !* Vous savez bien que je suis capable de lui dire non.

— Euh… Pas sûre, non.

— Pff… N'importe quoi !

— On va faire un *deal*, OK ?

— Vous êtes fatigantes quand vous voulez !

— Si tu te présentes au baptême, tu nous offres… Qu'est-ce qu'elle pourrait bien nous offrir, Clem?

— Un souper au resto?

— Ben non! Plus que ça!

— Chacune un sac Michael Kors?

— Bonne idée!

— Vous êtes drôles, vous autres, dis-je. J'ai pas besoin d'une stupide gageure!

— Ah non? s'interroge Clémence. OK, d'abord, si t'es si certaine de toi, on va y aller pour la totale. Si tu tiens pas ta promesse, tu nous paies un week-end à New York.

— *Yesss!* lance Marie-Pier. Je seconde.

Elles lèvent la main et attendent que je leur fasse un *high five* pour sceller notre entente. Elles me regardent avec un air de défi. J'hésite un instant. Je sais que je n'irai pas faire ces maudites photos. Mais si, par malheur, je me retrouvais à la cérémonie pour un motif hors de mon contrôle, je serais trop mal prise. Un voyage à New York pour trois, ça doit certainement coûter quelques milliers de dollars. Préférable de ne pas courir de risques.

— S'cusez, les filles, faut que j'aille aux toilettes. Je reviens.

Je me sauve presque en courant, pour échapper aux regards inquisiteurs de mes *best* qui ont compris depuis belle lurette tout l'attrait qu'exerce encore F-X sur moi.

2

Je stationne ma voiture devant l'appartement de Marie-Pier bien plus tôt que ce qui était prévu. Elle a écourté notre journée de filles parce qu'elle avait trop hâte de revoir son bébé. Après le spa et l'apéro, nous devions aller souper dans un resto de *dumplings*, mais la nouvelle maman a plutôt insisté pour rentrer. Avant même qu'il fasse nuit.

— Y a quelque chose qui me fatigue dans la voix de ma gardienne, nous a-t-elle confié.

Clémence et moi n'avons rien dit, mais nous avons pensé la même chose: «Ce qui fatigue Sabrina, c'est que tu l'appelles à tout bout de champ.» Devant le changement de programme, Clémence a elle aussi décidé de retourner à la maison.

— Est-ce que je peux aller embrasser ma filleule ?

— Ben oui !

J'ai eu l'honneur d'être nommée marraine d'Eugénie il y a quelques mois. Ô joie ! J'avais proposé à Marie de nous choisir, Clem et moi. Mais elle a tenu à faire les choses de façon traditionnelle et elle m'a désignée, moi, son amie d'enfance. Raisonnable comme elle est, Clem a parfaitement compris la situation. Je partage donc mon rôle avec Vincent, le frère aîné de Marie-Pier.

En entrant dans le logement, je constate que c'est calme. Le salon et la cuisine sont vides. J'imagine que la gardienne borde Eugénie dans sa chambre.

— Si elle dort, je veux pas la réveiller. Je t'attends ici, dis-je à Marie.

Elle se dirige rapido vers l'arrière de son appartement, l'air préoccupé. Encore. Si elle continue de s'inquiéter de la sorte, elle va se taper une crise cardiaque à vingt-sept ans. Il faut qu'elle apprenne à être plus zen.

Tout à coup, un cri de mort retentit dans le logement. Je sursaute et me précipite dans la chambre d'Eugénie. Ma copine est seule. Aucune trace de la gardienne. Ni du bébé. *OMG !*

— Elles sont où ?

— Je sais pas ! Mais tu peux être sûre que je vais lui donner son quatre pour cent. Y a jamais été question qu'elle sorte de l'appart avec ma fille.

Elle saute sur son téléphone pour appeler sa gardienne.

— Sabrina ! T'es où ?

— …

— Comment ça, au parc ? Tu m'as jamais demandé la permission !

— …

— Tu reviens ici ! *Now !*

Elle raccroche et je pousse un long soupir de soulagement. De son côté, elle semble toujours aussi furieuse.

— Bon, au moins, il est rien arrivé.

— Non, mais j'aime pas ça ! Pis en plus, y avait un chien qui jappait super fort.

— Hein ? Pis Eugénie, est-ce qu'elle pleurait ?

— Je l'entendais pas.

— Elle était au parc Mile End ?

— Ouais.

— Bon, c'est à côté. Elle devrait être ici dans deux minutes. Arrête de t'en faire.

Je lui propose une tisane pour la calmer un peu, mais elle refuse.

— Je suis pas tranquille, je vais aller à sa rencontre.

— Je t'accompagne.

Nous sortons et marchons d'un pas rapide vers le parc. Dans la rue, nous croisons un couple qui sort de l'épicerie du quartier avec les bras remplis de sacs écolos, une jeune femme qui passe près de foncer sur moi parce qu'elle a les yeux rivés sur son cellulaire, un vieux monsieur d'origine indienne qui nous demande où est la quincaillerie, mais aucun signe d'une ado et d'une poussette rouge et noir.

— Eille, c'est pas *cool* ! dis-je.

— Si je la vois pas d'ici cinq minutes, j'appelle la police.

— Elle peut pas être ben loin !

En arrivant au parc, même constat. Pas de trace de Sabrina et d'Eugénie.

— Bon, c'est assez ! Je fais le 9-1-1.

Marie-Pier s'apprête à composer le numéro d'urgence quand, soudain, j'entends un chien japper non loin.

— Attends, on va aller voir par là.

J'indique du doigt l'avenue Saint-Viateur, d'où viennent les aboiements. Je pars en courant et elle m'imite aussitôt. Étant une adepte de la course à pied, elle me dépasse en quelques secondes.

Aussitôt qu'elle tourne le coin, elle hurle le nom de sa gardienne. Je m'empresse de la rejoindre et je suis stupéfaite de l'image qui s'offre à moi.

Celle que je présume être Sabrina tient de la main droite la poussette dans laquelle se trouve Eugénie. En théorie, elle devrait utiliser ses deux mains, mais elle ne peut pas. Celle de gauche est occupée par les laisses de trois gros chiens, qui semblent éprouver un malin plaisir à tirer sur leurs liens.

Ainsi déstabilisée, Sabrina a peine à faire avancer la poussette correctement. Elle s'en va dans toutes les directions, provoquant les pleurs de la pauvre poupoune. Ce n'est pas compliqué : on dirait une scène tirée d'un mauvais film. Mais elle est bien réelle. Et elle doit cesser tout de suite.

— C'est quoi, ces chiens-là ?

La voix paniquée de Marie-Pier fait peur aux animaux qui se mettent à aboyer de plus belle. Sabrina fige sur place, elle aussi terrorisée par mon amie qui se rue sur la poussette et se penche pour prendre Eugénie dans ses bras. Rapidement, elle s'éloigne pour la consoler et la protéger de la cacophonie qui règne.

Je dévisage la gardienne d'un air catastrophé. Elle tente tant bien que mal de calmer ses chiens surexcités.

— Veux-tu bien me dire ce qui t'a pris ?

Honteuse, la jeune fille baisse la tête et ne répond pas. Elle se remet à marcher, cédant aux pressions des bêtes. Si elle pense s'en tirer ainsi, elle se trompe. Je lui emboîte le pas, en m'assurant d'emporter la poussette.

— C'est à qui, ces chiens-là ?

— À mes clients. Je les promène tous les jours en début de soirée.

— Et tu fais les deux en même temps ? Tu gardes Eugénie et les chiens ?

— Euh, c'est juste que…

— Que quoi ? C'est inacceptable !

Sabrina relève la tête. Ses yeux sont inondés de larmes, mais je n'éprouve aucune pitié pour elle.

— D'habitude, quand je garde, je demande à une de mes chums de promener les chiens. Mais là, j'ai trouvé personne.

— Pis tu pouvais pas annuler la promenade des chiens ?

— Ben non ! Faut qu'ils sortent faire leurs besoins.

— Oh, ouache ! J'espère que t'as du Purell pour te laver les mains.

— …

— Pis tu touchais Eugénie après avoir ramassé les crottes ? Dégueulasse !

— Je prends un sac pour les ramasser.

— Quand même ! Et puis t'imagines ce qui serait arrivé si t'avais renversé la poussette ?

— Je faisais attention.

— En plus, Eugénie risque de devenir sourde à cause des aboiements des chiens !

— Hein ? Ça se peut pas !

D'accord, c'est sans doute exagéré, et j'avoue que je ne sais pas de quoi je parle, mais n'empêche que de si petites oreilles, il faut les protéger.

— C'est évident que c'est mauvais pour elle de se faire japper dans les oreilles. Allume !

— M'excuse.

Je n'ajoute rien, espérant avoir infligé une bonne leçon à cette ado certes pas méchante, mais qui manque cruellement de jugement. Je cherche des yeux Marie-Pier, je ne la vois nulle part. Elle doit être retournée chez elle.

J'avise Sabrina que Marie-Pier lui donnera des nouvelles pour la suite. Je lui précise toutefois qu'elle ne devrait pas trop s'attendre à prendre soin d'Eugénie à nouveau. Ni même du bébé du frère de ma copine. Curieusement, elle ne semble pas accablée par mes commentaires. Ni par le fait de perdre deux contrats. Ce n'est rien pour qu'elle s'attire ma sympathie. Sabrina-je-sais-pas-qui, c'est clair que tu viens de sortir de nos vies. Pour toujours.

Je rapporte la poussette vide à l'appartement de mon amie. Dans le salon, Marie-Pier berce sa fille, enveloppée dans une légère couverture aux dessins de pingouins. Je m'assois doucement à côté d'elles.

— T'as réussi à la calmer ?

— Hum, hum. Ça va.

Elle me demande de lui raconter comment les choses se sont passées avec Sabrina. Je lui répète notre conversation.

— Ç'a pas de bon sens ! On peut pas faire confiance à personne.

— Pas à elle, mais y en a des plus fiables.

D'un air songeur, Marie-Pier regarde sa fille qui dort paisiblement. Je décide d'aborder à nouveau un sujet dont elle ne veut pas entendre parler, mais qui, à mon avis, mérite qu'elle y réfléchisse encore. Après tout, elle ne l'a pas faite avec le Saint-Esprit, sa fille.

— Marie, me semble que ce serait plus simple si tu parlais à Étienne.

Elle me fusille du regard, comme chaque fois que je mentionne celui qui a été son entraîneur personnel et son amant. Et qui ignore totalement être le papa d'un magnifique bébé en pleine santé.

— Je t'ai déjà dit que je voulais rien savoir.

— Mais pourquoi ? Il pourrait te donner un coup de main. Au moins financièrement.

Mon amie est trop orgueilleuse pour le dire, mais je sais qu'elle trouve salée la facture à payer pour élever un enfant seule.

— Je suis capable de m'organiser par moi-même. Je veux rien devoir à personne.

Ah, qu'elle est bornée ! Mais bon, c'est son choix et je dois le respecter. Je change de sujet… pour le moment.

— Va te falloir une autre gardienne, dans ce cas-là.

— Non.

— Comment ça, non ?

— Je veux plus m'en éloigner.

— Qu'est-ce que tu veux dire ?

— Je veux dire que je ne la quitte plus.

Ses propos me tracassent. La semaine prochaine, il est prévu qu'elle retourne vendre des autos au concessionnaire Honda qui appartient à son père. Eugénie ira dans une garderie en milieu familial située à deux pas d'ici.

— Mais… qu'est-ce qui va se passer ? Tu peux pas l'emmener au travail !

— C'est ce que je vais faire.

— Hein ? Comment ça ?

— Au garage, on est trois filles à avoir des flos en bas âge. Plus mon frère pis un mécanicien. Il est temps qu'on ait une garderie sur place.

— Wow ! Bonne idée !

— En plus, on pourrait faire une grosse promo avec ça. Les clients qui ont des bébés pourraient les faire garder pendant qu'ils magasinent.

— T'as rien laissé au hasard ! T'es donc ben bonne !

Marie-Pier me regarde, reconnaissante et fière d'elle.

— J'avoue que ça me trottait dans la tête depuis un moment. Et là, avec ce qui est arrivé…

— Penses-tu que ton père va vouloir ?

— Je suis certaine. Il ferait n'importe quoi pour voir « sa p'tite génie », comme il l'appelle.

Pour manifester son accord, Eugénie se réveille, nous sourit et retourne aussitôt dans son monde où tout semble tellement calme et facile. Et moi, j'envie sa belle tranquillité d'esprit.

STATUT FB DE **Juliette Gagnon**
À l'instant, près de Montréal
Eille ! Toi qui es sur mon balcon, décrisse !
#NOW ☹

*U*n bruit inhabituel me tire du sommeil. Alarmée, je me redresse brusquement dans mon lit. Je ne suis pas de nature peureuse, je ne l'ai jamais été. C'est pour ça que je n'ai pas hésité à louer un appart situé au rez-de-chaussée. Mais quand j'ai l'impression qu'on veut entrer chez moi par effraction, je ne suis pas rassurée.

Immobile, je tends l'oreille. Le bruit vient bel et bien du balcon avant de mon appartement, là où se trouvent ma porte d'entrée et la fenêtre de ma chambre. Je distingue des pas, comme si quelqu'un marchait de long en large sur mon balcon. Étrange... Un voleur n'agirait pas de cette manière.

Mon réveille-matin indique 1 h 23. Je n'ai pas l'habitude de recevoir des visiteurs à cette heure-ci.

Peut-être est-ce simplement un gars soûl qui a pris mon balcon en affection et qui s'apprête à vomir dans mon pot de géraniums ? Eh bien qu'il aille se faire voir ailleurs !

Une ombre passe devant ma fenêtre. Je ne peux m'empêcher de sursauter et d'émettre un cri. L'ombre s'arrête. Instinctivement, je couvre ma poitrine nue avec mon drap en coton rose. Quelle idée, aussi, de dormir seulement en bobettes !

Pendant quelques instants, ni l'ombre ni moi ne bougeons. Je retiens mon souffle, me demandant comment réagir. J'ai le curieux sentiment que l'ombre m'observe et scrute mon âme à travers le rideau en lin. Soudain, je ne me sens plus menacée, comme si l'ombre veillait sur moi. *Oh my God!* Juliette, tu dérapes, ça suffit !

Puis la sonnerie d'un téléphone se fait entendre. L'ombre détale au quart de tour et le silence revient. La sonnerie s'est éteinte, et mon balcon me paraît désormais vide. L'espace d'une seconde, je me sens soulagée. Puis les questions fusent dans ma tête.

Est-ce un hasard si cet homme se trouvait devant la fenêtre de ma chambre ? Est-ce un pur étranger ou est-ce que, au contraire, je le connais ? Et surtout, quelles étaient ses intentions ? Pourquoi se pointer chez moi en pleine nuit et déguerpir sans demander son reste ? L'ombre ne semble pas vouloir revenir, me laissant en plan avec mes interrogations.

Par mesure de précaution, je vais vérifier si j'ai bien verrouillé la porte d'entrée. J'enfile mon t-shirt I ♥ Montreal qui traîne au sol et je me rends dans le couloir. Un seul coup d'œil suffit à confirmer que je suis en sécurité.

Je m'apprête à retourner au lit quand je me demande si mon visiteur nocturne est encore dans les environs. Lentement, j'écarte le store de la fenêtre de la porte d'entrée et j'inspecte le balcon. Tout est calme, aucun signe de présence humaine. J'observe ensuite la rue et c'est là que je l'aperçois. François-Xavier Laflamme. Il est appuyé contre un véhicule stationné dans ma rue et regarde dans ma direction. Au moment où nos regards se croisent, je rabats d'un coup sec le store en aluminium.

À la simple vue de l'homme que j'ai aimé du plus profond de mon être au cours de la dernière année, mais qui m'a tant fait de peine, je sens mon cœur se serrer. Mon amour impossible pour F-X m'a carrément empoisonné l'existence et je commence juste à être bien dans ma peau. Quel besoin a-t-il de revenir tout bousculer dans ma vie ?

Mon histoire – ou plutôt ma non-histoire – avec lui est vraiment pathétique, quand j'y repense. Me rendre compte qu'il est l'amoureux dont j'ai toujours rêvé au moment même où il se passe la corde au cou… Pas fort !

Ce qui nous arrive, à lui et moi, depuis notre adolescence est une longue série de rendez-vous manqués. Comme si la vie, les non-dits et les malentendus nous avaient constamment empêchés d'être réunis. Et ce n'est pas aujourd'hui que ce sera possible. Certainement pas avec un bébé de quelques mois dans le portrait.

Si j'étais raisonnable, je retournerais sagement me coucher et je le laisserais poireauter dehors jusqu'à ce qu'il en ait assez. C'est ce que me dit ma tête.

Le problème, c'est que je n'ai pas envie de l'écouter, cette tête rationnelle. Ça fait trop longtemps qu'elle guide mon comportement envers F-X. C'est elle qui m'a interdit de communiquer avec lui ces derniers temps. C'est elle aussi qui m'a « presque » convaincue qu'il en était mieux ainsi. Mais là, maintenant qu'il est à deux pas, c'est mon cœur et mon corps que je veux suivre. Et eux, ils souhaitent que je lui ouvre la porte.

J'hésite encore un peu, pour finalement décider de garder la tête froide et d'ignorer les battements de mon cœur qui s'accélèrent. Je m'éloigne en repensant à cette promesse que j'ai faite à mes amies aujourd'hui même : « Le prochain qui va se retrouver dans mon lit, ce sera pas pour une baise d'un soir. » Et F-X n'a pas grand-chose d'autre à m'offrir, à part un statut de maîtresse, que je ne désire pas.

Toc, toc, toc…

Trois légers coups sont frappés à ma porte et viennent ébranler mes convictions. Va-t'en, s'il te plaît, lui dis-je en moi-même, pendant que mes pas me ramènent à la porte d'entrée que j'ouvre avec précaution. Mon ami d'enfance se tient devant moi. Ses beaux yeux vert clair sont un peu tristes et il a un sourire fatigué.

— Qu'est-ce que tu fais là ?

— Euh… j'avoue que je sais pas trop.

Un peu gênée de me retrouver en petite culotte devant lui, je tire sur mon t-shirt pour tenter de me cacher. Il me lance un regard amusé. Pendant un instant, je me sens conquise, mais je suis sur mes gardes.

— Est-ce qu'on reste ici ou bien tu me fais entrer ?

— Je sais pas si c'est une bonne idée.

— OK, comme tu veux. Excuse-moi, j'aurais pas dû venir chez toi.

Il se tourne et se dirige vers la rue. *WHAT ?* Pas plus batailleur que ça ? Blessée dans mon orgueil, j'allais refermer la porte quand la curiosité et surtout l'envie de passer un moment avec lui l'emportent.

— OK, c'est beau, entre.

Je lui indique de m'attendre au salon pendant que je vais enfiler un bas de pyjama. Je choisis volontairement le plus laid du tiroir, celui en flanelle, rayé rouge et bleu, usé à la corde.

Mon ami a pris place sur mon canapé. J'opte pour une vieille chaise en rotin que j'apporte devant lui.

— Euh… T'aurais pu t'asseoir ici. Le sofa est plus confortable, non ?

Il a raison, d'autant plus que le coussin de ma chaise est au lavage depuis que j'y ai oublié mon pot de *gelato* au citron pendant une nuit. Un peu dur pour les fcsses, mais moins dangereux que la proximité de son corps.

— Ça va aller… F-X, pourquoi t'es venu ici en pleine nuit ? Y a quelque chose qui va pas ?

— As-tu reçu mon texto aujourd'hui ?

— Euh, oui.

— Pourquoi tu m'as pas répondu ?

Je le trouve bien effronté de se pointer chez moi et de me questionner comme si je lui étais redevable. Toute la peine et la rancœur que j'ai éprouvées ces derniers mois refont surface. Je me lève d'un bond.

— Eille, t'es pas gêné, François-Xavier Laflamme ! J'ai pas de nouvelles de toi pendant presque un an, pis là, parce que tu daignes m'envoyer un message, faudrait que je te réponde dans la minute ?

— Fâche-toi pas, Juliette, s'il te plaît.

— En plus, tu me joues dans le dos avec Marie-Pier.

Il se lève à son tour, visiblement sur la défensive.

— Wô ! J'ai pas fait ça !

— Pourquoi tu l'as vue, elle, pis pas moi ?

— Elle te l'a pas dit ?

Au souvenir des paroles de ma copine, « Tu serais devenue sa maîtresse. Et ça, il voulait pas ça », je détourne le regard. Oui, elle me l'a confié, mais c'est de sa bouche que je veux l'entendre.

— Non, je me souviens pas.

Il se rassoit et m'invite à le rejoindre. J'hésite, puis je cède, m'installant toutefois à l'autre bout du canapé.

— Tu veux vraiment savoir pourquoi j'ai arrêté de t'appeler après mon mariage ?

— Hum, hum.

Avant de poursuivre, il se rapproche. À un point tel que je peux sentir l'odeur de sa lotion après-rasage boisée, comme dans mon souvenir. Je remarque alors qu'il ne porte plus ses grandes lunettes à monture noire.

— T'as fait quoi avec tes lunettes ?

— J'étais tanné. J'ai des verres de contact.

— Ah, dis-je d'un ton niaiseux, n'osant pas commenter davantage.

— T'aimes ça ?

— Euh… Oui. On voit mieux tes yeux.

— Je suis content que ça te plaise.

Je sens que je laisse tomber mes barrières et, pour me protéger, je prends mes distances en me collant un peu plus contre le bras du canapé. F-X s'avance de quelques centimètres vers moi.

— Écoute, Juliette, je veux pas que tu sois fâchée contre moi.

— Facile à dire. Tu t'es servi de moi. Carrément.

— Jamais. Si c'est ce que t'as ressenti, je m'en excuse. Sincèrement.

Ces quelques mots prononcés avec tant de tendresse me réconfortent. Savoir que tout ça n'était pas calculé est un grand soulagement.

— J'ai essayé très fort de t'oublier, Juliette, mais… Ça marche pas. Je suis pas capable.

Il me tend la main. J'y dépose la mienne.

— Je croyais qu'en cessant de te voir j'y arriverais, mais je pense tout le temps à toi.

— Tout le temps ? dis-je, maintenant émue aux larmes.

— Oui. Je te cherche des yeux quand je viens dans le quartier. Ou dans les 5 à 7 au Furco.

Je n'ose pas lui révéler que parfois je fais exactement la même chose.

— Quand je travaille, poursuit-il, je me demande si tu aimerais mes plans, comment tu photographierais mon bâtiment.

François-Xavier est architecte. Et pas n'importe quel architecte. Un des meilleurs de sa génération. Ça, ça me séduit beaucoup.

— Et la nuit, quand je n'arrive plus à me rendormir après que Loukas m'a réveillé, je consulte ta page Facebook.

— Ben voyons! On est même plus amis.

— On l'est encore. Tu devrais pas accepter des filles que tu connais pas et qui mettent une photo de chat comme avatar, Juliette.

Il profite de ma surprise pour me caresser doucement le poignet.

— Tu te fais passer pour une fille?

— Juste avec toi. T'es la seule amie d'Élisabeth Bergeron.

— Nooon! Pouahhhh, t'es trop *cute*!

Là, j'avoue que je suis conquise. Un gars qui me suit incognito sur Facebook, c'est irrésistible. Mais ça ne change rien au fait qu'il est marié et a un bébé. Je retire ma main de la sienne.

— C'est des bien belles paroles, mais ça nous mènera nulle part.

— Et si on profitait juste du moment?

— Tiens, c'est nouveau, ça. T'as pas dit à Marie-Pier que tu voulais pas que je sois ta maîtresse?

— Donc elle t'a raconté notre conversation?

— Euh… Ouin. Un peu.

Il me fait un petit air et je comprends qu'il se doutait que j'en savais plus que je voulais l'admettre.

— C'est vrai, j'ai dit ça, mais…

— Mais quoi?

— J'en peux plus de m'imaginer comment ce serait avec toi.

Le plus incroyable dans mon histoire d'amour avec lui, c'est que ça fait plus de dix ans que nous n'avons pas baisé ensemble. Il a été mon premier amant, à l'adolescence. Et depuis que nous nous sommes revus l'été dernier, nous avons joué avec le feu, rien de plus.

Moi aussi, j'en ai rêvé, de cette «vraie» première fois avec F.-X. Je me suis demandé s'il était toujours si doux, si prévenant, si attentif. Je me suis inventé des scénarios, nous mettant en scène tous les deux dans un contexte parfois hyper romantique, d'autres fois plus sauvage, plus brutal.

Et là, en cette chaude nuit du début de l'été, il m'offre de plonger avec lui dans une histoire qui, je le sais, sera sans lendemain. Est-ce que c'est vraiment ça que je souhaite ? Non. Pourtant, la vraie question, c'est de savoir si je vais pouvoir résister... Surtout quand il me regarde avec intensité, comme maintenant.

— Je vais devenir fou si ça continue comme ça.

Je baisse les yeux, troublée par ses confidences. Je sens ses mains revenir à la charge. Voilà qu'il me caresse la cuisse par-dessus mon horrible pyjama.

— J'arrête pas de me demander comment tu vas, ce que tu fais, si t'es avec quelqu'un.

Ses doigts s'aventurent sur ma hanche et remontent jusqu'à mon ventre, en l'effleurant. Ils s'attardent un instant à la boucle de mon pyjama défraîchi. Tranquillement, il en détache le cordon.

— Je m'imagine que, la nuit, tu portes des trucs hyper sexy, dit-il avec un grand éclat de rire.

— Eille ! T'es pas gêné !

Je joue la fille vexée et je bondis du canapé pour aller me planter à l'autre bout du salon. J'ai envie de le narguer, de le faire languir un peu, de le mettre à l'épreuve.

Je rattache solidement mon pyjama, pendant qu'il m'observe avec amusement. Puis, du regard, je le défie de s'essayer à nouveau. Il se lève et s'avance vers moi, tel un prédateur. Je déguerpis à toute vitesse dans ma chambre et je referme la porte avec fracas. Je l'entends se pointer de l'autre côté.

— Tu rentres pas !

— *Come on*, Juliette !

— Non !

J'écoute un instant ce qu'il fabrique et je me rends compte qu'il ne bouge pas. Parfait ! Je mets à exécution l'idée qui vient de surgir dans ma tête, en espérant qu'il patientera encore un peu.

Quelques secondes plus tard, c'est vêtue d'une nuisette noire transparente et d'une culotte brésilienne assortie que je lui ouvre la porte. Mon futur amant me contemple un long moment sans dire un mot. Peu habituée à me faire admirer de la sorte, je suis légèrement intimidée.

Il s'avance doucement et encercle ma taille de ses deux mains pour me faire reculer. Tout en m'embrassant avec passion, il me renverse sur le lit, et je sais d'instinct que je m'apprête à vivre une des plus belles nuits de ma vie.

*

Une nuit qui n'aura malheureusement duré que quelques heures. L'oreiller à mes côtés est encore chaud. F-X est retourné auprès de sa femme qui lui a laissé deux messages pendant que nous faisions l'amour. C'est aussi elle qui l'a appelé au moment où il m'observait sur le balcon de ma chambre.

Son départ précipité et sa nervosité ont quelque peu gâché le moment magique que nous avons vécu. Jusqu'à ce qu'il consulte ses messages, tout était parfait. Parfaitement parfait.

L'amour avec lui était encore plus sublime que je me l'imaginais. Encore plus extraordinaire que dans mes fantasmes. Il y a quelques minutes à peine, je baignais dans un état de béatitude totale. Blottie contre le torse chaud de mon amant, je me sentais en sécurité. Rien ne pouvait m'arriver.

Et maintenant qu'il a quitté mon lit et que je me retrouve seule avec moi-même, ce n'est plus un sentiment d'extase qui m'habite, mais bien une profonde angoisse. Celle de l'attente. L'attente de son prochain texto. L'attente d'un autre rendez-vous nocturne. L'attente d'une vie à deux… Avec lui.

4

— Salut !

— Clem, il est 7 heures et demie ! Qu'est-ce que tu fais là ?

Ma bonne amie se tient devant moi, sur le balcon de mon appartement. Et même si elle m'offre un des deux cafés qu'elle a dans les mains, je n'aime pas qu'elle me tire du lit aussi tôt.

— Euh… Je venais te faire un petit coucou avant que tu partes pour Québec.

— Je pars juste cet après-midi. Pis là, j'aurais aimé dormir parce que je vais travailler hyper tard ce soir.

— Honnn, excuse-moi, j'y ai pas pensé.

Son air désolé me ramène à de meilleurs sentiments. J'accepte le café et je lui ouvre grand la porte.

— Viens, astheure que je suis révcillée.

Elle me suit jusque dans la cuisine, se confondant à nouveau en excuses.

— C'est pas grave, Clem. Je suis contente de te voir.

— Vraiment?

— Pourquoi tu dis ça?

— Ben… Parce que je t'ai laissé deux messages hier, pis que tu m'as pas rappelée.

— J'ai juste pas eu le temps, Clem.

— Hum, hum, me semble, oui.

C'est vrai que du temps, j'en ai eu, hier. Toute la journée, même. Mais j'ai préféré le passer seule à repenser à mon aventure avec F-X et à lui envoyer des textos toutes les heures. J'ai été soulagée de constater qu'il répondait presque instantanément… du moins de 8 h 15 à 18 heures. Ensuite, plus rien. J'ai fixé mon téléphone toute la soirée, lui ordonnant de sonner. Et le miracle s'est produit à 22 h 20. Un dernier message avant le dodo.

« J'ai pas arrêté de penser à toi. Bonne nuit xxxxxxxxxx »

Ce à quoi j'ai répondu par un *selfie* exposant mes deux jambes allongées sur le lit, les chevilles croisées. Puis une deuxième photo, celle-là de ma petite culotte rose. Puis une troisième qui montrait mon visage et le haut de mon corps, avec, en prime, la bretelle de ma camisole qui pendait sur mon bras, laissant entrevoir la naissance de mes seins.

Il m'a répondu par de brèves émoticônes. Déçue, je lui ai demandé de m'envoyer lui aussi une photo. En guise de réponse, je n'ai eu qu'un : « Demain, promis xoxoxoxo. » Fin de l'intermède.

— As-tu déjeuné, Clem?

— Oui, c'est beau. Je resterai pas longtemps, j'ai un rendez-vous avec un nouveau collaborateur à neuf heures.

— Ah ouin, qui ça?

Au lieu de répondre, elle me regarde verser du yogourt grec dans un bol et déballer mon paquet de fraises fraîches du Québec.

— Bravo, Juju! Je vois que tu manges un peu plus santé.

— Peut-être que tu déteins sur moi, finalement.

Clémence Lebel-Rivard apporte une grande importance à l'alimentation, puisqu'elle est nutritionniste. Elle a sa propre entreprise de repas prêts à manger, en plus d'être une chroniqueuse-vedette à la télé. J'admire et j'envie son sens des affaires.

— Et c'est qui, ce nouveau collaborateur?

— Tu devineras jamais.

L'étincelle que j'aperçois dans ses grands yeux kaki m'intrigue.

— Ben là, c'est qui?

— Hachim Aloui.

— Noooooooon! C'est trop *hot*!

— Pas pire, hein?

Je suis agréablement surprise de son initiative, elle qui n'a pas l'habitude de prendre le taureau par les cornes quand vient le temps de séduire un homme. Je dois admettre que c'est la suite logique de la scène que j'ai observée au spa.

Je prends place à ma table de cuisine, la débarrassant au préalable de mon équipement photo qui y traîne. Elle s'assoit devant moi.

— Qu'est-ce qui t'a décidée à te déniaiser?

— Peut-être parce que j'ai eu trente-trois ans le mois dernier.

— C'est quoi, tu te sens vieille?

— Mettons que le trente-cinq approche.

— Et?

— Je sais pas, c'est un tournant, non?

— Non, je vois pas. Trente-trois, trente-cinq, c'est juste des chiffres. Et c'est encore super jeune.

— Juju, t'as même pas trente ans. Tu peux pas comprendre.

Sa remarque, pourtant inoffensive, me pique au vif.

— Bon, bon, comme si j'étais idiote. Si c'est ça, c'est la dernière fois que j'essaie de t'encourager.

J'appuie mon commentaire d'une moue boudeuse, même si je sais très bien que c'est enfantin. Une façon comme une autre d'attirer l'attention.

— Ouin, t'es à pic pas à peu près ce matin!

Je ne réponds pas et j'engloutis une énorme cuillerée de yogourt. Estimant que ce déjeuner ne comprend pas la dose de sucre nécessaire à une journée de travail chargée, j'y ajoute du sirop d'érable, avec générosité. Clémence a la bonne idée de garder ses observations pour elle. Je n'aurais pas supporté qu'elle me fasse la morale sur ce qu'elle appelle «ma consommation excessive de sucre pour compenser un manque d'amour». Pff… N'importe quoi.

— Tu vas me dire ce qui se passe ou tu vas continuer à te comporter de la même manière que mes garçons?

Ça, ce n'est rien pour améliorer les choses! Franchement, me comparer aux deux M qui ont six ans! Quand je suis dans cet état, me provoquer est la pire des stratégies. Ça ne fait que rajouter une couche à ma mauvaise humeur.

Je m'isole à nouveau dans mon silence et je mange mon yogourt, les yeux fixés sur mon bol. Clem attend patiemment que je réagisse. Puis elle se lève et contourne la table pour venir se placer derrière ma chaise et m'enlacer par les épaules.

— Juju, qu'est-ce qui te fait de la peine comme ça?

Ses bras m'apaisent et mon mécontentement diminue. Je ne suis pas certaine, par contre, que ce soit une bonne idée de tout lui raconter. Elle sera trop déçue et elle essaiera de me convaincre de ne plus revoir mon homme marié. Ce qui, je le sais, est la chose sensée à faire. Mais qui a dit que je suis une personne sensée, hein? Qui?

— Rien, j'ai pas de peine.

Plus facile de lui mentir quand elle ne me regarde pas dans les yeux. Je m'organise donc pour qu'elle reste dans sa position, en demeurant dans ses bras. Mais Clémence n'est pas le genre de fille à qui on peut aisément passer un sapin. Peut-être que son expérience de maman de deux garçons hyper ratoureux y est pour quelque chose. Elle se dégage de son étreinte pour se rasseoir devant moi et me fixe de ses grands yeux inquisiteurs.

— C'est F-X?

Non mais, comment elle s'y prend? Pas moyen d'avoir des secrets avec elle!

— Tu l'as revu?

Je fais oui de la tête et, comme je le craignais, ma copine affiche un air découragé.

— Ah, *come on*, Clem! Juge-moi pas!

Je vois bien qu'elle s'efforce encore de se retenir de me faire la morale.

— Je te promets que je vais être compréhensive, OK?

Il ne m'en fallait pas plus pour que je me confie de long en large. Le visage impassible, Clémence m'écoute lui décrire mes quelques heures de pur bonheur passées avec lui. Elle ne bronche pas non plus quand je lui annonce que je suis amoureuse comme je ne l'ai jamais été dans ma vie.

À la fin de mon exposé, elle demeure silencieuse un temps. Puis elle prend la parole, doucement, exactement comme j'ai besoin.

— Juju, t'es certaine que c'est de l'amour?

— Ben là! Qu'est-ce que tu veux que ce soit d'autre?

— Je sais pas… De l'attirance, du désir.

— C'est plus que ça.

Elle réfléchit quelques secondes avant de poursuivre. J'ai la désagréable sensation de subir une radiographie du cœur.

— Qu'est-ce qui te plaît tant chez lui?

À penser à ses mille et une qualités, je suis parcourue tout entière par une étincelle de joie.

— Premièrement, il est *fucking* beau.

— OK… Ensuite ?

— Il fait super bien l'amour. Il a la peau *full* douce. Et mettons qu'il a été gâté par la nature.

Son sourire complice me confirme qu'elle aussi accorde une certaine importance à ce genre de détail. Qui, avouons-le, est un gros détail.

— OK, mais à part le physique ?

— Il est drôle, charmant et il a de l'ambition.

— De l'ambition ?

— Ben oui ! Il a plein de projets, il veut réaliser de grandes choses.

— Et ça t'allume ?

— Trop. Pourquoi, ça t'étonne ?

— Non, non, c'est juste que…

— Que quoi ? Où tu veux en venir, Clémence ?

— Ah ! Ah ! Juju, t'es pas évidente ce matin ! Même pas capable de discuter.

— Ben là, c'est toi qui cherches des problèmes où y en a pas.

L'air résigné, elle se lève et ramasse son sac à main bowling, qu'elle avait accroché au dossier de sa chaise.

— Quand t'es comme ça, ça sert à rien de te parler.

Je réalise soudain qu'elle a peut-être raison. Il est possible que je sois légèrement bornée. Légèrement, dis-je bien.

— Non, pars pas, s'il te plaît. Je vais t'écouter, promis.

Ma copine me lance un regard sceptique, peu convaincue que je suis prête à entendre son point de vue. Pour l'encourager, je lui adresse un large sourire plein de yogourt. Elle lève les yeux au ciel et reprend place à table.

— Ce que je me demande, Juliette, c'est…

Clémence cherche ses mots. Visiblement, elle est sur ses gardes. Elle n'est pas la seule. Quand elle m'appelle par mon prénom au lieu du diminutif affectueux qu'elle utilise d'habitude, je comprends que l'heure est grave.

— C'est quoi? Tu peux me le dire?

— F-X, dans le fond, tu le connais pas.

— Comment ça, je le connais pas?

— Juliette, vous êtes même pas sortis ensemble.

— Pis ça?

— Tu peux pas être en amour avec un gars avec qui t'as même pas passé vingt-quatre heures.

— Pourquoi pas? C'est mon ami d'enfance. Je le connais bien plus que tu penses!

— Ah oui? Donc tu sais ce qu'il mange au déjeuner, quel genre de musique il écoute, quels sports il pratique…

— Bon, peut-être pas. Mais ça change quoi?

— Ça change que tu sais même pas si vous avez des affinités.

— On a les affinités essentielles. C'est ce qui compte.

— L'amour, ça passe pas juste par le sexe.

— Non, mais on s'entend que c'est un bon début.

— C'est sûr, mais y a les valeurs aussi, la façon de voir la vie.

— *WHAT*? On se croirait dans un cours de philo au cégep. L'amour, c'est dans les tripes, pas dans la tête.

— Je pense que c'est dans les deux. On ne peut pas aimer un homme qu'on connaît pas. Point à la ligne.

— Ben voyons donc! Et le coup de foudre, t'en fais quoi?

— Pff… Des conneries.

— Ah oui? Excuse-moi, Clem, mais tu t'es pas vue avant-hier au spa avec Hachim.

— Quoi, au spa?

— T'avais l'air d'en avoir tout un, coup de foudre.

Clémence fuit mon regard pour fixer le trépied de mon appareil photo, appuyé dans un coin de ma cuisine.

— Avoue !

Elle cesse de se défiler et repose les yeux sur moi.

— T'exagères ! J'étais juste un peu impressionnée de le rencontrer, pas plus.

— Me semble, oui.

— Je prétends pas être en amour avec lui, moi !

— Moi non plus, je prétends rien. Je le suis.

— Mais non, tu l'es pas !

— Qu'est-ce que t'en sais ?

Elle hausse les épaules et garde le silence, puis elle poursuit d'un ton plus doux :

— Je veux juste que tu te protèges, Juju. Tu vas te faire mal avec lui.

Je suis touchée par sa sollicitude et je comprends maintenant où elle voulait en venir avec tous ces commentaires qui ne lui ressemblent pas. Ma Clémence s'inquiète toujours trop pour les autres.

— Mais non, ça va aller. Je suis une grande fille, je sais ce que je fais.

— Euh… Je suis pas sûre de ça, me lance-t-elle, à moitié sérieuse.

— Dahhhh…

— Et là, tu me donnes raison en parlant comme une ado.

— Ah ! Arrêêêêête !

Elle éclate de rire devant mon exaspération semi-feinte. Je sais bien qu'elle dit la vérité et qu'il m'arrive de ne pas me comporter comme une femme de vingt-sept ans. Ce n'est pas que je sois immature. Du moins, je ne pense pas…

C'est mon intensité qui me joue des tours ; mon désir de vouloir croquer dans la vie à tout prix, mon envie de savourer chaque seconde comme si c'était la dernière… C'est ce qui me guide et qui, parfois, me fait faire des folies. Je n'ai jamais été du genre à être sur les *breaks* et je ne le serai jamais.

— Promets-moi une chose, Juju.

— Quoi donc ?

— De pas avoir d'attentes, OK ?

— Non, non.

— Sérieux, là ! Mets pas ta vie en veilleuse pour lui. Continue à faire tes trucs, à sortir, à rencontrer d'autres gars.

— Oui, oui, dis-je, légèrement exaspérée.

— Et fais-toi pas d'idées. Ça m'étonnerait qu'il quitte sa femme.

— Ben là, peut-être pas dans les jours qui viennent, mais…

— Non, Juju. Mets-toi pas ça dans la tête.

— Bon, bon, OK.

— Prends ce qui passe, mais attends rien de lui.

— Si tu le dis.

— Promis ?

— Promis.

Je débarrasse la table de la cuisine en songeant aux conseils de mon amie. Je sais que je lui ai menti effrontément. Depuis la minute où elle a mis les pieds dans mon appartement, je n'ai pas cessé de regarder l'heure sur mon iPhone pour qu'il soit 8 h 15. L'heure à laquelle F-X quitte la maison et où il peut enfin m'envoyer son premier texto de la journée.

5

STATUT FB DE **JULIETTE GAGNON**
À l'instant, près de Laurier-Station
Help! Problème de filles. Inboxez-moi svp!
#çadéborde

*U*ltraminces avec ailes, régulières *Flesh*, super longues avec *odor-lock*, maxi de nuit, pour flux très abondant, *radiant infinity* sans ailes, protection maximum… C'est donc compliqué de choisir de simples serviettes hygiéniques!

Je suis à la pharmacie dans l'allée des «produits féminins», à la recherche de ma marque habituelle, que je n'arrive pas à dénicher sur la tablette. Et ça me fait légèrement paniquer. Si je ne réagis pas bientôt, je vais me retrouver avec une énooooooorme tache sur mon jeans et je vais être super mal à l'aise pour travailler.

Quand j'exerce mon métier, je prends toutes les positions possibles et imaginables pour faire LA meilleure photo. Accroupie en petit bonhomme, penchée au-dessus d'une mezzanine, assise à califourchon sur une clôture de bois, grimpée sur le toit d'un abribus ou même en équilibre précaire sur une borne-fontaine... Rien ne m'arrête. Ça fait longtemps que j'ai compris que, pour être la meilleure, je devais user d'ingéniosité et de débrouillardise pour avoir un point de vue original. C'est pourquoi j'ai besoin d'avoir ma liberté de mouvement. Et aujourd'hui plus que jamais, avec le défi qui m'attend.

C'est certain que ce serait plus pratique si j'utilisais des tampons comme le font mes amies, mais j'en suis incapable. Je déteste sentir autre chose qu'un pénis à l'intérieur de moi.

Je me trouve dans une municipalité du nom de Laurier-Station, où je me suis arrêtée en catastrophe quand mes règles ont commencé. Je roulais sur l'autoroute 20, en direction de Québec, quand c'est survenu. J'ai emprunté la sortie la plus proche, mais il n'y avait pas un commerce à l'horizon, encore moins une pharmacie. J'ai donc continué jusqu'ici, en serrant mes cuisses pour minimiser les dégâts.

Quelle idée, aussi, de partir sans un jeans de rechange ! Il faut dire que j'ai dû décoller de Montréal assez vite, merci. Après le départ de Clémence, j'ai échangé quelques textos avec F-X, lui souhaitant bonne journée à trois reprises. Puis j'ai lâché un coup de fil à Marie-Pier pour l'informer du nouveau dans ma vie amoureuse. Puisque Clem est au courant, il est logique qu'elle le soit aussi.

Elle ne m'a pas paru surprise le moins du monde. Heureusement, elle n'a pas eu le temps de me faire la morale, puisque sa petite Eugénie la réclamait. Encore ! Cette enfant lui prend toute son énergie... Si seulement elle acceptait de faire appel au papa, elle serait bien moins fatiguée, ai-je pensé pour la millième fois depuis la naissance de sa fille.

Je suis ensuite retournée me coucher pour être en forme aujourd'hui. J'ai tournoyé dans mon lit plus d'une heure, ne trouvant pas le sommeil. Comme je m'assoupissais, mon cellulaire a sonné. Ma patronne. J'ai décroché d'une voix endormie, ce qui m'a valu une nouvelle réprimande de sa part.

« Juliette, j'espère que tu réponds d'une façon plus dynamique quand c'est un client qui t'appelle ! »

Je n'ai pas répliqué, mais j'ai pensé qu'encore une fois elle s'en prenait à moi pour absolument rien. D'un, les clients communiquent très rarement avec moi. Ils l'appellent, elle… Comme si elle ne le savait pas ! De deux, j'ai un afficheur qui me permet de filtrer mes appels si j'estime que ça peut nuire à l'image de son entreprise. Pour Danicka Malenfant, c'est tout ce qui compte… L'image !

Et pour elle, je suis souvent une nuisance à son image. Elle estime, entre autres, que j'ai le don de me mettre les pieds dans le plat et que je multiplie ainsi les accidents de travail. Bon, il est vrai que je suis intense, côté job. Il m'arrive de me retrouver dans des situations embarrassantes ou périlleuses, mais, ça, c'est parce que j'ai à cœur de faire le meilleur boulot qui soit. Mais essayez d'expliquer ça à ma *boss* pour voir…

Son appel avait pour but de m'informer que j'avais hérité d'un contrat supplémentaire à Québec. En plus de couvrir le spectacle de la Fête nationale en plein air, je dois me taper une manif étudiante contre la hausse des frais de scolarité, prévue cet après-midi dans les rues du Vieux-Québec.

J'ai trouvé étrange qu'un client ait donné un tel mandat au Studio 54, mais quand je l'ai questionnée à ce sujet, elle m'a froidement avisée de me mêler de mes affaires. En ajoutant que je devais prendre la route le plus tôt possible et qu'elle m'enverrait une liste de directives à suivre dans le cadre de ce nouveau contrat. *WHAT ?* Depuis quand ai-je besoin qu'on me dise comment faire ma job ? Pas question que je suive quelque instruction que ce soit. Mais ma patronne a insisté et j'ai promis de jeter un coup d'œil au courriel qu'elle doit me faire parvenir bientôt.

Je me concentre à nouveau sur ma recherche de serviettes hygiéniques, mais je ne vois pas l'emballage vert hôpital et lilas que je choisis en général. Exaspérée et pressée d'aller vérifier l'étendue des ravages dans ma culotte, je m'empare des trois premières boîtes sur la tablette et je me précipite à la caisse.

Une fois seule dans les toilettes de la pharmacie, je constate avec horreur que je vais devoir marcher les fesses serrées aujourd'hui si je ne veux pas me faire remarquer. Un immense rond rouge décore la fourche de mon jeans. Même qu'en réfléchissant bien j'en viens à la conclusion que je dois me changer. Et de pantalon, et de culotte.

Heureusement, j'en avais une de rechange dans mes bagages et j'ai pris soin de la jeter dans mon sac à main avant d'entrer dans le commerce. C'est pour le jeans que ça se complique ; je dois aller magasiner. Je regarde ma montre en espérant que j'ai le temps nécessaire pour le faire, mais je déchante rapidement. Le départ de la manifestation est prévu dans vingt minutes. Je suis déjà officiellement en retard.

Et si j'allais jeter un coup d'œil dans la pharmacie ? Peut-être que j'y trouverais un quelconque vêtement de secours. Un truc pour le jogging ou le yoga pourrait au moins me dépanner. Bon plan !

Dans l'allée des « produits saisonniers », les seules options qui s'offrent à moi sont un pantalon de yoga noir en nylon lustré, orné de rayures turquoise sur le côté, ou un short en coton ouaté rose des Canadiens de Montréal. *Shit !* Rien d'intéressant là-dedans. J'interpelle un commis, souhaitant très fort qu'il me déniche un pantalon convenable dans le *back-store*.

— *Toutte* notre stock est sur les tablettes, me répond-il d'un air blasé.

Me voilà bien mal prise. Laquelle de ces deux quétaineries est la moins pire ? Au boulot, j'ai l'habitude de porter des vêtements confos, mais ajustés, histoire qu'ils ne nuisent pas à mes mouvements. Donc, en théorie, je choisirais le pantalon en nylon, mais il est affreux. Trop affreux, en fait. De plus, je crains qu'il soit moulant au point qu'on y distingue la ligne de mes bobettes et… ma serviette hygiénique. Pas très chic, tout ça.

Quant au short, il est mou, ample et paraît même légèrement trop grand pour moi, mais il est moins laid que le pantalon. Je vais juste devoir me souvenir de faire attention à ne pas trop écarter les jambes. Ce qui est une autre de mes positions préférées quand je prends des photos. Mais avec ce short, je risque d'exposer facilement ma culotte. On se gardera une petite gêne, ma Juliette.

L'autre problème, c'est que le nouveau bas ne s'agence pas du tout avec mon haut actuel : ma camisole blanc et bleu pâle en chiffon. Idéale pour les journées de grosse chaleur comme aujourd'hui, mais très peu compatible avec un short d'allure sportive. J'y vais donc pour la totale et je sélectionne un t-shirt du même rose pâle, toujours de la collection des Canadiens de Montréal. Je vais passer pour une *fan* finie, mais puisque l'équipe a plutôt bien joué lors de la dernière saison, je n'y vois aucun inconvénient.

Une fois de retour dans ma voiture, changée et proprette comme tout, j'estime que, dans les circonstances, je m'en sors plutôt bien. Mon look n'est pas si mal et se combine parfaitement à mes espadrilles Skechers beiges. Je me sens maintenant prête à affronter n'importe quelle foule étudiante en délire.

6

STATUT FB DE **HÔTEL DE VILLE DE QUÉBEC**
À l'instant, près de Québec
Notre maire tient à dire aux jeunes manifestants que
ce n'est pas bon pour l'image de la ville d'agir ainsi.
#CapitaleLaPlusMerveilleuseDuMonde

« So-so-so-solidarité! So-so-so-solidarité!»
La rue Saint-Jean dans le Vieux-Québec est
envahie par des milliers de jeunes cégépiens et uni-
versitaires. Pour l'instant, c'est tranquille, mais les
policiers à qui j'ai parlé un peu plus tôt m'ont dit de
me préparer au pire. Ce qui les inquiète, c'est que
les étudiants québécois, en grève depuis maintenant
plusieurs mois, n'ont pas respecté leur engagement,
soit de faire une trêve pour l'été.

Ils craignent que l'enthousiasme des manifestants à se retrouver après quelques semaines de pause
déborde un peu trop et en amène certains à faire de
la casse, comme c'est arrivé par le passé.

Pour ma part, je m'amuse comme une vraie folle.
C'est la première fois de ma vie que je couvre une

manifestation et, vraiment, j'adore être dans l'action. Après avoir fait quelques clichés de la scène en général, je m'attaque aux visages des protestataires.

Gros plan sur cette fille à l'air colérique dont le mot « non » est tracé en rouge sur son front. Message clair au gouvernement. Plan poitrine de cette autre étudiante aux cheveux parsemés de rose qui hurle dans un porte-voix. Plan américain de ce garçon roux et de sa pancarte sur laquelle on peut lire : « On vous dérange ? On veut juste changer le Québec. »

Ce dernier message me ramène des années en arrière, quand, avec mes camarades du cégep, je voulais moi aussi changer le monde. Ça ne se passait pas dans les rues du Vieux-Québec, mais plutôt dans le local de l'association étudiante dont je faisais partie. Que de beaux souvenirs ! Tout à coup, je les envie, ces idéalistes. Je suis convaincue que si on avait parlé de grève étudiante à mon époque, j'aurais été de ceux qui marchent en avant.

Comme ce leader que j'observe à l'instant. Depuis quelques mois, le nom de Samuel Renaud-Dupuis est connu de tous les Québécois et même plus. Avec sa *baby face* et son éloquence peu commune, celui que tous appellent SRD a conquis la province entière.

À travers l'objectif de mon appareil que je pose sur son visage, je constate qu'il est encore plus beau que je le croyais. Ses grands yeux noisette sont vifs et allumés, et témoignent d'une intelligence supérieure pour un gars d'à peine vingt ans.

Marchant à reculons devant Samuel et ses acolytes, je multiplie les clichés, m'efforçant de bien faire paraître ce groupe revendicateur. Pour Samuel, je dois avouer que ce n'est pas très difficile, il est d'un naturel incroyable devant un appareil photo. Si on y ajoute son expérience publique des trois derniers mois, on arrive à un résultat parfait.

Le « résultat parfait » se tourne alors vers moi et fixe mon objectif, sans broncher. Je fais quelques clichés supplémentaires et je prends une pause. Samuel continue de soutenir mon regard intensément, à un point tel que j'en suis un peu ébranlée. D'un coup, je cesse de marcher et je reste hypnotisée. Comme si la foule n'existait plus, comme si les slogans scandés par les manifestants s'étaient éteints, comme s'il n'y avait plus que les yeux de Samuel plongés dans les miens.

— Eille, la photographe, avance!

La voix impatiente d'un gréviste me tire de ma rêverie et me ramène les pieds sur terre. Qu'est-ce qui te prend, Juliette? SRD, c'est un flo si tu te compares à lui. Bon, d'accord, un flo intelligent comme un dauphin et pas mal *cute*, mais un flo quand même!

Je laisse la foule me dépasser. Je m'arrête quelques instants pour m'assurer de la qualité de mes photos en me plaçant en retrait, juste devant l'entrée d'un commerce.

Ce n'est pas pour me vanter, mais elles sont splendides. On sent la volonté des manifestants à passer leur message, la ferveur qu'ils y mettent et la sincérité de leur action. Bref, de belles images d'étudiants pacifiques, mais déterminés.

Dans la poche arrière de mon short, mon téléphone vibre. Ce qui me rappelle ma tenue un peu étrange, mais qui, heureusement, ne semble pas attirer l'attention.

Je vérifie qui m'a envoyé un texto, en espérant que c'est F-X. Il n'a pas encore répondu au message que je lui ai fait parvenir un peu plus tôt et dans lequel je lui disais qu'il me manquait. Un peu chiant comme situation, mais, à sa décharge, il m'a informée que cet après-midi il serait difficile à joindre, *because* une réunion importante. Peut-être qu'elle vient de se terminer? Les papillons que je commençais à ressentir s'envolent aussitôt que je pose les yeux sur mon écran. C'est ma patronne qui m'écrit.

«Tu as bien regardé les instructions du client?»

Oups… Non, madame Malenfant, j'ai complètement oublié, mais je le fais à l'instant. Un coup d'œil
à ma boîte de courriel me donne accès aux fameuses
« instructions » que je lis pour la forme.

Juliette,
Le mandat que je t'ai confié va te demander du
discernement.

Comme si j'en avais jamais ! *WTF !*

L'angle privilégié par le client est celui de la révolte.
Nous devons montrer le côté rebelle, voire violent, des
manifestants.

WHAT ? Comme si j'avais le pouvoir d'agir sur le
cours des événements. Les étudiants sont tout ce qu'il
y a de plus sage pour le moment. Je ne peux quand
même pas leur inventer des bombes lacrymogènes, des
cagoules sur la tête et des battes de baseball à la main !
Elle est folle ou quoi ?

Je compte sur toi pour répondre aux exigences du
client qui, en passant, en est à son premier contrat avec
nous. Sa satisfaction est d'autant plus importante.
Danicka

Abasourdie, je relis son courriel pour être certaine
que je n'hallucine pas. Mais non, elle est sérieuse.

Il ne m'en faut pas plus pour deviner que ledit client
est… le gouvernement. Ce qui fait monter mon inquiétude d'un cran. Il y a des années que Mme Malenfant rêve de s'associer à l'État. Si je ne rapporte pas
quelques clichés qui vont dans ce sens, je m'expose à
une engueulade et peut-être même à des sanctions.

Elle est le genre de patronne qui aime punir ses
employés. Eh oui, c'est enfantin comme ça. Quand
j'ai une attitude qu'elle juge inappropriée, ou quand

je suis en désaccord avec ses choix, elle me prive de contrats pendant quelques semaines. Avec elle, pas question de discuter. Et le problème, c'est qu'elle s'y connaît *fuck all* en photo. En tant qu'ancien mannequin, elle a l'habitude d'être sous les feux de la rampe plutôt que derrière.

À défaut d'inventer des scènes violentes dans mes images, il est vrai que je sais exactement comment photographier quelqu'un pour qu'il ait l'air fou. Je l'ai fait à quelques reprises avec mes ex, me permettant même de publier sur Facebook des photos les montrant sous leur plus mauvais jour. Et même plus, quand on sait utiliser Photoshop... Ça ne sert pas seulement à avantager le sujet. Des rides et des cernes, ça s'ajoute.

Je sais aussi qu'il est facile de choisir des scènes isolées et de les montrer de manière à ce qu'elles semblent représenter le climat général d'un événement. Là aussi, j'ai déjà triché.

Mais aujourd'hui, avec ces étudiants *cutes* et innocents, je n'ai pas envie de jouer à ce petit jeu. D'autant plus que j'adhère totalement à leurs revendications. Si je ne me retenais pas, je volerais une pancarte à un gréviste – celle avec le slogan : « Éducation à la dérive » – et je marcherais avec eux. Ahhh ! Que je déteste me sentir prise entre deux feux !

Je remets mon téléphone dans la poche arrière de mon short. Pour m'aider à réfléchir à la stratégie que je vais employer pour convaincre ma patronne qu'il est IM-POS-SI-BLE de répondre à sa demande, je cherche un truc à grignoter. Idéalement quelque chose de sucré pour stimuler mes neurones.

En fouillant dans mon sac qui contient mon équipement photo et qui, en principe, recèle toujours un quelconque sachet de friandises, je jette des coups d'œil aux manifestants qui montent maintenant la côte de la Fabrique. Ils paraissent aussi calmes que tantôt. Je vais bientôt les perdre de vue, mais je pourrai vite les rattraper en empruntant une rue moins achalandée pour me rendre au point d'arrivée, à la terrasse Dufferin.

Je m'appuie contre le mur de pierres, dont la fraîcheur m'apaise, et je poursuis l'exploration de mon sac.

— Eille! Le Canadien, retourne chez vous!

— T'as pas d'affaire icitte!

Surprise par ces cris plutôt agressifs, je lève la tête. J'ai devant moi quatre jeunes manifestants un peu éméchés. D'ailleurs, deux d'entre eux tiennent à la main des bouteilles enveloppées dans un sac brun. Ils se dirigent vers moi, l'air frustré. S'ils pensent m'intimider! Ils ne savent pas à qui ils s'adressent. Je les laisse s'approcher, les défiant du regard.

— Quand on va avoir notre équipe, on va vous écraser comme les esties de pourris que vous êtes, me lance un gars qui ne semble même pas en âge d'aller au cégep.

— Arrêtez de rêver en couleurs! Vous aurez plus jamais de hockey ici. Ça fait des années que ça traîne!

Il y a de cela mille ans, la ville de Québec possédait sa propre équipe de hockey de la Ligue nationale. Depuis qu'ils l'ont perdue, les Québécois sont toujours à la recherche d'une autre franchise. Mais en vain.

— Crisse de baveuse! Tu peux ben venir de Montréal.

— Ouin, pis je suis venue pour travailler. Fait que je vais y retourner tout de suite.

Avec aplomb, je referme mon sac d'équipement et je remets mon appareil photo à mon cou. Je m'avance d'un pas, bien déterminée à les laisser en plan, quand le même gars, que j'identifie maintenant comme le leader du groupe, me bloque le passage.

— *Menute!* On a pas fini notre discussion.

Je toise le manifestant. En les observant, lui et ses trois comparses, je comprends que ces jeunes ne sont sans doute pas des étudiants en grève. À mon avis, ils se sont greffés aux autres pour transformer l'événement pacifique en une manif plus musclée.

Ma belle assurance me quitte quand je constate qu'un des jeunes porte une imposante chaîne de métal à son pantalon de style armée et qu'un autre a un large bracelet de cuir avec des clous.

Inquiète, je regarde autour de moi pour voir si des policiers se trouvent dans les environs, mais ils ont tous suivi les grévistes qui s'éloignent de plus en plus. Et la rue Saint-Jean est maintenant anormalement calme; les manifestants ont fait fuir les touristes. Bon, pas de panique, Juliette!

Ces gars-là ne sont pas vraiment dangereux. Ce sont ce qu'on appelle des grands parleurs, petits faiseurs. Des poules mouillées, quoi! Suffit de leur tenir tête. Pour me donner contenance, je respire un bon coup et je m'efforce d'adopter un ton autoritaire.

— Laissez-moi passer!

Mon attitude n'impressionne pas les quatre gars qui m'encerclent en ne disant pas un mot. C'est vrai qu'avec mes cinquante-quatre kilos et mon mètre soixante-sept je n'ai rien pour effaroucher qui que ce soit. Sauf ma force de caractère. C'est sur elle que je dois miser, ainsi que me l'a appris papa. Bon, il ne m'a jamais dit de résister à des malfaiteurs – même que maman m'a plutôt enseigné le contraire –, mais je n'ai pas l'intention de plier devant des gars qui ont l'air d'adolescents attardés.

— C'est quoi? Vous allez vous en prendre à moi en pleine rue, avec *full* flics dans les parages? Pas fort, votre affaire.

— On en a rien à foutre, de ce que tu penses. Donne-moi ton sac pis ta caméra.

— T'es malade?

— Pis tu dois ben avoir un cellulaire!

— Pas question, ce sont mes outils de travail.

— Eille, t'es dure de comprenure.

Pour signifier encore plus ma détermination, je serre mon sac contre moi. Ce qui m'aide aussi à contrôler l'angoisse que je sens monter de plus en plus.

Mais pas question de leur donner mon appareil photo. Qu'ils essaient de me frapper pour voir. Je vais crier tellement fort que le Vieux-Québec au complet va être alerté. Je les regarde une fois de plus avec arrogance.

Soudain, un des voyous agrippe violemment mon sac, mais je le retiens de toutes mes forces, en hurlant à fendre l'âme.

Moi qui croyais les faire fuir, voilà qu'un deuxième filou se met de la partie et tire sur la courroie de mon appareil photo. Je ressens alors une douleur aiguë à l'arrière du cou, qui me coupe complètement le souffle et m'empêche de continuer à crier. Mais je résiste jusqu'à ce que la souffrance physique devienne intolérable. À ce moment-là, je cède et je baisse la tête pour laisser aller mon précieux outil de travail entre les mains de ces minables voleurs. J'ai juste le temps de les voir s'enfuir avec mon sac avant que mon regard se brouille et que je m'effondre sur l'asphalte. Puis c'est le noir total.

7

STATUT FB DE **SERVICE DE POLICE DE QUÉBEC**

À l'instant, près de Québec

Toute personne ayant des informations sur une agression survenue dans le Vieux-Québec cet après-midi à l'endroit d'une jeune femme est priée de communiquer avec nous. Confidentialité assurée.

— Vous dites que l'un d'eux portait un pantalon d'armée. Les autres aussi?

— Non, c'était le seul. Ses chums étaient en jeans.

Je suis assise au poste de police de la ville de Québec, où les agents prennent ma déposition depuis ce qui me semble une éternité. Après être tombée dans les pommes dans la rue Saint-Jean, j'ai été réveillée par des touristes allemands sortis de nulle part. Ils ont été très gentils, mais ils ont un peu trop insisté pour que j'aille à l'hôpital.

Étant donné que j'ai une peur irrationnelle des hôpitaux, j'ai tout fait pour retrouver mes esprits le plus vite possible. Et malgré la douleur lancinante que je sentais – et que je sens toujours – dans mon cou, j'ai joué la fille forte qui va très bien. *Anyway*, je suis habituée de perdre connaissance, c'est désormais un thème récurrent dans ma vie et ça m'est arrivé régulièrement au cours des derniers mois.

À ma demande, mes secouristes sont allés chercher des policiers, lesquels m'ont traînée ici pour que je rapporte le vol de mon équipement photo. Tout a disparu, s'est volatilisé et est perdu à jamais, j'en ai bien peur.

Juste à penser à la colère de ma patronne quand elle va savoir que je n'ai plus aucune photo de la manifestation, j'en tremble déjà. Elle va être d'autant plus furax d'apprendre que je ne pourrai pas couvrir les spectacles de la Fête nationale qui auront lieu dans quelques heures. Je suis loin d'être sortie du bois.

Le policier me demande de poursuivre la description des voleurs. J'essaie de lui fournir le plus de détails, mais ça s'est passé tellement vite que j'en ai perdu des bouts.

L'agent semble un peu exaspéré par mon manque de précision. Et moi, c'est son comportement qui m'irrite au plus haut point. Que je le voie à ma place ! Le cou en compote, dépossédé de son matériel de travail et de tous ses biens personnels à l'exception de son cellulaire. Parce que c'est le seul article qu'il me reste, mon téléphone, puisqu'il était dans ma poche. Je n'ai ni cartes, ni argent, ni clé de voiture, ni serviettes hygiéniques. Rien ! Mon portefeuille et mes effets personnels se trouvaient dans mon sac de travail.

J'ignore comment je vais me débrouiller pour rentrer à Montréal. C'est tout ce dont j'ai envie à l'heure actuelle : être chez moi pour caler la bouteille de vodka que j'ai achetée la semaine dernière, en mangeant des crottes de fromage. Et finir mon « festin » par un *cupcake red velvet*.

Maintenant que c'est terminé, que l'adrénaline est tombée, je réalise que j'ai eu beaucoup plus peur que je voulais bien l'admettre.

— Et si on vous envoyait notre portraitiste? Vous pourriez l'aider à tracer un portrait-robot de vos assaillants?

— Oui, oui. Je vais faire de mon mieux.

— Parfait, attendez-moi ici.

Le policier quitte le bureau, me laissant seule avec mes angoisses. Je suis consciente qu'il y a peu de chances qu'on retrouve mon équipement. Et je crains aussi que ma compagnie d'assurances me fasse la vie dure. C'est la deuxième fois en un an qu'on me vole mon appareil photo. Est-ce qu'elle va accepter à nouveau de me dédommager? Peut-être même va-t-elle me soupçonner d'être de mèche avec les voleurs? Quel bordel j'entrevois!

Pour tromper l'attente, je rallume mon cellulaire, puisque le policier avait exigé que je le ferme. La première chose que je constate, c'est que la pile est presque morte. Et je n'ai plus aucun appareil pour la recharger! Quand ça va mal…

Je vérifie rapidos mes messages et, à ma grande stupeur, je suis littéralement inondée de textos. Le premier est de Clémence: «Es-tu correcte? Suis inquiète.»

Le deuxième a été écrit par Marie-Pier: «Donne des news.»

Le troisième vient d'Ugo, mon oncle adoptif que j'adore: «T'es où? Tu veux que je descende à Québec?»

Fuck! C'est quoi, ça? Qu'est-ce qu'ils savent exactement? Et comment l'ont-ils découvert? Est-ce que les policiers ont informé mon monde? Meuhhh… Ça me paraît complètement irréaliste.

Je consulte ensuite Facebook dans l'espoir d'en apprendre un peu plus. Et c'est là que je comprends ce que j'aurais dû immédiatement saisir: une vidéo de l'agression circule partout sur le Web.

C'est du moins ce qu'indiquent de nombreuses publications sur mon mur, venant d'amis plus ou moins proches.

« Juliette, c'est toi, dans la vidéo ? Comment tu t'en sors ? »

« Au moins, la police va pouvoir retrouver ceux qui t'ont fait ça. »

« Pas reposants, les gars. »

Non ! Non ! Non ! Je n'ai surtout pas besoin de ce genre de publicité ! Je cherche la vidéo sur YouTube et je la trouve en deux temps, trois mouvements. Je constate avec horreur que déjà plus de vingt-deux mille personnes l'ont regardée. *OMFG !* Une vidéo virale qui me met en scène…

Je la visionne à mon tour. C'est pire que je l'imaginais. C'est moi qu'on distingue le mieux, les agresseurs étant filmés de dos. Même que l'odieux cinéaste en herbe a zoomé sur mon visage au moment où les jeunes voyous me narguaient. Heureusement, je cache bien la peur qui m'habitait. Les images reviennent ensuite en plan large et montrent les voleurs qui me détroussent de mes biens et s'enfuient en courant. Ce n'est qu'à ce moment-là qu'on peut apercevoir leur visage. En figeant l'image, on devrait pouvoir en tirer quelque chose. J'espère que les policiers pourront l'utiliser. Ensuite, la caméra revient sur moi, effondrée au sol. Encore là, un gros plan sur ma figure.

Non mais, c'est qui l'imbécile qui a filmé l'agression sans intervenir ? Sans lever le petit doigt pour me venir en aide ? Décidément, on ne peut plus se fier à personne de nos jours. En plus, ce caméraman improvisé s'est poussé pour aller publier la vidéo sur le Web plutôt que de me secourir, une fois les voleurs partis. Quel manque de civisme total !

Je sors du bureau où les policiers m'ont confinée afin d'aller les informer qu'un élément de preuve se trouve à portée de main. J'aboutis dans une autre salle où un téléviseur est ouvert sur une chaîne d'information continue. À l'écran, Samuel Renaud-Dupuis tient un point de presse. Je m'approche pour entendre ce qu'il a à dire.

«Cette violence est inacceptable! Les étudiantes et étudiants membres de l'association tiennent à se dissocier des gestes faits envers la photographe agressée.»

Quoi! Me voilà maintenant à la télé! Non mais, ça va s'arrêter où? Le leader étudiant poursuit son énoncé, pendant que des images de l'attaque dont j'ai été victime roulent en boucle.

«Pour prouver notre bonne foi, l'association rencontrera la photographe et lui fournira le soutien dont elle a besoin.»

De belles paroles, tout ça! Est-ce que c'est «l'association» qui va me procurer un nouvel appareil photo? Calmer les neurones de ma patronne? Payer le serrurier pour ma voiture? Se taper le bordel de l'annulation et du renouvellement de mes cartes de crédit, permis de conduire, assurance maladie, immatriculation, etc.?

J'ai bien hâte de voir quel genre de «soutien» SRD souhaite m'offrir. J'ai plutôt l'impression que le leader étudiant va tenter de se faire du capital de sympathie sur mon dos. Eh bien, non, mon bonhomme! Ça ne se passera pas ainsi.

— Ah! Vous êtes là! Je me demandais où vous étiez passée.

Le policier qui m'avait laissée en plan pour aller chercher le portraitiste n'apprécie pas de me voir circuler seule. Mais je n'en ai rien à foutre.

— Avez-vous vu ça? lui dis-je en désignant le téléviseur qui montre toujours les images de l'événement.

— Oui, on vient juste de les voir. Je m'apprêtais à vous en informer, d'ailleurs.

— Comment peuvent-ils diffuser ça sans mon consentement? Ils ont pas le droit de m'identifier, me semble.

— En effet. On est en train de les faire bloquer.

— Trop tard. Le mal est fait. Et j'ai d'autres priorités.

Il faut que je prévienne ma patronne et que je planifie mon retour à Montréal. Et ça m'étonnerait que Danicka me soit d'une utilité quelconque pour organiser ça avec moi. Furieuse comme elle va être, je ne pourrai certes pas compter sur elle.

Je ne comprends pas comment ça fonctionne dans la tête et dans le cœur de cette femme. Autant elle est une mère attentionnée et aimante avec sa fille, autant, avec moi, elle agit comme la pire des marâtres. Pour elle, je ne suis jamais assez compétente, jamais assez avenante, jamais assez élégante... Jamais assez rien, en fait !

Au dire de mononcle Ugo, l'homme qui est le meilleur ami de maman depuis des lustres et qui, aujourd'hui, veille sur moi en l'absence de mes parents, Danicka Malenfant est simplement jalouse. Il croit que je lui rappelle trop sa propre jeunesse, dont elle n'a pas fait le deuil. Je lui servirais de *punching bag*. Ce avec quoi je suis assez d'accord. Ce que je tolère mal, c'est que ça fait des années que ça dure et que, malgré tous mes efforts, la situation ne va pas en s'améliorant. Bien au contraire.

Quand je serai un peu plus établie en tant que photographe, je lancerai mon entreprise. Mais on s'entend que l'événement d'aujourd'hui ne me fera pas avancer dans cette voie... Enfin, passons.

Le policier m'informe qu'il est maintenant inutile de faire un portrait-robot des malfaiteurs. Il sera facile de les retracer, puisque deux d'entre eux sont bien connus dans le milieu interlope de la capitale.

— *Yesss...* Bonne nouvelle !

— Ça ne veut pas dire que nous allons retrouver vos affaires, par contre. Ces gars-là sont vites et ils ont des contacts avec d'importants réseaux de receleurs, mais on ne sait jamais.

— J'espère tellement.

— On a aussi un message de la part de l'association étudiante.

— Ayoye ! Ils passent par vous autres pour me joindre ? Coudonc, ils sont pas débrouillards !

— Ils ont parlé à notre relationniste sur le terrain.

— Et ?

— Ils aimeraient vous rencontrer. L'attaché de presse de l'association nous a remis ceci pour vous.

L'agent me tend un papier sur lequel sont indiqués un nom que je ne connais pas et un numéro de téléphone.

— Ah oui ? Leur fameux soutien…

Mon scepticisme n'échappe pas au policier, qui doute autant que moi des bonnes intentions des étudiants, si je me fie à son air dubitatif.

— Vous faites comme vous voulez. Nous, on vous transmet le message.

— Ouin, ouin, on verra.

Pour l'instant, j'ai mieux à faire que d'aller écouter ce blanc-bec de SRD se confondre en excuses à mon égard dans un simple but de marketing. Je prends une grande respiration et je compose le numéro de ma patronne, prête à subir ses foudres une fois de plus.

8

STATUT FB DE **SAMUEL RENAUD-DUPUIS**

Il y a une heure, près de Québec

Au nom de l'Association étudiante, je rencontre à l'instant la photographe victime de l'agression commise par des non-membres pour lui offrir notre soutien. #grèveétudiante #pacifique #solidarité

— *M*on équipe a fait des recherches et je peux vous assurer, Juliette, que vos agresseurs ne sont pas des étudiants de notre association. Ils ne participaient même pas à la manifestation.

Ma curiosité l'a emporté sur le reste. C'est à cause d'elle que je me retrouve dans un café de la rue Cartier, devant Samuel Renaud-Dupuis, à boire un thé vert en l'écoutant parler comme un vieux. Maintenant qu'il s'adresse directement à moi, je remarque qu'il n'a ni le langage ni les expressions d'un gars de vingt ans. D'autant plus qu'il ne cesse de me vouvoyer.

Je le trouvais pas mal plus intéressant quand je le regardais à travers mon objectif. Mettons qu'il excelle plus dans le discours engagé que dans une conversation à deux. Mais il a toujours d'aussi beaux yeux et, ne serait-ce que pour ça, accepter son invitation en valait la peine.

Comme je le prévoyais, un caméraman et un journaliste assistent à la rencontre. On m'a dit qu'ils avaient été choisis parmi tous les représentants des médias pour leur « exceptionnelle intégrité ». J'ai compris qu'ils étaient proétudiants.

Avant de me rendre ici, dans ce commerce que les grévistes ont transformé en quartier général pour la journée, j'ai rassuré tous mes proches sur mon état. Pour ce faire, j'ai dû utiliser le téléphone du poste de police puisque mon cellulaire est tombé à plat pendant ma conversation avec ma patronne. Elle a juste eu le temps de commencer à m'engueuler que ma pile me lâchait. Honnnn…

J'ai donc parlé à mes deux meilleures amies et à Ugo qui a gentiment accepté de passer à mon appart prendre un double de ma clé de voiture et des vêtements, pour ensuite m'apporter le tout ici, à Québec. Il va aussi me prêter un peu de sous et il a offert de s'occuper des tracasseries administratives qui viennent avec la perte de mon portefeuille. Quel être extraordinaire que mon oncle adoré ! Je suis chanceuse de l'avoir dans ma vie. Nous nous sommes donné rendez-vous au bar du Château Frontenac dans quelques heures. Où je vais pouvoir finalement me changer et ôter ce ridicule costume des Canadiens, qui m'a tant porté malheur.

J'ai aussi publié un message sur ma page Facebook, en me servant d'un ordinateur de mes amis policiers, pour mettre fin aux rumeurs qui m'envoyaient, entre autres, aux soins intensifs de l'hôpital le plus près.

J'ai informé mes amis que je ne suis pas blessée et que je ne souffre pas d'un choc traumatique. Et que, sauf pour la perte de mon matériel de travail, cet incident est sans conséquences graves.

Ce qui m'attriste à l'heure actuelle, c'est de ne pas avoir eu de nouvelles de F-X. Ça m'aurait consolée un peu d'entendre sa voix, de savoir qu'il est là... même s'il n'est pas là.

Mais bon, je me dis qu'il ne doit pas être au courant. *Anyway*, il ne peut plus me joindre. Personne ne peut le faire, d'ailleurs. C'est fou comme on se sent toute nue sans son cellulaire. Comme s'il nous manquait quelque chose d'essentiel. Un bras, par exemple. Nahhhhhh, j'exagère... Mais à peine.

Je me concentre à nouveau sur le monologue de Samuel qui, depuis quelques minutes, essaie de m'en mettre plein la vue avec des paroles creuses. Il tente aussi de me faire sentir importante en ponctuant ses phrases de mon prénom. Juliette par-ci, Juliette par-là. Sa stratégie est vieille comme la Terre et, moi, ça ne m'impressionne pas une miette.

— ... conscient, Juliette, que ç'a nui à votre formidable travail...

Formidable travail, hein? Comment sait-il que je fais un « formidable travail »? Lui qui n'a sans doute jamais vu mes photos! Quel être vide!

Je l'écoute distraitement continuer à me servir son discours tout préparé, puis, soudain, j'en ai assez entendu.

— Samuel, t'as parlé de soutien. Qu'est-ce que tu m'offres? À part un thé vert qui goûte amer?

SRD ne le montre pas, mais il est pris de court. La vérité, c'est qu'il n'a rien d'autre à me proposer que la boisson chaude qu'il a lui-même choisie, sous prétexte que c'était exactement ce qu'il me fallait pour me remettre de mes émotions. Pour ma part, je crois qu'une bonne bière froide ou un mojito hyper sucré auraient été beaucoup plus efficaces!

Je fixe le leader étudiant et je suis stupéfaite de constater qu'il ne bronche pas le moins du monde. Un politicien-né! Ce gars-là va se retrouver député dans quelques années, c'est clair. Il pourrait même devenir ministre que je ne serais pas étonnée. Il a ce qu'il faut pour survivre dans la jungle de la politique : la *poker face* !

Je le soupçonne aussi d'être un narcissique accompli et d'aimer jouer les vedettes. Il ne se déplace qu'avec son entourage qui comble ses mille et un désirs. À l'heure actuelle, deux de ses compagnons sont à ses côtés, prêts à répondre à ses moindres demandes. Il va tomber de haut s'il redevient « un simple citoyen ordinaire ».

En attendant, il me sourit et cherche une réponse crédible à me donner. Prends ton temps, mon homme. J'ai quelques heures à tuer avant l'arrivée de mononcle Ugo, et ce n'est pas moi qui vais avoir l'air fou devant le caméraman…

— Nous allons faire le nécessaire pour que vous retourniez chez vous en toute sécurité.

— En fait, j'ai besoin de rien. Je me suis déjà organisée de ce côté. Tout ce que je veux, c'est récupérer mon matériel.

— Je crois qu'on peut faire confiance à nos policiers pour ça.

Non mais, je rêve ou quoi ? Est-ce que je suis vraiment en face d'un gars de vingt ans ? Est-ce qu'on lui souffle à l'oreille des réponses plates, insipides et fabriquées d'avance ? Est-ce que SRD est ce qu'on appelle un produit de relations publiques ? Trop décevant…

— Juliette, reprend-il en me regardant avec un intérêt que je sais calculé, parlez-moi un peu de votre métier. Vous travaillez pour qui ?

Là, c'est à mon tour de me sentir coincée. Pas question que je dévoile qui est ma *boss*. Mme Malenfant ne me le pardonnerait jamais. Pas dans un contexte où elle me cache l'identité de ce client qui lui demande de faire une job de bras aux étudiants. Parce que c'est ce qu'il en est. Rien de moins.

Je l'imagine déjà en train de me jeter dehors à coups de pied dans le derrière à cause de « mon indiscrétion », qui aurait mis les journalistes sur la piste du fameux client. Ils découvriraient alors qu'il s'agit du gouvernement québécois, et la nouvelle ferait la manchette.

Un énorme scandale politique suivrait, obligeant le premier ministre du Québec à démissionner et à s'exiler à l'île Moukmouk pour le reste de ses jours. Mais le politicien déchu ne se rendrait jamais à destination, puisque son avion privé exploserait en vol. Lui-même et son pilote disparaîtraient, leurs corps pulvérisés par la déflagration.

Et moi, pauvre photographe victime de cette épouvantable machination, je me ferais montrer du doigt en tant qu'ultime responsable de la mort de deux personnes et d'un mignon épagneul roux, devenu le seul et unique ami du PM.

Je me retrouverais au chômage, sans le sou, et je devrais subir un procès, au terme duquel je serais condamnée pour meurtre au deuxième degré. Et je finirais mes jours dans une unité de détention en compagnie de prisonnières nommées Shandy ou Jeanne, qui m'en feraient voir de toutes les couleurs.

— Juliette, ça va ?

La voix de Samuel me tire de mes élucubrations et je me dis que, décidément, je passe trop de temps à regarder des téléséries qui se déroulent en prison et à lire des polars. C'est ma nouvelle passion, le roman policier. Je viens juste de la découvrir, et j'adore ça. D'ailleurs, dans une autre vie, je suis convaincue que j'occupais le poste de sergent-détective aux crimes contre la personne d'un important service de police.

Mais dans ma vie d'aujourd'hui, je suis une photographe sans appareil photo, à qui on a posé une question piège.

— Oui, oui, ça va.

— Donc vous faisiez des photos de la manif pour qui ?

— Euhh… pour moi. Pour m'améliorer.

Le leader ne pousse pas son investigation plus loin et j'en suis soulagée.

— Excuse-moi, Samuel, peux-tu me prêter ton téléphone?

Il demande à un de ses faire-valoir de me fournir un cellulaire. Il s'exécute avec zèle.

— Pas longtemps, s'il te plaît, précise le jeune homme au teint rousselé. Ce téléphone doit rester libre pour les urgences.

Je lui fais un signe entendu et je me lève pour composer le numéro de mononcle Ugo, afin de vérifier où il est rendu à cette heure-ci. Les étudiants en profitent pour mettre fin à la présence du journaliste et de son caméraman dans leur repaire. Ce qui fait bien mon affaire. Je n'ai plus envie d'être observée sous toutes les coutures. Je préfère être derrière... plutôt que devant la caméra.

Les sonneries s'éternisent dans mon oreille et je ne comprends pas qu'Ugo ne réponde pas à son téléphone. Vraiment pas *cool*!

En poussant un soupir d'exaspération, je redonne le cellulaire au sous-fifre du *wannabe* politicien, qui n'a rien à foutre de mes états d'âme. C'est Samuel le premier qui s'aperçoit que quelque chose cloche.

— Qu'est-ce qui se passe, Juliette?

— Bof, rien de grave. Je suis juste pas capable de joindre mon oncle. Il est censé être en route pour venir me retrouver.

— Tu peux prendre l'autobus avec nous pour rentrer à Montréal. On part dans une heure environ.

Ah, tiens donc! Le vouvoiement a disparu avec les caméras... Intéressant personnage, ce SRD. Mais pour son offre de voyager avec une gang de manifestants possiblement survoltés après les événements de la journée... non merci!

— C'est beau, Samuel. Je suis certaine qu'il va arriver bientôt.

— Comme tu veux, mais sens-toi très à l'aise.

— Le problème, c'est que je peux pas laisser mon auto ici. Déjà que je dois avoir une contravention parce que j'ai pas remis d'argent dans l'horodateur.

Samuel enjoint à son collègue de puiser dans «la petite caisse qui sert de fonds d'urgence» et de me fournir l'argent nécessaire pour payer mon stationnement et m'offrir un souper convenable. L'étudiant fouille dans la caisse en question, en l'occurrence la poche de son jeans, et en sort un billet de… dix dollars. Je reste légèrement interdite devant ce manque de générosité total. Samuel le foudroie du regard. Son comparse comprend le message et ajoute un deuxième billet de dix dollars. Samuel ne bronche toujours pas, et c'est avec un soupir d'exaspération que le responsable des finances du mouvement étudiant double son offre avec un billet de vingt dollars. Youhou! Quarante piasses! Je vais pouvoir faire la fête toute la soirée… *#Not!*

Cet argent ne couvrira même pas le montant de la contravention qui, j'en suis convaincue, traîne sur mon pare-brise en ce moment. Mais bon, c'est mieux que rien et ça me permettra de me mettre quelque chose sous la dent, accompagné d'un verre d'alcool, en attendant Ugo.

Je remercie mes « sauveurs » et je m'apprête à les quitter quand Samuel me demande si je veux rester un peu pour «prendre un vrai verre». Ah bon! Est-ce que l'étudiant *straight* cacherait un côté plus indiscipliné? Curieuse d'en savoir plus sur ce gars qui me déroute par ses changements de personnalité, j'accepte l'invitation.

— De la sangria, ça t'irait?

— Bof… Il me semble que je serais due pour quelque chose de plus fort. Après tout, j'aurais pu être blessée grave.

Mon ironie n'échappe pas à Samuel, qui me fait un clin d'œil avant de se diriger vers le bar.

Il revient et pose sur la table un pichet de… sangria. Je ne me gêne pas pour lui faire un air mécontent.

Imperturbable, il m'en verse un verre et me le tend. Je le prends pour être polie, mais je sens mon enthousiasme me quitter peu à peu. J'avais vraiment besoin d'un coup de fouet! Pas d'un jus de fruits à peine bonifié avec du vin *cheap* qui contient seulement treize pour cent d'alcool. Samuel me propose un toast et je m'exécute pour la forme, prête à avaler ma boisson d'un seul trait.

— Santé! dit-il en levant son verre qu'il vient de remplir à moitié.

Son côté *straight* est de retour…

— Santé!

Je m'enfile une première énorme gorgée de sangria. Ne m'attendant vraiment pas à ça, je passe près de m'étouffer. La teneur en alcool de mon *drink* est beaucoup plus élevée que celle des sangrias que j'ai bues dans ma vie. Ça déménage, c'est le moins qu'on puisse dire.

Samuel me regarde, amusé.

— Tu voulais quelque chose de fort…

— Euh… oui. Mais autant que ça, je suis pas certaine. Qu'est-ce qu'il y a là-dedans?

— Un peu de brandy.

— Un peu? Beaucoup, tu veux dire?

— Mettons que j'en boirais pas deux verres. Mais toi, gêne-toi pas.

— Faut quand même que je conduise tantôt.

Tout en buvant, j'écoute Samuel qui me raconte pourquoi il a décidé de s'investir dans la lutte qu'il mène contre le gouvernement. Intéressant, jusqu'à ce qu'il recommence à argumenter sur le fond du dossier.

— Samuel! Arrête ta cassette, t'es plus en représentation, les caméras sont parties.

— J'ai pas de cassette.

— Me semble, oui! T'es pas capable d'être naturel, un peu? De juste avoir du *fun*? D'oublier ton rôle et de jaser comme un gars de ton âge?

Mon compagnon m'adresse un sourire dont je doute de la sincérité, mais il se tait. J'ignore si je l'ai froissé, il a toujours son masque de politicien. Plus *poker face* que ça, tu meurs. Ce qui me donne encore plus une envie irrépressible de lui secouer les puces.

— Je veux pas te vexer, mais tu fais pas mal vieux quand on t'écoute. Pas tout le temps, mais tantôt, oui.

Samuel ne relève pas et se concentre sur son *drink* en prenant une minuscule gorgée. Alors que, moi, j'ai déjà presque terminé le mien. OK, on se calme, Juliette. L'alcool te délie un peu trop la langue…

Je pousse mon verre plus loin sur la table et je replace mon short que j'ai vraiment hâte de troquer contre un jeans. Dire que j'ai passé à la télé avec pareil déguisement. La honte…

— Parle-moi de toi, si t'es tannée de m'écouter, lance Samuel avec un air légèrement indigné.

— Ouin, t'es susceptible, pour un gars qui se fait crucifier par les journaux à tour de bras.

— Bof, c'est pas si pire. C'est au personnage public qu'ils s'en prennent.

Impossible de déterminer si SRD est sincère ou pas. Je déteste ça, quand je ne sais pas sur quel pied danser avec quelqu'un. Ah, et puis qu'il aille donc se faire foutre! J'en ai assez et, de toute façon, Samuel et sa gang ne me sont plus très utiles.

Mieux vaut partir pour aller attendre patiemment mononcle Ugo. Je me lève et, par réflexe, je cherche mon sac des yeux. Jusqu'à ce que je me rappelle que je n'ai plus aucun objet personnel avec moi. J'ai soudain très hâte d'en finir avec cet épisode!

— Je vais y aller, moi.

— Tu veux pas encore un peu de sangria?

— J'aurais aimé ça, mais les discussions à sens unique, ça m'intéresse pas.

Samuel se lève à son tour et s'avance vers moi pour me parler à voix basse.

— Bon, OK, j'ai pas aimé ça, me faire traiter de vieux.

— Je voulais pas être offensante. Je pense juste que t'es trop étudié.

Il s'approche encore un peu plus. Apparemment, il ne veut pas que ses compagnons l'entendent. À les voir absorbés dans leurs téléphones intelligents, je crois qu'il n'y a pas de danger.

— Ça fait partie de la *game*, ça, Juliette. Tu le sais bien, toi qui travailles avec l'image.

— Je sais, mais je pense quand même que tu pourrais avoir un discours moins « cassette ».

— Peut-être que je devrais t'engager comme conseillère ?

— Yep ! Je serais super bonne !

J'éclate de rire à cette idée qui, au fond, est farfelue. Avec moi à titre de conseillère, SRD serait en effet plus divertissant, mais il se mettrait dans le trouble, à plus d'une reprise. Une fille se connaît…

Samuel me fait un large sourire et, pour une fois, je le crois authentique. J'accepte donc de prendre un dernier verre avec lui et nous nous rassoyons à notre table. *Anyway*, je ne suis pas trop pressée de me montrer au Château Frontenac accoutrée de la sorte ! Mais je grignoterais bien un petit truc, par contre.

Je me dirige au bar, où on me donne le menu. Je choisis des minipogos panés à la bière, de la tapenade d'olives noires et, puisqu'il n'y a aucune douceur sur le menu, j'ajoute des chips au ketchup au léger goût sucré, dont je devrai me contenter. Je m'assure que la facture ne dépasse pas les quarante dollars fournis par l'association et qu'il m'en reste un peu pour me payer un cocktail au Château Frontenac. Et tant pis pour l'horodateur, je n'irai pas remettre des sous alors que je dois déjà avoir une contravention. Mieux vaut utiliser cet argent à bon escient.

Les minutes suivantes que je passe en compagnie de Samuel sont un peu plus décontractées et je ris de bon cœur à plusieurs anecdotes de grévistes qu'il me raconte.

Mon compagnon est totalement charmant et je ne peux m'empêcher de penser que c'est l'un des êtres les plus déroutants que je connaisse. Je suis convaincue que son signe astrologique est Gémeaux, ce qui expliquerait sa double (ou même triple) personnalité. Quoi qu'il en soit, pour une fille transparente comme moi, un gars comme lui est vraiment fascinant.

Puis il revient à la charge en me demandant pour qui je travaille.

— Je te l'ai dit. Pour moi, c'est tout.

— Je te crois pas, Juliette. C'est bizarre que tu veuilles pas me le dire. Aurais-tu quelque chose à cacher ?

— Tu fais trop de politique, tu vois des complots partout.

— Non ! Moi, je pense que tu travailles pour l'ennemi, me lance-t-il, une étincelle de défi dans les yeux.

Oups… Il n'est pas si loin de la réalité. Pas question qu'il s'en approche plus. Tentons de brouiller les cartes. J'adopte volontairement un ton sarcastique.

— Ouais, c'est ça. Je suis embauchée par Big Brother pour surveiller tes moindres faits et gestes et te photographier dans des situations compromettantes… Le problème, c'est que mon appareil a disparu !

Samuel me toise avec l'air du gars à qui on ne peut pas en passer une. Je ne me laisse pas démonter, mais je suis heureuse de compter sur l'arrivée de nos bouchées pour créer une diversion. Je saute sur un mini-pogo et je le trempe dans ce qui semble une délicieuse moutarde au miel.

— Gêne-toi pas, hein ? dis-je en désignant les tapas au centre de la table.

Je me tourne ensuite vers les collègues de Samuel pour leur offrir une petite bouchée, en leur précisant qu'après tout c'est eux qui paient. Mais ils refusent, préférant envoyer des textos à je ne sais qui, sérieux comme des papes. À croire qu'ils organisent l'horaire du premier ministre et non celui d'une gang de cégépiens en grève.

Mon compagnon prend quelques chips et se lève pour aller leur parler. J'en profite pour continuer à dévorer les entrées. Machinalement, je regarde l'écran de mon cellulaire pour vérifier mes messages, mais il est noir. C'est vrai, je n'ai plus de pile. Pénible au max !

Samuel revient vers moi, les yeux fixés sur le cellulaire de son collègue, lisant un texte.

— « Fille de l'animatrice télé à la retraite Charlotte Lavigne et du célèbre restaurateur Pierre-Olivier Gagnon, Juliette Gagnon est photographe professionnelle. Elle travaille principalement pour le Studio 54, propriété de l'ex-mannequin international Danicka Malenfant, mieux connue par son simple prénom. »

— Eille ! Qu'est-ce que tu lis là ?

— Wikipédia.

— Hein ? J'ai un wiki ?

Je l'ignorais, mais j'avoue que ça me fait un petit velours. Avoir sa page Wikipédia comme une vedette… Ce n'est pas rien. Mais bon, si je veux être franche, ce sont mes parents qui sont les stars dans la famille. Un peu moins depuis qu'ils vivent au Costa Rica, mais dès qu'ils viennent faire leur tour au Québec, je suis à même de mesurer à quel point ils sont encore aimés du public, en particulier maman. Pas moyen de souper au resto avec elle sans que plusieurs *fans* veuillent lui serrer la main.

J'ai toujours eu une relation mi-amour, mi-haine avec le vedettariat. Enfant, j'étais subjuguée par ma mère. Pouvoir la regarder à la télé tous les dimanches soir était pour moi une joie incommensurable. Elle était si belle, si intelligente, si populaire. Quand des gens l'arrêtaient dans la rue, à l'épicerie ou à la SAQ pour lui dire à quel point ils l'aimaient, j'éprouvais une immense fierté. Du haut de mes six ans, je la voyais comme une princesse.

Puis j'ai grandi et la partie publique de notre vie a commencé à me puer au nez. Dans notre famille, il n'y en avait que pour Charlotte Lavigne. Les miettes qui restaient étaient pour mon père, lui aussi connu en raison de son métier de chef, d'auteur de livres de recettes et de chroniqueur à la télé. La carrière médiatique de papa a été beaucoup plus courte que celle de maman, qui, pendant plus d'une quinzaine d'années, a animé le *talk-show* le plus populaire des ondes québécoises.

À la préadolescence, je suis devenue jalouse d'elle et de l'attention qu'on lui portait. Même si, aujourd'hui, je comprends qu'elle tentait tant bien que mal de minimiser l'impact de son statut de vedette sur nos vies. À l'époque, je ne voyais qu'une femme ambitieuse. De celles qui n'hésitaient pas à faire entrer le photographe d'un magazine artistique à la maison et à livrer ses enfants en pâture. À six ans, c'était drôle. À douze ans, pas mal moins.

Je me suis réconciliée avec le vedettariat quand j'ai trouvé ma voie en tant que photographe. Savoir que je pouvais être plus que la fille de Charlotte Lavigne, que j'avais mon propre talent et ma personnalité unique m'a permis de voir les choses telles qu'elles étaient. Ma mère est certes imparfaite, mais jamais elle n'a voulu me faire de l'ombre. Et elle m'aime plus que tout au monde… même si je songe parfois qu'elle a une bien drôle de façon de me le montrer en allant habiter à quatre mille kilomètres d'ici !

— Danicka Malenfant, c'est ta patronne ?

La voix de Samuel me tire de mes réflexions. Il s'est rassis devant moi et affiche maintenant un air contrarié.

— Quand je travaille pour elle, oui. Je suis pigiste.

Une pigiste qui n'a qu'un seul employeur, mais une pigiste quand même ! D'ailleurs, je me dis toujours que je devrais me trouver d'autres clients, pour pallier le manque de travail que m'impose parfois ma patronne. Mais je ne le fais jamais parce que je m'en tire finalement assez bien.

Lorsqu'elle me prive de boulot pendant un moment parce que je me suis, soi-disant, mal comporté, Danicka réalise par la suite qu'elle ne peut pas se passer de moi et m'inonde de nouvelles affectations. Donc ça repart en fou et je n'ai plus le temps de respirer.

— Et aujourd'hui, c'est elle qui t'envoie ?

— Non, je te dis ! Je suis venue *on my own* !

Samuel fait signe à ses deux sous-fifres de venir nous rejoindre. Ils restent debout à ses côtés.

— Danicka Malenfant, c'est bien elle dont on a parlé hier ? demande le leader aux deux gars.

Celui qui semble le plus servile répond tout de go par l'affirmative. SRD me fait un large sourire de vainqueur avant de poursuivre.

— Tu vois, Juliette, on est peut-être des étudiants, mais on est pas n00b pour autant.

— Euh… Je te suis pas, là.

— Ta *boss*, c'est la nouvelle maîtresse de Pinette.

— Pinettttttte ?

— Marc-André Pinette, le ministre de l'Éducation.

— Hein ? T'es pas sérieux.

Samuel se lève et me regarde d'un ton formel.

— Tellement sérieux que tu vas crisser ton camp, pis ça presse.

Là, je tombe des nues. Il est où, le gars avec qui je commençais à avoir du plaisir ?

— Pourquoi ?

— *NOW !* m'ordonne un de ses deux acolytes.

— Qu'est-ce qui vous prend ?

— Il nous prend qu'on y croit plus, à ton histoire. Tu t'es organisée pour te mettre chum avec nous autres, pis venir nous espionner !

L'espace d'un instant, je ne sais plus s'ils sont sérieux. Planifier ma propre agression ? Me faire voler tout ce que j'ai de plus précieux juste pour me retrouver en leur compagnie ? C'est tellement ridicule.

Mais à voir leurs airs menaçants, j'en déduis qu'ils me croient vraiment traîtresse.

— Eille, les gars, on se calme. Voir si je me serais fait attaquer par exprès!

— C'est très possible. On sait que le gouvernement est prêt à tout pour nous écraser. Ça fait longtemps qu'il cherche à nous infiltrer pour connaître nos stratégies.

— Mais je vous ai PAS infiltrés! C'est quoi, ce délire-là?

— Me semblait aussi que c'était bizarre, tes tentatives de séduction.

— Samuel, *come on*! Je t'ai pas fait d'avances.

— Avec tes grands yeux bleus, tu pensais bien m'avoir, hein? Ton petit air triste de fille qui s'est fait voler... Dire que je sympathisais avec toi pour vrai.

— Là, tu dérapes. Ç'a rien à voir!

Samuel poursuit son envolée et je me rends compte que, quoi que je dise, je suis condamnée. Ils sont convaincus que je suis là pour jouer à la détective et que j'ai déjà fait un rapport à ma patronne, qui a relayé l'info à son amant. J'ai beau protester, m'indigner, me fâcher, ça ne change rien! Et ça me met hors de moi quand on m'accuse ainsi sans entendre ma version.

— Non, j'ai pas été payée pour vous espionner. Mais j'aurais pu vous faire mal paraître en tabarnak par exemple, si j'avais écouté ma *boss*.

— Qu'est-ce que tu veux dire? m'interroge Samuel.

— Vous comprenez pas que je suis de votre bord! Quand on m'a demandé de faire des photos de vous autres tout croches, soûls, ou rebelles, ou violents, ou *whatever* qui pouvait vous donner mauvaise presse, ben, j'ai...

Je m'arrête soudainement... mais juste une phrase trop tard. *Oh my God!* Qu'est-ce que je viens de faire là? À voir le visage stupéfait des trois étudiants devant moi, ils ont compris que le gouvernement avait mandaté une entreprise privée pour les piéger. *Fuck! Fuck! Fuck!* Qu'est-ce qui m'a pris de déballer ça?

Je m'en veux tellement. D'autant plus que SRD ressemble maintenant au chat qui a avalé la souris. J'ai l'impression qu'il va se servir de cette information pour gagner des points dans l'opinion publique. Non, non, non!

Je dois essayer de sauver la situation… et ma peau!

— Samuel, c'est pas ce que tu penses. Ils voulaient juste des photos un peu… euh… différentes. Je me suis mélangée avec un autre client.

Aucune réaction de mes interlocuteurs. Ils n'ont pas embarqué dans mon mensonge. Changeons de tactique.

— Et même si c'était vrai, on a pas de preuves que le client de Danicka, c'est le gouvernement. Moi, elle m'a jamais dit c'était qui.

SRD s'avance vers moi, l'air satisfait. Contre toute attente, il me tend la main. Je la lui serre sans grande conviction.

— Ç'a été un plaisir de faire ta connaissance, Juliette. Et merci pour le renseignement.

Sans plus de cérémonie, le leader étudiant tourne les talons et va, avec ses collègues, s'installer à une table un peu plus loin. Je les entends parler de point de presse à organiser pour demain matin. Et moi, je me dis que, demain, je vais passer une des pires journées de ma vie.

*

J'en suis à mon deuxième verre de rosé et j'attends toujours l'arrivée de mononcle Ugo. Le temps me semble trois fois plus long que d'habitude tellement je suis impatiente de le voir surgir. Et payer l'addition pour qu'on puisse partir d'ici le plus vite possible.

Ce n'est pas que l'endroit où je me trouve ne me plaise pas. Bien au contraire. Le nouveau bar rénové du Château Frontenac est vraiment spectaculaire avec son immense comptoir et ses élégants luminaires, mais je ne cadre pas dans ce décor. Il me manque la petite robe noire cocktail, les escarpins lustrés et… pourquoi pas, la pochette Louis Vuitton! Le problème, c'est que je n'ai rien de tout ça. Ni ici, ni dans mon placard. La seule robe de soirée que je possède, c'est celle de mon bal des finissants de cégep… Et elle est tout ce qu'il y a de plus défraîchi. J'ai certes quelques trucs plus chics, mais ils ne font pas «Château Frontenac».

Assise au bar, je regarde autour de moi à la recherche d'un sympathique client qui pourrait me prêter son cellulaire, mais personne ne me semble assez avenant pour ça. J'essaie de calculer le nombre d'heures passées depuis mon appel à mon sauveur, mais j'avoue que j'ai un peu perdu la notion du temps depuis l'agression dont j'ai été victime. Ça me paraît une éternité.

Quelle journée d'enfer! J'ai certainement fracassé le record des gaffes commises en quelques heures. Mettre les pieds dans le plat à ce point… Tout le monde va croire que je fais exprès.

Je songe à ce qui m'attend au cours des prochaines heures. Est-ce que SRD et sa gang vont vraiment se servir de ce que je leur ai confié sans m'en rendre compte? Je n'en reviens pas d'avoir laissé échapper cette information. J'ai vraiment été nulle. La plus nulle des nulles.

Et vivre une journée où on se sent poche comme jamais, sans un amoureux à ses côtés, c'est encore plus difficile. Ce qui fait dévier mes réflexions vers F-X. Est-ce que je vais être capable de jouer les seconds violons très longtemps? De me contenter des miettes que miss Tzatziki daignera bien me laisser? Rien n'est moins certain.

Je n'ai jamais été très patiente. Est-ce que je le serai un peu plus pour attendre que l'homme de ma vie se libère? J'en doute. Mais quoi faire alors? Mettre fin à notre relation et me priver de moments pareils à celui que nous avons vécu en fin de semaine? Trop injuste!

Et lui? Est-ce qu'il tient à moi? Aujourd'hui, par exemple, est-ce qu'il s'est inquiété à mon sujet? À moins qu'il n'ait pas vu les nouvelles, Facebook ou Twitter? Mais ça m'étonnerait.

J'ai trop hâte d'être dans ma voiture pour pouvoir brancher mon cellulaire et vérifier mes messages. Je décide à l'instant que si jamais je n'ai aucun texto ou appel de F-X, je le *flushe*! Satisfaite, je termine mon verre de vin d'une seule gorgée. Au fond, je sais très bien qu'il y a peu de risques qu'il soit resté silencieux. Et si c'est le cas, c'est un sans-cœur qui ne mérite pas mon amour.

Épuisée, je change de place pour me réfugier dans un fauteuil qui me paraît plus accueillant. Je m'installe confortablement et je ferme les yeux pour récupérer un peu avant de… De prendre la route? Non, impossible. J'ai trop bu. Bon, une autre emmerde! Où vais-je passer la nuit? D'après ce que j'ai compris, les hôtels sont tous occupés en ce congé de la Fête nationale. Et puis tant pis! Je dormirai dans mon char.

Je me laisse gagner par le sommeil quand une main se pose sur mon bras. Ugo! Enfin!

J'ouvre les yeux et ce n'est pas mononcle adoré qui est devant moi. Mais bien F-X, un chic sac de voyage en cuir brun à l'épaule et l'air plus soulagé que jamais.

9

— *D*u pain doré avec extra bacon, s'il vous plaît. Et *full* sirop d'érable.

— Et moi, je vais prendre un bagel avec saumon fumé.

Je suis avec F-X dans un resto spécialisé dans les déjeuners, sur la rive sud de Québec. Nous avons passé la nuit dans un motel *cheap*, situé de l'autre côté du pont Pierre-Laporte.

Il est venu me rejoindre à Québec en autobus, expressément pour pouvoir me servir de chauffeur au retour. Trop gentil! Quand je l'ai vu, en ouvrant les yeux au bar du Château Frontenac, je suis presque tombée de mon fauteuil. Qu'est-ce qu'il faisait là, alors que je ne lui avais pas parlé de la journée?

Après avoir vu les images circuler sur Facebook, mon amant a tout de suite tenté de m'appeler. Et comme il n'y arrivait pas, il s'est tourné vers Marie-Pier qui l'a informé que j'allais bien et qu'Ugo s'apprêtait à venir me chercher à Québec. Il a contrecarré ses plans en surgissant chez moi pendant que mononcle préparait mes affaires. Il a offert de le remplacer et c'est pour cette raison que je suis ici, avec lui, ce matin.

En partant de Québec hier soir, nous avions la ferme intention de continuer notre route jusqu'à la métropole, mais le désir de se retrouver dans les bras l'un de l'autre, idéalement nus, l'a emporté. C'est ce qui nous a conduits dans cette chambre d'hôtel à la propreté douteuse.

Maintenant que ses tendres caresses ont apaisé mes angoisses de la veille et que sa présence a amoindri mon sentiment de me battre seule contre l'univers, j'ai envie de lui poser la question qui me trotte dans la tête depuis des heures.

— Tu lui as dit quoi, à Ursula?

Il détourne le regard, mal à l'aise et tourmenté. Pauvre pitou… Ce n'est pas du tout dans sa nature de mentir.

— J'ai inventé un problème de dernière minute sur un chantier à Ottawa.

— As-tu un chantier là-bas?

— Oui, un nouveau Musée de l'histoire du Canada.

— Wow! Tu m'avais pas dit ça, bravo!

F-X me sourit avec fierté. Je sais à quel point sa carrière d'architecte est importante pour lui et qu'un tel mandat le fait vraiment entrer dans les ligues majeures. Des centaines de milliers de visiteurs de partout dans le monde vont pouvoir admirer son œuvre. Ce n'est pas rien!

— C'est un contrat génial. Je suis super content.

— Comment elle a réagi, ta femme? Elle a pas trouvé ça bizarre que tu travailles le jour de la Fête nationale?

— Ç'a passé, le chantier est à Ottawa. C'est pas férié là-bas.

— Ah, c'est vrai! Mais… Elle a dit quoi?

— Ces temps-ci, elle est tellement obsédée par l'organisation du baptême de Loukas qu'elle se fout pas mal que je sois présent ou pas.

— Elle n'a pas besoin de toi pour les préparatifs?

— *Nope.* Elle fait ça avec sa famille.

— Ah oui! Comme pour le mariage, quoi!

Ursula Dimopoulos est le genre de fille qui s'entoure d'une foule de cousines et d'amies pour la servir dans la planification des célébrations familiales. Et elle ne fait pas dans la dentelle avec ses «esclaves», les dirigeant au doigt et à l'œil. Une vraie générale avec ses soldates.

Parfois, je me demande si elle traite son mari de cette manière. Ça m'étonnerait, F-X n'est quand même pas une lavette.

L'épouse de mon amant n'est pas ce qu'on pourrait appeler une femme «équilibrée». Même que je dirais que sa santé mentale est assez fragile. Encore plus depuis qu'elle a eu un bébé. C'est pourquoi je préfère attendre un peu avant de parler avec F-X de l'avenir de notre relation.

Nos plats arrivent, et c'est avec appétit que je mords dans une tranche de bacon bien croustillante. Au même moment, une employée monte le son du téléviseur. Les images à l'écran captent mon attention. Samuel Renaud-Dupuis, entouré de ses deux sous-fifres habituels, tient un point de presse dans les locaux de l'association étudiante qu'il représente.

— J'espère que c'est pas ce que je pense!

Mon ami, à qui j'ai tout raconté, jette lui aussi un regard inquiet au téléviseur. SRD entame son allocution en se raclant la gorge.

— Nous sommes ici pour dénoncer une pratique inacceptable du gouvernement. Nous avons la preuve qu'il utilise des stratagèmes pour nous piéger et donner une fausse image des étudiants et étudiantes que nous sommes.

Oh. My. God. Je nage en plein cauchemar! Comment peut-il faire de telles allégations basées uniquement sur ce que je lui ai révélé de façon malencontreuse? J'ai soudain l'appétit coupé. Je repousse mon assiette et je l'écoute poursuivre son discours.

— Le gouvernement se sert des fonds publics pour donner le mandat à une agence privée, soit le Studio 54, propriété de l'ex-mannequin international bien connu Danicka Malenfant, de faire des photos biaisées des étudiants et étudiantes qui participent aux manifestations.

Je veux mourir, disparaître six pieds sous terre, ne plus exister pour personne. Sentant mon désarroi, F-X prend ma main et la serre très fort.

J'attends la suite, me demandant si le leader étudiant ira jusqu'à dévoiler la relation qu'entretient ma patronne avec le ministre Marc-André Pinette.

— J'ai d'autres informations qui me permettent de croire que des motivations personnelles sont à l'origine de ce pacte…

C'est officiel, je suis finie. Complètement.

— … mais comme elles impliquent aussi des gens non concernés par la situation, je vais les taire pour le moment.

Fiou! Au moins, il s'en tient à ce qui est d'ordre public. Mais ça ne change pas grand-chose pour moi. Ma carrière de photographe vient de se terminer avec ce point de presse. Ma patronne ne me le pardonnera jamais.

Découragée, je rejoins mon amant sur sa banquette pour me réfugier dans ses bras. Je n'ai pas besoin de parler. Il a compris que j'allais bientôt me retrouver au chômage.

Il reste silencieux et me caresse doucement les cheveux pour m'apaiser. Je marmonne à son oreille.

— Une chance qu'il a pas dit qu'elle couchait avec Pinette.

— Ouin. D'ailleurs, je comprends pas pourquoi il a une maîtresse. Avec la super belle femme qu'il a…

— C'est qui, sa femme?

— Tu sais pas c'est qui?

— Ben non! Comment je pourrais savoir ça?

— Parce que tout le monde la connaît.

— Comment ça? dis-je en me redressant pour le regarder dans les yeux.

— C'est la présentatrice météo la plus populaire du Québec.

— Hein? Pas Geneviève Sauvé, j'espère?

— Ben oui! Ça me surprend que tu sois pas au courant. Ils font le *front* des revues de vedettes régulièrement.

Je suis sous le choc. Oui, j'ignorais que Marc-André Pinette était marié à une des plus belles miss Météo des ondes québécoises. Mais ce n'est pas parce que je ne connais pas Geneviève Sauvé. Je l'ai même rencontrée plusieurs fois… au Studio 54.

— C'est vraiment une *bitch*!

— Qui ça?

— Ma *boss*!

— Pourquoi tu dis ça?

— Geneviève Sauvé, c'est une de ses amies.

— Ah ouin? T'es certaine?

— Je te le dis! Elle passe souvent au bureau, elles vont dîner ensemble ou prendre l'apéro… J'en reviens pas!

— Y en a qui n'ont pas de morale, hein? Et t'es certaine qu'elle va te mettre dehors?

— Sûre. D'ailleurs, ça m'étonne qu'elle l'ait pas fait avant. Elle est toujours en crisse après moi.

— C'est parce que t'es la meilleure, Juliette. Elle peut pas se passer de toi.

— Là, c'est fini. J'en suis convaincue.

Un léger silence s'installe entre nous deux. Je réalise ce qui s'en vient et j'avoue que ça me fait peur. Danicka va tellement m'en vouloir… Elle va me salir, me faire une réputation d'employée pas fiable, rebelle et même malhonnête. Ce que je ne suis pas, mais, avec elle, on peut s'attendre au pire. Et étant donné que le milieu de la photo est petit à Montréal et que tout le monde se connaît, plus personne ne va vouloir m'engager.

— Qu'est-ce que je vais devenir, F-X ?

— Y a pas juste le Studio 54 qui a besoin de bons photographes comme toi.

— Je t'ai expliqué. Elle va me bloquer partout.

Il réfléchit à mes propos en prenant une bouchée de bagel. Il fait glisser mon assiette jusqu'à moi pour m'inciter à manger un peu.

— J'ai pas faim.

— Tu vas avoir besoin de forces.

— Ah oui ? Pour me faire crier dessus ?

— Non. Pour démissionner toi-même avant qu'elle te congédie.

— Pis m'inscrire au chômage après ?

— Non. Tu vas aller te chercher un numéro de compagnie.

— Un numéro de compagnie ? De quoi tu parles ?

— Je parle de *ta* nouvelle boîte, Juliette. La tienne.

— Attends, je te suis pas, là...

— C'est simple, pourtant. Juliette Gagnon va travailler pour Juliette Gagnon.

— Partir mon studio à moi ?

— Ben oui ! Tu m'as dit que t'en rêvais.

— Oui, mais plus tard. Je suis pas prête, j'ai pas d'argent, je sais pas comment faire ça.

À l'idée de voler de mes propres ailes demain matin, sans préparation, sans filet, je me sens soudainement anxieuse.

— Je vais t'aider. Je l'ai fait, moi, en début d'année.

— C'est pas pareil. T'as un associé. Moi, je suis seule. Je sais même pas si j'ai ce qu'il faut.

— Je suis convaincu que oui.

— Non, je suis nulle en finances. Ma compagnie serait dans le *fucking* rouge.

— T'exagères! Pis tu vas engager un comptable.

— Je me suis jamais occupée de la paperasse de bureau. Je suis une artiste, moi.

— C'est pas compliqué, tu vas apprendre.

— Non, non, j'y arriverai pas. Pas maintenant.

— Comme tu veux. Si tu préfères faire partie des statistiques de l'assurance emploi du mois de juin…

Il replonge dans son assiette pour attraper une tranche de melon miel. Son ton légèrement plus froid m'ébranle. Est-ce que je viens de le décevoir par ma… disons… prudence? Parce que c'est ce que je suis, prudente. On ne se lance pas en affaires du jour au lendemain, sans planification, sans un bon entourage.

Et s'il pense que c'est parce que je suis trop *chicken*… Eh bien, c'est son problème! Pour tenter de me calmer, j'avale une grande gorgée de café. Ce qui n'est pas ce qu'on pourrait appeler une idée de génie. Surtout quand la serveuse vient tout juste de remplir nos tasses et qu'il est brûlant. Ouch!

Qu'est-ce que je peux me détester quand je m'énerve comme ça! Le problème, c'est que F-X a semé le doute dans mon esprit. Et ce doute me dérange. Et s'il avait raison? S'il était temps de me faire confiance et que le talent de Juliette Gagnon profite à Juliette Gagnon? Ahhh, que c'est compliqué, tout ça!

Le bip de mon téléphone me tire de mes réflexions. Je regarde le texto qui vient d'entrer. Danicka n'a pas été longue à réagir.

«Tu mériterais que je te poursuive pour faute professionnelle. Rarement vu quelqu'un d'aussi incompétent.»

— QUOI?

— Juliette, calme-toi. Qu'est-ce qui se passe?

— Ma *boss*! Elle menace de me poursuivre pour faute professionnelle.

— Bah… De toute façon, tu vas être au chômage, elle aura rien à saisir.

Son ton condescendant me fait sortir de mes gonds.

— Eille, tabarnak! Ça suffit, les allusions de *loser*! Je me retrouverai pas au chômage.

— Ah non? Tu vas te recycler en quoi? En serveuse chez McDo? En «associée» chez Walmart? Ah non, je le sais, tu vas faire du télémarketing. Ça, c'est excitant.

— Coudonc, t'es ben baveux!

— Juste réaliste, Juliette.

— Tu m'énerves, des fois, F-X! OK, je vais la lancer, ma compagnie! Mais si je fais faillite dans quelques mois, c'est toi qui vas me ramasser à la petite cuillère.

Son visage s'illumine et je comprends qu'il vient d'obtenir exactement ce qu'il souhaitait en me fouettant de la sorte. Satisfait, il me donne un bisou en me regardant droit dans les yeux.

— Tu feras pas faillite parce que t'es la meilleure, la plus belle et la plus sexy de toutes les photographes que je connais.

10

J'ouvre la porte du Studio 54, où ma patronne doit me rejoindre d'ici une heure pour, j'en suis certaine, me donner mon quatre pour cent. C'est du moins ce qu'elle pense. Mais j'ai des petites nouvelles pour elle. Je vais la prendre de court et lui laisser une belle lettre de démission sur son bureau.

En revenant de Québec, hier, j'ai réalisé que j'avais un atout important dans ma manche : je suis au courant de sa liaison avec le mari de sa bonne copine Geneviève. Si je voulais, je pourrais même la faire chanter avec cette information. Elle l'a déjà fait si souvent avec moi, ce serait dans la logique des choses que ce soit maintenant à mon tour.

J'ai donc décidé d'utiliser mon arme redoutable, non pas pour l'obliger à me garder comme employée, mais pour la forcer à me ficher la paix. Je m'explique.

Quand je me suis rendu compte que ma situation n'était peut-être pas perdue d'avance, que je pourrais conserver mon emploi en faisant savoir à ma patronne que j'étais prête à la dénoncer, j'ai poussé ma réflexion plus loin.

Ai-je vraiment envie de continuer à travailler pour quelqu'un qui ne m'apprécie pas à ma juste valeur ? La réponse s'impose d'elle-même, c'est non. Si je n'ai pas quitté le Studio 54 jusqu'à présent, c'est que j'ai toujours eu peur des conséquences sur ma carrière. L'après-Danicka ne me rassure pas du tout. Elle a des tonnes de contacts dans le métier et je pense qu'elle ne se gênerait pas pour leur raconter n'importe quoi à mon sujet. Ce qui ferait de moi la mal-aimée du milieu et la fille que plus personne ne voudra engager. Ça, c'était avant que Samuel Renaud-Dupuis me rende l'immense service de me renseigner sur les activités sexuelles de ma patronne. Et avant que F-X me convainque de me lancer en affaires.

Dans la lettre que je m'apprête à écrire, je vais lui laisser entendre qu'elle a intérêt à me ficher la paix si elle ne veut pas que la femme de son amant reçoive un message anonyme. Lequel l'informerait que son « amie » Danicka n'est qu'un visage à deux faces, puisqu'elle couche avec son mari.

Jamais je n'aurais pensé faire ce type de menaces voilées à quelqu'un. Ça ne me ressemble vraiment pas et je ne me considère pas comme une manipulatrice. Mais l'occasion fait le larron, n'est-ce pas ?

Et à ma conscience qui m'embête parfois en soulevant quelques interrogations éthiques, je réponds que je n'en prendrai pas l'habitude. Mais que, cette fois-ci, c'est parfaitement justifié.

J'ouvre mon ordi pour rédiger ma lettre en toute tranquillité. Le bureau est encore vide en ce début de matinée pluvieuse.

Chère madame Malenfant,
Par la présente, je vous remets ma démission en tant que pigiste du Studio 54. Je crois que le moment est venu pour moi de relever de nouveaux défis.

Bon, voilà pour la forme. Maintenant, comment on fait ça, du chantage par écrit? Je réfléchis quelques instants quand j'entends la porte d'entrée s'ouvrir. Pas déjà ma *boss*? *Shit!* Je n'ai pas envie de la rencontrer tout de suite.

— Qui est là? lance une voix féminine.

Eh oui, c'est bien elle. Et si je me fie à son ton, elle ne semble pas de très bonne humeur. J'ai juste envie de me cacher derrière l'amoncellement de réflecteurs, de trépieds et de kits d'éclairage qui se trouve à ma gauche pour ensuite me sauver en catimini et lui faire parvenir ma lettre de démission par courriel. Le problème, c'est qu'une partie dudit amoncellement m'appartient et que je dois le récupérer. Une tâche impossible à exécuter sans faire un certain tapage.

Allez, fais une femme de toi, Juliette Gagnon, et affronte ta patronne-bientôt-ex-patronne. Après tout, tu as maintenant un avantage sur elle…

Je prends une grande respiration avant de manifester ma présence. Je m'attends à ce qu'elle surgisse dans la pièce réservée aux pigistes pour me critiquer. Elle va me dire que je suis arrivée trop tôt, que je n'ai pas préparé le café, que le décolleté de mon chemisier est trop plongeant… Bref, n'importe quoi pour me faire suer. Mais non. Elle passe dans le couloir, sans s'arrêter. J'ai juste le temps de constater qu'elle n'a pas son élégance habituelle. Est-ce que je me trompe où elle porte un large foulard dans le cou et même sur une partie de son visage. Voudrait-elle cacher quelque chose? Étrange…

J'entends une porte se refermer violemment, ce qui pique encore plus ma curiosité. Je tente de jouer les détectives en sortant de la pièce pour me rendre jusqu'au bureau de Danicka. J'imagine que c'est là qu'elle s'est enfermée. Pour ce faire, je rase les murs telle une Miss Marple. Bon, d'accord, je n'ai jamais lu de roman d'Agatha Christie, mais je suppose que c'est de cette façon que la célèbre héroïne se comporterait pour démasquer un meurtrier sanguinaire. C'est du moins ce que font les limiers des polars que je dévore depuis quelques mois. Il me manque seulement un revolver au bout de mes bras.

Sa voix haut perchée et paniquée parvient à mes oreilles, et j'en suis étonnée. Ma patronne contrôle habituellement ses émotions et parle d'un ton posé, autoritaire, voire intimidant. Mais jamais de façon affolée, comme c'est le cas en ce moment. Doublement étrange.

Je m'arrête près de son bureau et j'écoute ses propos.

— Vous ne m'aviez jamais dit que je serais boursouflée de la sorte!

Hein? Boursouflée? Est-ce que c'est ce qu'elle cache derrière son écharpe beige Burberry? Des lèvres enflées par je ne sais quoi! Honnnn… Ce serait trop drôle! Je ne peux m'empêcher de risquer un coup d'œil à travers la vitre de son bureau, et ce que je vois me fait presque éclater de rire. Elle a retiré son foulard et le contour de sa bouche est non seulement gonflé, mais il est bleuté, presque violet. C'est d'un chic fou!

Je me cache pour continuer de l'écouter.

— Ça devait être un traitement de Botox mineur. Enlever les rides autour des lèvres, c'est pas si compliqué, me semble!

Ah, c'est donc ça! Ça lui apprendra à vouloir défier la nature!

Curieuse d'en voir un peu plus, je regarde à nouveau par la fenêtre. Mes yeux croisent les siens. Furieuse, elle m'indique d'un doigt rageur de retourner là d'où je viens.

Je lui obéis, en prenant plus de temps que nécessaire. C'est fou comme je me sens confiante depuis que je sais que je peux faire chanter ma patronne. Elle a fini de me terroriser.

Je poursuis la rédaction de mon texte, en songeant à son visage de clown pas drôle. Elle est bien mal prise et je lui souhaite que ça dure le plus longtemps possible.

J'entends *La Marche impériale* de *Star Wars* sur mon téléphone. C'est la sonnerie que j'ai programmée quand je reçois un appel de Danicka, pour me rappeler son côté militaire. Faut croire qu'elle préfère me parler de loin. Je réponds d'un ton innocent, comme si de rien n'était. Elle fait de même, mais avec une mollesse peu coutumière.

— Juliette, on va devoir remettre notre rencontre.

Je ne peux résister à la tentation d'être baveuse.

— Ah oui? Pourquoi donc?

— Ça te regarde pas. J'ai des choses personnelles à régler.

— Dommage. Ma lettre est presque prête.

— Ta lettre?

— Ma lettre de départ.

Un silence s'installe. Je savoure d'avance la déconfiture de Danicka Malenfant, elle qui n'a pas l'habitude de laisser les autres décider à sa place.

— Tu démissionnes pas! C'est moi qui te congédie.

— Non, je quitte avant.

— Non seulement je te fous dehors, Juliette, mais tu vas devoir répondre de tes actes.

— Quels actes?

J'utilise toujours un ton ingénu.

— Tu sais très bien de quoi je parle. Ton indiscrétion professionnelle m'a mise dans une situation difficile. Extrêmement difficile.

Oh là là! Qu'elle se la joue grosse! Elle ne m'attire pas une once de sympathie. Je me sens maintenant invulnérable.

— Pourquoi? Votre amant-client vous a fait une crise sur l'oreiller?

Nouveau silence radio. Qui s'éternise. À un point tel que je me demande si elle est toujours au bout du fil.

— Madame Malenfant?

— Viens dans mon bureau. Tout de suite.

Je raccroche et c'est d'un pas satisfait que je vais la rejoindre. Je ne prends pas la peine de cogner. J'entre et je m'assois en face d'elle, sans même qu'elle m'y invite. Ma patronne a remonté son foulard sur sa bouche. À voir ses yeux, je comprends que je l'ai inquiétée. Ça me rend encore plus sûre de moi et j'ai plus que jamais envie de lui faire payer ce qu'elle me fait endurer depuis des années.

— Vous savez, le hijab, ça se porte sur la tête. Pas sur la bouche.

Elle me fusille du regard une nouvelle fois. Mais avec son déguisement, difficile de la prendre au sérieux. Je retiens un rire et j'attends qu'elle m'en dise plus.

— Juliette, je t'invite à être prudente dans tes propos. J'ignore le sens de ta remarque de tantôt, mais elle était totalement injustifiée.

— Je ne suis pas d'accord. Je trouve très justifié de parler de la relation que vous avez avec le ministre de l'Éducation.

— Je ne sais pas de quoi tu parles. Attention à ce que tu dis.

— Vous couchez avec Pinette, pis vous faites la job de bras qu'il vous demande.

— Qui t'a dit ça?

— J'ai mes sources! Pis je me gênerai pas pour rendre ça public si c'est nécessaire.

— Ce sont de purs mensonges! Arrête ça tout de suite, m'ordonne-t-elle en se levant d'un bond.

— Non, vous m'arrêterez pas. C'est moi qui ai le gros bout du bâton, cette fois-ci !

— Tu vas trop loin, Juliette. Je te mets en garde contre…

— Ça marche plus, vos menaces. En plus, j'en reviens pas que vous fassiez ça à une de vos amies. Coudonc, vous avez pas de cœur ?

Le foulard qu'elle tente de faire tenir depuis le début de notre conversation glisse soudainement et me laisse voir de près l'étendue des dommages. *Oh my God !* L'enflure est encore plus proéminente que je le croyais. Sa lèvre supérieure atteint presque le dessous de son nez. J'ignore qui lui a arrangé le portrait de la sorte, mais quel incompétent ! C'est lui qu'elle devrait menacer de poursuites. Pas moi !

Danicka remonte son écharpe, essayant de se donner l'air de la femme au-dessus de ses affaires. Mais elle n'y arrive pas. Ses yeux laissent entrevoir quelque chose que je n'ai jamais vu chez elle : une certaine détresse. Pendant un instant, je suis moi-même ébranlée par ce côté fragile que je ne lui connaissais pas. Mais j'ai tôt fait de me rappeler son comportement machiavélique des dernières années et je me ressaisis tout de suite.

Elle pivote sur elle-même pour me tourner le dos. Elle reste immobile de longues secondes, sans dire un mot. J'avoue que je ne comprends plus trop ce qui se passe. Je ne l'ai jamais vue agir de la sorte et ça me trouble un peu.

— Madame Malenfant ?

L'ex-mannequin ne répond pas et ne bouge pas d'un iota.

— Ça va ?

Toujours aucune réaction de sa part. On dirait qu'une autre femme se tient devant moi. La Danicka « normale » s'en prendrait à moi, m'engueulerait, me ferait signe de disparaître. Elle ne resterait pas là, battue d'avance, à attendre je ne sais quoi.

À moins qu'il ne s'agisse d'une autre de ses innombrables tactiques de manipulation. Une stratégie qu'elle n'aurait pas encore utilisée en ma présence. Possible. Très possible, même. Bon, ça suffit, les niaiseries !

Je me lève, m'apprêtant à quitter le bureau, quand ma patronne se retourne et me fait face. À ma grande surprise, ses yeux sont inondés de larmes. Elle se laisse choir sur sa chaise, comme si elle portait le poids du monde sur ses épaules. Puis, sans crier gare, elle s'effondre sur son pupitre et éclate en sanglots.

Complètement déstabilisée, je m'interroge sur le rôle que je dois maintenant jouer... Et surtout, sur la sincérité de ses pleurs. La connaissant, je la sais bien capable de se livrer à une performance d'actrice. Je refuse de tomber dans ce piège. Ce changement radical ne m'inspire rien de bon, sinon qu'elle veut encore et toujours m'utiliser pour parvenir à ses fins. Si elle espère que je me tairai juste parce qu'elle pique une crise de larmes, eh bien elle se trompe. Je rendrai publique l'information que je détiens si je le juge nécessaire. Je fais un pas vers la sortie quand elle lève la tête. Son foulard glisse une fois de plus. Entre deux sanglots, elle essaie de me retenir.

— T'as pas le droit de me causer du stress. Pas avec ma maladie.

. Bon, voilà qu'elle se sert de son cancer de la gorge qu'elle a eu... il y a plus de dix ans. Je sais, c'est triste et ça doit marquer quelqu'un à vie, mais ce n'est pas une raison pour tout se permettre. Et pour détruire la vie d'une amie proche.

— Vous allez bien, pourtant, je crois ? Vous êtes en rémission, non ?

Elle essuie ses larmes du revers de la main, secoue la tête et prend une grande respiration avant de poursuivre. Fini les pleurnichages. Elle ne semble plus se soucier que le bas de son visage soit découvert et que ses affreuses ecchymoses soient bien visibles.

— Plus maintenant, mon cancer est réapparu.

Encore là, je suis sceptique, mais ébranlée. Certes, je la déteste, mais je ne lui souhaite pas de mourir d'un cancer pour autant.

— Vous êtes certaine?

— Comme si je connaissais pas mon propre état de santé! me lance-t-elle avec colère.

— Non, non. C'est juste que…

— Que quoi, Juliette? À vingt-sept ans, tu connais rien de la vie.

— Je suis pas si ignorante que ça! Franchement!

— Comment peux-tu te permettre de juger les autres?

— Je trouve pas ça correct de…

— Parce que, toi, t'as jamais été en amour avec quelqu'un qui n'était pas libre?

Sa question me scie les jambes en deux. D'abord, je suis estomaquée de constater que, tout à coup, elle se confie à moi. Ensuite, elle me ramène à ma propre histoire d'amour avec F-X, marié et jeune papa en plus. Je reste silencieuse, pendant qu'elle semble réaliser qu'elle s'est peut-être un peu trop épanchée.

Soudain, je n'ai plus envie de me bagarrer. Je souhaite juste quitter cette entreprise, et faire mon bout de chemin à moi. Mais pour ça, je dois être certaine qu'elle ne me mettra pas de bâtons dans les roues.

— Votre vie privée, dans le fond, j'en ai rien à foutre.

— Contente de te l'entendre dire!

— Par contre, vous allez oublier vos histoires de me faire payer pour ma soi-disant gaffe.

— C'est pas une soi-disant gaffe, Juliette.

Décidément, elle ne lâche pas prise facilement. Je me dois d'être plus claire.

— C'est donnant-donnant, madame Malenfant. Vous me laissez tranquille, vous me faites pas mauvaise presse dans le milieu, pis je ferme ma gueule.

Abattue, elle me fait un petit signe de tête. Je scelle notre accord en lui répondant de la même façon. Je suis maintenant prête à quitter cet univers que je considère comme de plus en plus malsain.

À l'heure actuelle, avec son visage boursouflé, ses yeux rougis et son cancer qui est peut-être revenu, la propriétaire du Studio 54 me fait pitié. Je me promets de ne jamais lui ressembler. De ne jamais me laisser dévorer par une ambition démesurée qui me pousserait à vouloir me faire retoucher le bas du visage. Qu'est-ce qu'une femme qui n'a pas encore cinquante ans, belle comme le jour, peut bien chercher dans de telles opérations? Mystère…

Tout ça me rend infiniment triste, et c'est le vague à l'âme que je sors de son bureau, en espérant ne plus jamais la revoir de ma vie.

11

STATUT FB DE JULIETTE GAGNON
À l'instant, près de Montréal

Avec mon sage. Grosse décision à prendre.
#toutemêlée

— Susanita, je vous ai déjà dit de prendre les nettoyants qui sont sous l'évier. Pouvez-vous faire le ménage avec ça, s'il vous plaît ?

Pour appuyer sa demande, Ugo ouvre la porte de l'armoire et en sort un panier contenant plusieurs bouteilles de détersif pour la cuisine, le plancher, les meubles et les miroirs.

— *Mossieur Ougo*, les produits que *yutilise* sont *muy* bien.

— Ceux que j'achète sont de meilleure qualité. En plus, ils sont bios.

— Les miens, *yé* les ai *vous* à la télé.

— Qu'est-ce que ça change ? la questionne-t-il, sceptique.

— La télé, *y* dit vrai. *Es cierta.*

Ugo lève les yeux au ciel, complètement découragé.

La scène à laquelle j'assiste pourrait être tirée d'une mauvaise pièce de théâtre d'été. Les acteurs : mononcle et son employée espagnole. Le décor : le magnifique condo à aire ouverte d'un couple gai, en plein centre-ville de Montréal. Le thème : les chicanes de ménage… au sens d'entretien ménager.

Depuis qu'Ugo éprouve des maux de dos, son chum Bachir a décidé de faire appel à une femme de ménage. Tous les deux maniaques de la propreté, ils passaient beaucoup trop de temps à laver les planchers à quatre pattes, selon le physiothérapeute maintenant à la retraite.

Il a mis des semaines à convaincre son amoureux du bienfait de la chose. Ugo a fini par accepter, mais sans véritablement lâcher prise. Il refuse de laisser sa femme de ménage seule à la maison, préférant même s'absenter de son boulot plutôt que de lui faire confiance. De plus, il repasse de façon systématique derrière elle. Susanita a une patience d'ange.

Je suis venue voir mon sexagénaire favori en ce mardi après-midi parce que j'ai besoin de sa bénédiction. Depuis que j'ai démissionné et que F-X m'a convaincue de fonder mon propre studio de photo, je ne cesse de remettre ma décision en question. Je saute ou pas ? Je deviens une femme d'affaires ou je me fais embaucher par une entreprise déjà établie ?

Après quatre jours à ne pas dormir, torturée à l'idée de faire le mauvais choix, j'en suis venue à la conclusion qu'une seule personne pouvait m'aider à trancher. Et c'est mon sage.

— Ugo, arrête donc de l'embêter ! Laisse-la faire sa job comme elle veut, pis viens finir notre conversation.

Faisant un effort colossal, il m'obéit et me rejoint sur le canapé modulaire en cuir blanc où j'ai pris place. Il s'assure toutefois d'avoir l'œil sur Susanita en s'assoyant à l'autre extrémité. Poussant un soupir d'exaspération, je me lève pour me rapprocher de lui.

— Fait que tu penses que je suis capable ?

— Juliette, va falloir te le répéter combien de fois ? C'est sûr que tu peux le faire !

Lui-même entrepreneur de carrière, il ne me découragera certainement pas de me lancer en affaires. Propriétaire d'une superbe boucherie depuis des décennies, il est un bel exemple de réussite. Et il a plusieurs qualités, dont celle de savoir mieux compter que moi.

— Tu vas m'aider, hein ?

— Promis !

— Surtout pour les finances. Pour moi, c'est tellement l'horreur.

— On va aller voir mon comptable ensemble, si tu veux.

— Yé ! T'es trop *sweet* !

Ce soutien est tout ce qu'il me manquait pour que je prenne officiellement la décision de devenir mon propre patron. Maintenant, je sais que je peux aller de l'avant.

Toute contente et rassurée, je lui donne un bisou sur la joue, en le remerciant encore une fois. Mais Ugo ne m'accorde plus son attention ; il a les yeux fixés sur la charmante Espagnole qui nettoie la table de la salle à manger avec une lingette bleue.

— Susanita, votre linge est trop mouillé. Ça va laisser des traces.

Voilà qu'il se lève, retire poliment le linge de ses mains pour aller le rincer et l'essorer dans l'évier. Son employée ne s'en formalise pas, même quand il revient pour lui montrer dans quel sens il faut frotter la table. Méchant *control freak* de ménage !

— Ugo, t'as pas d'allure !

Je m'arrache à mon siège pour aller le chercher. Même si je le sens récalcitrant, je le prends par la main et je le force à se rasseoir avec moi. Susanita me jette un regard reconnaissant.

— C'est maladif, ton affaire !

— Non, je suis normal.

— Tu te vois pas aller ! Faut que t'arrêtes. Susanita est patiente, mais y a des maudites limites ! Tu vas la perdre.

Il reste silencieux, et je comprends que c'est peut-être ce qu'il souhaite au fond. Je le regarde, complètement découragée. Il réalise que j'ai saisi son manège, mais il fait comme si de rien n'était. J'estime qu'il est très chanceux que sa femme de ménage soit dans la même pièce que nous. Sinon je ne me gênerais pas pour lui dire ma façon de penser. Il en profite pour changer de sujet.

— Et tes amours, comment ça va ?

Je n'ai pas osé lui parler de ma relation avec F-X, justement parce que je ne veux pas qu'il m'incite à la sagesse. Il est au courant de ce que nous avons vécu l'été dernier, de la peine que j'ai eue quand F-X s'est marié, mais il ignore que nous nous revoyons depuis une semaine.

— Rien de spécial, pourquoi ?

Ugo me dévisage maintenant d'un drôle d'air. Coudonc, qu'est-ce qui lui prend, lui ?

— Rien ? Le calme plat ?

— Ben oui, c'est quoi, cet interrogatoire-là ?

— Fait que… François-Xavier qui retentit chez toi pis qui m'annonce que c'est lui qui va te chercher à Québec… C'est rien, ça ?

Honnnn. J'avais oublié cet épisode.

— Euh… C'est juste un ami.

— Pour un ami, il avait l'air de s'en faire beaucoup pour toi. Il était pas mal nerveux…

— Ah bon ? dis-je en essayant de paraître détachée.

— En plus, je ne l'avais jamais rencontré de ma vie.

— Oups…

— Il a fallu que j'appelle Marie-Pier pour m'assurer que c'était correct de le laisser partir avec tes clés et tes affaires.

— T'as bien fait. On est jamais trop prudent.

Un silence embarrassant s'installe entre nous. Tout ce qu'on entend, c'est la voix de Susanita qui fredonne *Besame Mucho*.

— Juliette, si tu veux me *bullshitter*, va falloir que tu te lèves de bonne heure. T'es aussi transparente que ta mère, tu peux pas m'en passer une.

Je bondis du canapé, exaspérée par sa perspicacité. Jamais moyen d'être tranquille avec lui! Je fais les cent pas dans le salon, réfléchissant à mes paroles.

— OK, tu veux que je te parle? Ben je vais te parler. Oui, je suis la *fucking* maîtresse de F-X. Oui, je suis en amour avec lui. Non, je sais pas où ça va nous mener. Pis non, je veux pas que tu le dises à maman. C'est-tu assez clair pour toi?

Nullement impressionné par mon ton provocateur, il se lève tranquillement pour venir m'enlacer comme il le fait depuis que je suis petite. La chaleur de ses bras me réconforte aussitôt, et je sens mon angoisse s'évanouir d'un seul coup.

— Ça va aller, Juliette.

— Non, ça ira pas. Je veux pas vivre un truc à moitié, moi. Je veux pas me contenter des restes de sa femme. Je le veux pour moi toute seule.

— Je te comprends.

— Non, tu me comprends pas. Pis en plus, il a un flo de même pas un an. Si au moins elle s'était fait avorter… Ou si elle l'avait perdu.

— Juliette, franchement!

— Ben quoi, c'est vrai! On serait ensemble si c'était pas de ça!

— Ça, comme tu dis, c'est un bébé innocent qui t'a rien fait.

— Je sais! J'y souhaite pas de malheur, non plus. Astheure qu'il est là, faut ben vivre avec.

— Bon, je pense que t'as besoin de relaxer un peu. Bachir va revenir bientôt, tu veux qu'il te fasse un massage?

Je ne l'ai jamais avoué à Ugo, mais je n'aime pas me faire masser. Non pas que Bachir ne soit pas compétent. Je crois au contraire qu'il est plutôt doué. Chaque fois qu'il a posé ses mains sur moi, ses gestes étaient précis et jamais il ne m'a fait mal. Le problème, c'est moi. Je n'arrive pas à me détendre, à me laisser aller. Donc je trouve le temps long et j'attends que ça finisse.

— Euh… Pas vraiment, faut que je parte, dis-je en me dégageant de son étreinte.

— Qu'est-ce qui presse tant?

— Faut que j'aille m'entraîner.

— T'entraîner? répète-t-il sur un ton légèrement incrédule.

— Ben oui! J'ai le droit!

— Oui, oui, t'as le droit de faire ce que tu veux. C'est juste que t'as jamais mis les pieds dans un gym de ta vie.

— T'exagères. J'y suis déjà allée.

— Ah oui? Quand ça?

— Euh… Une journée, l'autre fois…

— Une journée?

— Ben oui, une journée portes ouvertes.

— Ah oui, gros entraînement ici.

— J'ai essayé les machines, tu sauras. Mais dans le temps, j'étais pas prête.

— Et là, tu l'es? Comme par hasard?

— Hum, hum. Faut que je me remette en forme.

Je cherche des yeux mon sac à main Guess orange, orné de plusieurs breloques en forme de cœur, d'étoile et de trèfle, mais je ne le trouve nulle part. Je sens le regard d'Ugo qui pèse sur moi et je me doute bien qu'il ne me croit pas. Il a bien raison. Ce n'est pas le désir de suer sur un exerciseur elliptique ni celui de développer mes quadriceps ou mes trapèzes qui me guide vers le centre sportif de Brossard.

Mais il n'est pas question que je lui fasse part de ma véritable motivation. Des plans pour qu'il me décourage de mener à bien la mission que je me suis fixée.

— Juliette, j'espère que tu fais pas ça pour impressionner F-X?

— Ben voyons! Pourquoi je ferais ça?

— Parce que c'est pas ton genre de fréquenter un gym. Je me dis que si lui, il s'entraîne, tu veux peut-être faire pareil.

— Non mais, pour qui tu me prends? Je suis capable de décider par moi-même. Pis il va pas au gym.

— Ah non?

— Non… Je pense pas, en tout cas.

— T'es pas certaine?

— Non, je suis pas certaine. Mais je sais que l'hiver, il joue au hockey, dans une ligue de garage.

— Ah bon.

— Quoi? T'aimes pas le hockey?

— Je déteste ça. C'est violent, c'est macho, pis ça sent mauvais dans les vestiaires.

— Ah, que t'es précieux! Moi, j'aime ça, un gars qui joue au hockey, ça fait viril.

— Chacun ses préférences.

Alerté par la voix de Susanita qui, du fond du couloir, s'impatiente en espagnol contre je ne sais quoi, Ugo quitte le salon. J'en profite pour filer en douce et ainsi éviter de continuer à subir un interrogatoire en règle. Mononcle, qui me connaît depuis ma naissance, a trop le don de lire dans mes pensées. Quand j'étais fillette et que je me préparais à faire un mauvais coup, il le devinait systématiquement. Et puisqu'il passait beaucoup de temps à la maison, il lui arrivait souvent de foutre mes plans en l'air en avisant maman de m'avoir à l'œil.

Aujourd'hui, je ne m'apprête pas à commettre un mauvais coup, mais je suis sur le point de me mêler de ce qui ne me regarde pas… Je le sais, mais étant donné que la cause est importante, le jeu en vaut la chandelle.

12

— Vous voulez prendre un abonnement pour l'année ? C'est vraiment intéressant comme option, vous avez accès à tous les cours de groupe, vous avez droit à une évaluation de départ et à plein de rabais dans différents commerces.

La dynamique employée du centre sportif où je viens de mettre les pieds m'accueille avec un peu trop d'empressement.

— Est-ce que je peux payer à la séance ?

— Euh… oui, mais ce n'est pas très avantageux. Ça vous coûtera beaucoup plus cher.

— C'est pas grave.

Résignée, la jeune femme me fait payer et me laisse aller me changer au vestiaire. Ouf ! J'ai eu peur qu'elle m'accompagne pour me faire visiter les lieux et me convaincre de signer pour un an. Je troque mon short en jeans contre un autre short, celui-là en polyester, avec un cordon à l'avant. Fuchsia, il s'harmonise à merveille avec mon t-shirt en coton blanc hyper ajusté que j'enfile après avoir enlevé ma camisole à col drapé bleu électrique.

Le seul hic dans mon kit de *wanna be* athlète, c'est le soutien-gorge de sport. Complètement oublié d'en apporter un. D'ailleurs, en ai-je un dans mes tiroirs? Je n'en suis même pas certaine. Me voilà donc contrainte à porter un sous-vêtement blanc en dentelle, qui n'offre aucun soutien et qui est beaucoup trop visible sous mon chandail. *Damn!* Ah! Et puis on s'en fout! Je ne suis pas ici pour impressionner qui que ce soit.

Je sors du vestiaire et je me dirige vers un elliptique, la machine qui m'apparaît la moins ennuyante. Je grimpe sur l'appareil et je m'en sers comme si j'avais fait ça toute ma vie. Facile… Un peu trop, même. Peut-être devrais-je augmenter la résistance? Je passe de 7 à 12. Ohhhhh, il y a une bonne différence! C'est du moins ce que disent mes jambes.

Je poursuis mon exercice, pestant contre cette maudite bretelle de soutien-gorge qui ne cesse de tomber sur mon bras et que je dois remonter toutes les trente secondes.

Je devrais peut-être ralentir le rythme un peu, mais si je veux être prise au sérieux, il est préférable de ne pas faire semblant de m'entraîner. Je poursuis mon exercice tout en observant les lieux. Il est où, le gars que je suis venue voir? Je ne l'aperçois nulle part. Pourtant, j'ai bien vérifié et il doit être ici. Où se cache-t-il?

En attendant de trouver l'homme que je cherche, je suis à même de constater que des gars, ce n'est pas ce qui manque dans la place. Je remarque un *douchebag* au teint de cabine de bronzage, un maigrelet qui tente tant bien que mal de soulever un haltère visiblement beaucoup trop lourd pour lui et un monsieur grisonnant qui se défonce sur un vélo stationnaire, des écouteurs sur les oreilles. Finalement, il y a les autres, ceux qui m'observent, l'air amusé. Comme s'ils n'avaient jamais vu des seins sauter sous un chandail… Imbéciles!

Je ne cesse de regarder le compteur de temps de mon appareil, dans l'espoir qu'il atteigne le plus vite possible le chiffre magique de cinq. C'est le nombre de minutes que je me suis fixé comme objectif. Il ne faut pas oublier qu'il s'agit seulement d'un échauffement. Et puisque j'ai laissé ma bouteille d'eau à la maison, ce serait irresponsable de ma part de pousser mon corps au maximum. Je pourrais me déshydrater et tomber une fois de plus dans les pommes; ce qui m'arrive malheureusement trop souvent ces temps-ci.

Encore deux minutes et mon cauchemar sera fini. Non mais qu'est-ce que les gens trouvent d'intéressant à suer comme des malades en faisant du surplace? Tant qu'à bouger, je préfère le faire dehors, sur le mont Royal. Bon, d'accord, je ne vais jamais courir sur la montagne, mais si je décidais de m'entraîner pour vrai, c'est de cette manière que je m'y prendrais.

— Juliette?

Je quitte des yeux l'écran de mon appareil pour regarder à ma droite. Je suis heureuse de constater que celui pour qui je fais tous ces efforts est ici.

— Ah! Salut, Étienne.

Étienne Paquin-Paré a été l'entraîneur de Marie-Pier pendant plusieurs années. C'est avec lui qu'elle s'est préparée à courir des marathons. Mais ce n'est pas son rôle de *coach* qui m'amène ici, mais bien celui de papa d'Eugénie.

Je sais que mon amie ne veut pas s'encombrer de lui dans sa vie, mais je ne suis pas d'accord avec elle. Il doit assumer ses responsabilités et l'aider. Sinon j'ai peur pour elle et pour sa santé, tant physique que mentale.

Marie-Pier a beau être entourée de sa famille, je trouve que, depuis qu'elle est maman, elle en a beaucoup sur les épaules. La preuve ? Elle qui a toujours donné priorité à l'exercice dans sa vie ne fait maintenant plus aucune activité sportive. Aucune.

Je me suis promis de ne pas révéler à son ex-amant qu'il est papa. Mais je souhaite qu'il comprenne par lui-même qu'elle ne s'est jamais fait avorter, contrairement à ce qu'elle lui a raconté. Quant à ma stratégie, pour que ça fonctionne comme je l'espère, elle n'est pas vraiment au point, mais je compte sur ma spontanéité pour m'aider. Une spontanéité que je devrai toutefois contrôler.

— Depuis quand tu t'entraînes, Juliette ?

— Je commence, là.

— Bravo. Ça va te faire du bien.

Vexée, je m'apprête à lui lancer une vacherie quand le souvenir de mon objectif me rappelle à l'ordre. Le provoquer n'est certainement pas la meilleure manière de l'amadouer. Le problème, c'est que lui et moi avons toujours eu une relation tendue. Je n'ai jamais digéré la façon dont il traitait mon amie, couchant avec elle quand ça lui plaisait, sans jamais s'engager plus loin. Profiteur… C'est donc d'autant plus difficile pour moi de ne pas l'envoyer chier. Difficile, mais pas impossible, alors je lui fais un sourire hypocrite.

— T'as déménagé sur la Rive-Sud ? m'interroge-t-il.

Oups ! J'avoue que la réponse à cette question, je ne l'avais pas préparée. Du temps où Étienne fréquentait Marie-Pier, il travaillait dans un gym du centre-ville. C'est d'ailleurs en appelant là que j'ai appris qu'il avait été muté dans une succursale de Brossard.

— Euh… Peut-être, oui.

— Comment ça, peut-être ?

— Euh… C'est pas simple.

— Une autre de tes histoires amoureuses compliquées, je te gage.

Là, il me fait carrément suer. Et pas au sens propre du terme. Mais bon, laissons passer… Je ne dois pas oublier ma mission. Je joue la fille qui n'a rien entendu et je me concentre sur mon exercice.

— Est-ce que tu as un programme d'entraînement? me demande-t-il.

Parce qu'il a une formation de kinésiologue, Étienne croit tout connaître. Il affiche d'ailleurs cet air de gars parfait que rien n'atteint. Cet air suffisant pour lequel je le déteste tant.

— Non, pas encore.

— Ce serait important que t'en aies un. Sinon tu peux te blesser.

Ahhh, qu'il m'énerve! Si je m'écoutais, je lui lancerais ma serviette trempée de sueur par la tête. Mais je choisis de descendre de l'appareil. Tant pis pour les cinq minutes. Quatre minutes, c'est amplement suffisant.

— T'en fais pas longtemps? me nargue-t-il en regardant le minuteur de l'elliptique.

Eille! «De quoi je me mêle?» aurais-je envie de lui crier. Je lui demande plutôt de m'indiquer par quelle machine je devrais commencer ma musculation.

— Je peux pas te guider comme ça, Juliette. Pas sans avoir procédé à une évaluation. On peut se *booker* un rendez-vous si tu veux?

— Peut-être, oui. Mais en attendant, je vais explorer un peu par moi-même.

— OK, comme tu veux. Oublie pas de nettoyer ton appareil. Tu dois le faire après chaque utilisation. C'est une question de respect, tu comprends.

Il me tend une bouteille de nettoyant et un linge détrempé, que je prends avec dédain, sans le remercier. Son prêchi-prêcha me rappelle à quel point il peut être moralisateur quand il le veut. Avec Marie-Pier, il critiquait sans cesse son comportement et tentait par tous les moyens de l'amener à penser et agir comme lui. Heureusement, ça ne fonctionnait pas toujours; ma copine avait beau être en amour fou, elle a su garder sa tête sur ses épaules.

Contrôlant au max, Étienne Paquin-Paré! Mais ce n'est pas une raison pour qu'il se défile de ses obligations parentales.

Je vaporise généreusement l'écran digital de l'elliptique, au grand dam de mon compagnon, qui m'arrache le linge des mains. Exaspéré, il tente d'absorber le liquide qui dégouline sur l'appareil.

— On met pas le produit sur la machine, Juliette. Ça risque de la briser.

— Comment tu fais, d'abord?

— Tu le vaporises sur le linge. C'est évident, me semble.

Non mais, quel être désagréable! Pendant un instant, je remets en question ma décision de le faire revenir dans la vie de mon amie. Puis je repense au tas de factures que j'ai entrevu l'autre soir sur le comptoir de sa cuisine. Il doit en assumer une partie, cela va de soi.

Il termine son nettoyage, me salue, me tourne le dos et marche vers les bureaux du personnel. Ah non! Il ne doit pas me quitter sans que j'aie au moins pu mentionner le nom de celle pour qui je suis ici.

— Tu me demandes pas des nouvelles de Marie-Pier?

Étienne se retourne et je sens qu'il aurait préféré que je n'aille pas dans cette direction. T'es mieux de t'habituer, mon homme! Ton ex-amante, t'as pas fini d'en entendre parler!

— Comment va-t-elle?

— Bien… Dans les circonstances.

Il fronce les sourcils. À ce moment précis, avec son air un peu tourmenté, je peux comprendre pourquoi elle a craqué pour cet homme. Quand il se permet d'enlever son masque de gars parfait, il a une intensité peu commune dans le regard.

— Qu'est-ce que tu veux dire?

— Rien, rien, fais-je innocemment.

J'espère que mes paroles auront piqué sa curiosité et qu'il me questionnera. Mais il n'a pas l'air de vouloir en savoir plus. Il jette un œil à sa montre et m'informe qu'il a terminé son quart de travail. Je l'observe s'éloigner, impuissante.

Bon, ce n'est que partie remise. Je reviendrai suer sur un elliptique une autre fois. Je gagne le vestiaire, je ramasse mes affaires et je quitte les lieux sans même me changer.

Une fois dans le stationnement, j'aperçois Étienne qui arrive à sa voiture. Puis, à sa gauche, une jeune femme ouvre la porte arrière de sa minifourgonnette pour en sortir… une poussette. Quel hasard! Moi qui ai justement besoin d'un prétexte pour aborder le thème des bébés avec lui. Je me précipite près de la jeune maman pour lui offrir mon aide.

— Voulez-vous un coup de main?

— Non, non, ça va aller, merci!

— Ça va être plus facile à deux, non?

— Si vous insistez.

Étienne, qui nous observe en silence, comprend que ce serait peut-être à lui de se porter volontaire.

— Laisse, Juliette, je m'en occupe.

La jeune maman paraît ravie de sa proposition et va chercher son enfant sur le siège arrière. Elle revient avec un bébé que j'estime avoir moins de six mois. Une fille aux cheveux d'or et aux immenses yeux bruns aux longs, longs cils. Wow!

— Elle est trop mignonne! Comment s'appelle-t-elle?

— Maïka.

— Maïka, c'est trop chou. T'as vu, Étienne, comme elle est belle?

Le kinésiologue, qui tente tant bien que mal de déplier la poussette, se tourne vers nous. À ma grande surprise, son regard s'illumine. *Oh my God!* Je suis trop contente! Moi qui étais persuadée qu'il n'aimait pas les enfants. Il n'en est rien. Au contraire, il semble vraiment sous le charme.

C'est pourtant lui qui a demandé à Marie-Pier de se faire avorter au début de l'été dernier. Est-ce qu'un gars peut changer d'idée à ce point en un an ? Essayons d'en savoir plus.

— T'aimes les flos ?

— Oui. Surtout depuis que je suis parrain.

— Ah oui ? T'es parrain de qui ?

— De mon neveu. Il a quatre mois.

La voilà, l'explication ! Je jubile intérieurement, de plus en plus certaine que j'ai fait une bonne affaire en venant ici. L'ex-entraîneur de mon amie termine son assemblage et offre à la maman de déposer lui-même Maïka dans sa poussette. Ce qu'elle refuse poliment. Je vois une ombre passer devant ses yeux. Il faut trop que cet homme sache qu'il est papa. Il ne peut qu'apporter du positif dans la vie d'Eugénie, j'en suis maintenant convaincue.

Nous saluons la jeune femme et la regardons se rendre au café situé à côté du centre sportif, chacun perdu dans nos pensées. Je pousse plus loin mon investigation.

— Tu m'étonnes, Étienne. Je pensais pas que les enfants t'intéressaient. L'année dernière, t'as…

— J'aimerais mieux qu'on revienne pas là-dessus, m'interrompt-il. Je sais que ç'a été dur pour Marie.

— Mais toi… Est-ce que tu le regrettes ?

Mal à l'aise, il ne répond pas. Il déverrouille plutôt la porte de sa voiture et place son sac de sport sur le siège arrière. Avant de quitter le gym, il a troqué son ensemble d'entraîneur pour un jeans *slim* gris pâle et un t-shirt blanc. Look simple, mais efficace.

— Tu dis rien ?

— À quoi ça sert d'en parler ? Il est trop tard.

Là, je dois me retenir à deux mains pour éviter de lui lancer tout de go que, non, il n'est pas trop tard ! Que, s'il le souhaite, il peut côtoyer la plus adorable des poupounes que je connaisse. Mais il faut qu'il comprenne par lui-même. Comment lui passer le message ?

— T'as donc ben un air bizarre, Juliette.

— Mais non. C'est juste que…

— Que quoi?

— Rien, rien.

Étienne me dévisage avec scepticisme. J'ai maintenant peur d'être sur le point de commettre une gaffe terrible. Et si Marie-Pier m'en voulait de m'être mêlée de ses affaires? Même si c'était pour son bien? Moi pis mes maudites bonnes intentions! Tais-toi, Juliette!

— Y a quelque chose de *strange*, dans ton histoire. Tu viens t'entraîner, mais tu restes cinq minutes.

— C'est juste que j'ai pas aimé ça, finalement.

— T'as même pas essayé la muscu.

— Je vais revenir une autre fois. Là, je suis pressée. Bye, Étienne.

— Salut.

Je quitte le papa d'Eugénie en élaborant un plan dans ma tête. Je vais raconter à ma copine la scène à laquelle je viens d'assister entre son ex-amant et la petite Maïka, mais en lui mentionnant que j'ai rencontré Étienne par pur hasard. Je compte insister sur son comportement tendre et prévenant, et l'informer de son nouveau statut de parrain.

De cette façon, elle décidera elle-même de lui dire la vérité ou pas. Beaucoup plus simple et moins dangereux pour notre amitié. Me voilà tranquille avec ma conscience.

En arrivant à ma voiture stationnée trois rangées plus loin, j'entends un véhicule surgir derrière moi. *Fuck!* Étienne est venu me relancer. Je fais comme si je ne l'avais pas vu et je me précipite à l'intérieur de ma Honda rouge – que j'adore – en refermant la porte.

Il immobilise son VUS au centre de l'allée et en sort rapidement. Je tourne la clé dans le commutateur d'allumage et je me dépêche de faire jouer la musique de Xavier Caféïne à tue-tête. J'espère fuir les lieux en lui laissant croire que je ne l'ai pas entendu, mais c'est peine perdue. D'un geste déterminé, il frappe trois coups à ma vitre. À contrecœur, je baisse le volume de la radio et je descends ma fenêtre.

— Oui?

— Est-ce qu'il y a quelque chose que je devrais savoir? me demande-t-il en se penchant pour me regarder dans les yeux.

— Ben non! Pourquoi tu dis ça?

En prononçant ces paroles, je me rends compte que j'ai utilisé un ton trop défensif. Ça risque de l'alerter. J'essaie de me racheter, mais je sens que j'ai semé le doute chez lui.

— Tout va bien, t'en fais pas.

L'ex de mon amie pose ses mains sur le rebord de ma porte et reste silencieux.

— Étienne, faut que j'y aille, là. On se reverra peut-être au gym.

Je m'apprête à reculer, mais il ne s'éloigne toujours pas. Il semble perdu dans ses pensées.

— Euh… Faudrait que tu te tasses.

— Non. Pas avant que tu m'en dises plus.

— Je suis en retard. Tasse-toi.

— Pourquoi t'as dit que Marie-Pier allait bien dans les circonstances? Quelles circonstances?

Qu'est-ce qu'il lui prend d'allumer, tout à coup?

— Marie travaille trop, tu le sais. Elle fait des heures de fous au garage, des sept jours par semaine.

— Hein? C'est pas son genre, pourtant.

— Ben là, ça l'est.

— Juliette, t'es pas *clean*. Qu'est-ce qui se passe? Pourquoi t'es venue ici?

Je ne réponds pas, ce qui l'inquiète davantage.

— Il lui est arrivé quelque chose?

Sa question me met soudain hors de moi. Le ressentiment que j'éprouve à son endroit refait surface. La façon dont il a traité mon amie pendant des années, profitant d'elle quand bon lui semblait, son absence d'engagement, son refus qu'elle mène sa grossesse à terme, etc. Tout ça me revient en tête et me rappelle à quel point Marie-Pier a souffert à cause de cet homme. En colère, je sors de ma voiture pour lui faire face.

— Parce que c'est maintenant que tu t'intéresses à elle ?

— Ça m'inquiète, ce que tu as dit.

— Ah oui ? Y a un an, t'étais pas inquiet, par exemple. Tu t'en câlissais complètement qu'elle vive des choses difficiles, hein ?

— C'est pas vrai. C'est elle qui voulait plus me voir. Qu'est-ce que je pouvais faire ?

— Prendre tes responsabilités, Étienne. C'est ça qu'il fallait que tu fasses.

— J'ai voulu y aller avec elle, à la clinique. Elle a refusé.

— Prendre tes responsabilités, c'est pas juste lui donner un *lift* jusqu'à la clinique d'avortement ! Dahhhhhhh !

L'entendre se défiler et faire porter la faute à Marie-Pier me rend encore plus enragée.

— Pis après, hein ? T'as jamais pensé à faire un suivi ? L'appeler pour savoir comment ç'avait été ?

— C'est sûr que j'y ai pensé. Je suis pas un sans-cœur.

— Qu'est-ce qui t'a retenu, d'abord ?

En guise de réponse, Étienne hausse les épaules. Son air triste me calme un peu et je pousse un long soupir de découragement. Je ne sais plus trop quoi penser de son comportement. Il a l'air de sincèrement s'en faire. Je décide d'en rester là. Alors que je m'apprête à remonter dans mon véhicule, il attrape mon poignet.

— Dis-moi ce qui se passe, Juliette.

— Il se passe rien.

— Tu me caches quelque chose.

Je demeure silencieuse et je regarde au sol pour éviter de laisser voir mes sentiments. Il me relance :

— Essaies-tu de me dire que Marie s'est pas fait avorter ?

Damn! Je ferme les yeux, car je réalise que je suis en train de trahir mon amie. Mais il est trop tard pour les regrets. Je dois penser à l'avenir du bébé et de sa mère.

— Juliette, réponds-moi.

Au lieu de lui obéir, je me dis qu'une bonne dose de réalité ne lui fera pas de tort. Je sors mon iPhone de la poche arrière de mon short et je sélectionne une photo de ma filleule, tout sourire dans les bras de Marie-Pier. Sans préambule, je lui mets l'image sous le nez. Il reste figé.

— Eugénie Laverdière. Ta fille, Étienne.

13

STATUT FB DE **Pierre-Olivier Gagnon**
À l'instant, près de Playa Potrero, Costa Rica

Je me demande parfois ce que j'ai fait au bon Dieu pour avoir une fille si peu talentueuse en cuisine. Heureusement, elle a plein d'autres qualités. ☻

— Juliette, pourquoi tu fais un caramel en plus ? Ta recette est déjà assez sucrée, tu trouves pas ?

— C'est pour la décoration, papa. Ça va faire beau dans le fond de l'assiette.

Je *skype* avec mon père, en préparant un souper pour mes *best*. Avec son aide, je me mets à la cuisine pour une occasion spéciale. Ce soir, j'ai décidé que nous célébrerons les cinq ans de notre trio. Une amitié solide sans laquelle je ne pourrais pas vivre de façon équilibrée. C'est tout dire.

Je fais des cailles laquées au sirop d'érable avec un riz basmati et des bok choys au sésame. Depuis la terrasse de son condo au Costa Rica, papa supervise mon travail et il n'est pas d'accord avec mon idée d'ajouter une touche de caramel à mon plat.

— Ça va être trop sucré, Juliette. Je t'ai souvent dit qu'en cuisine il ne faut pas en faire trop.

— Mais non, ça va être ma touche personnelle, dis-je en remuant vigoureusement le mélange d'eau et de sucre qui mijote sur ma cuisinière.

— Comme tu veux, mais laisse-le tranquille un peu. Faut pas que tu le brasses tant que ça.

— À vos ordres, chef!

Devant mon ton moqueur, il éclate de rire et j'en fais autant. Je dépose ensuite ma cuillère de bois et je vais m'asseoir à la table, emportant mon ordinateur portable – et papa – avec moi.

— Comment ça va, vous deux, là-bas?

— Bien. Sauf qu'on s'ennuie de toi.

— Moi aussi, je m'ennuie.

La dernière fois que j'ai vu mes parents en chair et en os, c'était à Pâques, quand ils sont venus au Québec pour une de leurs deux visites annuelles. La prochaine fois, ce sera à Noël. Même si je m'y suis habituée, je trouve le temps long entre chacun de leur séjour. J'essaie de ne pas trop le montrer parce que je sais à quel point ça angoisse maman, mais il n'en demeure pas moins que je préférerais qu'ils vivent ici, et non pas dans un luxueux centre pour yogis du Costa Rica, où ils sont responsables des cuisines.

— T'as du nouveau dans ta vie, depuis la dernière fois qu'on s'est parlé? me demande papa.

— Non. À part les démarches pour lancer mon entreprise, c'est la routine.

Depuis que j'ai officiellement pris la décision de me lancer en affaires il y a deux semaines, je ne cesse de multiplier les rendez-vous: avocat, banquier, comptable, graphiste pour mon site web, etc. J'ai vraiment hâte de recommencer à faire ce que je fais de mieux dans la vie: de la photo.

En plus de l'appui d'Ugo, je bénéficie de celui de mes parents, qui m'encouragent aussi et me soutiennent financièrement. J'ai de la chance. Beaucoup de chance.

— Toujours pas de nouveau chum ?

— *Nope*. Le néant.

J'ai décidé de cacher ma relation avec F-X à mes parents. En fait, je me serais bien confiée à papa si je n'étais pas certaine qu'il irait tout raconter à maman. C'est elle que je veux tenir à l'écart de mon histoire d'amour compliquée. Parce que je sais qu'elle a horreur de l'infidélité et parce que j'ai peur de la décevoir. De plus, elle serait terriblement inquiète et elle présumerait que je ne peux pas m'épanouir en tenant un rôle de maîtresse. Un angle que j'évite d'aborder. Même avec moi-même.

Pour l'instant, je ne peux pas dire que la situation me rend malheureuse. Ni qu'elle me rend heureuse. Mais je vis avec F-X des instants de pur bonheur comme je n'en ai jamais vécu. Le problème, c'est qu'ils sont trop rares.

Mon amant fait tout ce qui est en son pouvoir pour qu'on passe le plus de temps possible ensemble. Il s'est servi deux autres fois de l'existence de son chantier à Ottawa pour dormir chez moi, dans mes bras. Jusqu'à présent, ça fonctionne assez bien. Ce que je trouve le plus difficile, c'est de ne pas pouvoir lui parler le soir quand j'en ai envie. Le jour, il est facile à joindre, mais le soir, quand il est dans sa crisse de grosse cabane de Laval, c'est plus compliqué. Et ça m'irrite profondément. En fait, ça me rend parfois furieuse.

Mardi soir dernier, j'ai piqué une crise épouvantable sur sa boîte vocale parce qu'il ne répondait pas à mes sextos. « T'es là seulement quand, toi, t'en as besoin. Y a juste ta petite personne qui compte. Moi, je suis quoi pour toi ? Une fille que tu baises quand ta miss Tzatziki a mal à la tête ? Tu dis que tu m'aimes, ben prouve-le ! »

J'ai déblatéré pendant quelques minutes, puis je me suis effondrée, en sanglots, en terminant la bouteille de rouge que j'avais commencé à boire en mangeant mon pad thaï, seule devant la télé. Ensuite, je me suis calmée et je l'ai rappelé pour lui laisser un message d'excuse. Le lendemain matin, il s'est pointé chez moi à sept heures et demie, l'air terriblement dépité. Il s'est couché en cuillère avec moi pendant une bonne demi-heure, me caressant les cheveux pour m'apaiser. Quand il est parti au boulot, je me sentais moins triste… Même si rien n'avait été réglé.

— Juliette! Surveille ton caramel.

La voix de papa me tire de ma réflexion. Je me précipite près de la cuisinière mais, par bonheur, il n'y a aucun dégât. Même que le caramel ne semble pas vouloir prendre. J'augmente un peu la chaleur du rond: qu'on en finisse un jour! Je retourne chercher mon ordinateur, pour avoir mon chaudron à l'œil tout en parlant avec mon père.

— C'est beau, papa, fais-toi-z'en pas.

Papa secoue la tête de découragement. J'ai l'impression que lui et maman ne comprennent pas qu'ils aient pu engendrer quelqu'un d'aussi nul que moi en cuisine. C'est vrai, je ne suis pas douée comme eux, mais c'est une question d'intérêt. J'ai mangé comme une reine jusqu'à ce que je quitte le nid familial, sans jamais lever le petit doigt. Pourquoi aurais-je fait des efforts?

Ce n'est pas qu'ils n'ont pas essayé de me transmettre leur passion. Bien au contraire. Combien de dimanches après-midi ai-je passés, assise à l'îlot de notre cuisine, à les regarder préparer des pâtes fraîches maison, confire des cuisses de pintade, cuire des faisans pour concocter des ballottines avec du foie gras, émonder des tomates pour faire un gaspacho à la coriandre, monter les blancs d'œufs en neige pour les ajouter à la mousse de mascarpone aux framboises, zester un citron vert pour rehausser la *panna cotta* à la vanille, etc.?

Malgré tout, leurs explications m'entraient par une oreille et me sortaient par l'autre. Je les écoutais à moitié, préférant me perdre dans mes rêveries. Je n'étais pas attirée par la préparation des menus de la maisonnée. Et je ne le suis pas plus aujourd'hui.

Sauf que j'ai décidé de faire plaisir à mes amies en leur faisant découvrir un des mets favoris de mon enfance. Et comme papa est là pour m'aider, je me sens en plein contrôle.

Bip !

Tiens, un texto ! Je jette un coup d'œil à l'écran de mon iPhone et j'y aperçois une foule de cœurs roses. Trop *cuuuuuuuute* ! C'est fou ce que F-X peut être romantique parfois. J'adore. J'ai envie de lui répondre par un message coquin, mais impossible de faire ça devant mon père qui, à l'écran de mon ordi, m'observe d'un air interrogateur.

— Papa, y a un ami qui veut me parler. Je reviens, OK ?

— Juliette, si tu veux que je t'aide à cuisiner les cailles, faudrait commencer bientôt.

— Oui, oui, donne-moi deux minutes.

— Non, rappelle-moi plutôt dans une demi-heure. Je vais aller faire une course.

— Non, reste là, s'il te plaît. Je te jure que ce sera pas long.

— OK, cède-t-il en soupirant.

Je déplace l'ordinateur de façon à ce que papa puisse bien voir mon chaudron sur la cuisinière.

— Tu vas pouvoir surveiller mon caramel en plus.

Papa émet un rire tendre et je lui réponds d'un sourire. Je vais au salon et je me dépêche d'écrire quelques mots à mon amoureux. Enfin… à mon amant, devrais-je préciser.

« Tu veux savoir ce que je porte ? »

J'attends quelques secondes. Aucun signe de vie. Allez, réponds ! Je récidive en y mettant un peu plus de mordant.

« Ou plutôt ce que je ne porte pas ? »

Aucune réponse. Je décide de le faire fantasmer en lui laissant croire que je me déshabille.

« Oups ! Ma petite culotte vient de glisser par terre. »

« Là, j'ai juste ma camisole blanche. Tu sais, celle qui est légèrement transparente. »

« Tu veux que je l'enlève aussi ? »

« Je vais être toute nue si je fais ça. »

« Ça pourrait me donner des idées… Comme me caresser en pensant à toi. »

Toujours aucune réponse. Là, il me fait suer royalement. À moins qu'il ne soit plus disponible.

« T'es toujours là ? »

Je patiente en jetant un coup d'œil à la cuisinière. De loin, ma mixture semble sous contrôle. Et puis papa y voit. Je suis entre bonnes mains.

« F-X est occupé. Ce sera pas long. »

WHAT ? Il me niaise ! Il essaie de me faire croire que quelqu'un d'autre lit mes messages ! Voir si une personne répondrait à des sextos sur un téléphone qui ne lui appartient pas. Ça ne se fait pas. Mais puisque tout est possible dans la vie, je m'en assure en appelant mon amant.

— Allô !

Oh my God ! Ce n'est pas sa voix. Qui est ce con qui s'ingère ainsi dans la vie des autres ?

— Qui parle ?

— C'est Simon-Pierre, Juliette. Pas de panique.

Simon-Pierre ? Je ne connais pas de Simon-Pierre. C'est quoi, cette histoire de fous ?

— Il est où, F-X ? T'es qui, toi ?

— Je suis son associé.

Ah oui, je me rappelle, maintenant. Mon amant m'en a déjà parlé. Mais ça ne lui donne pas plus le droit de se mêler de nos affaires.

— Qu'est-ce que tu fais avec son téléphone ?

— Ben… Disons que je me suis bien amusé.

S'il veut me faire sentir honteuse ou gênée, c'est raté. J'ai le droit d'envoyer les textos qui me chantent. C'est lui qui devrait être embarrassé de les avoir lus.

— C'est dommage que t'aies pas envoyé de photos.

— Eille, t'es pas gêné, toi!

— C't'une *joke*! Fâche-toi pas. Je me sens déjà à l'aise avec toi. C'est comme si je te connaissais, en fait.

— Comment ça?

— F-X arrête pas de parler de toi. Juliette par-ci, Juliette par-là. Il est vraiment accro.

— Ah oui?

Je dois avouer que ça me touche de savoir que je fais l'objet de conversations entre mon amant et son associé. J'espère juste que celui-ci est digne de confiance et qu'il n'ébruitera pas notre liaison.

— T'es discret, hein, Simon-Pierre?

— Une vraie tombe.

— Bon. Mais là, il est où, F-X?

— Avec un client.

— Pis toi, t'en profites pour lire ses textos?

— Y avait juste à pas laisser son téléphone sur ma table de travail.

Il m'explique qu'en se rendant à la salle de conférences pour y rencontrer son client F-X s'est arrêté à son bureau pour prendre un document, oubliant du coup son cellulaire. Comme il trônait devant lui et qu'il ne cessait de vibrer, Simon-Pierre n'a pas pu résister à l'envie de consulter les messages.

— Ouin, on va dire que t'as une excuse…

Je mets fin à ma conversation avec cet inconnu quand la voix de papa résonne dans l'appartement.

— JULIETTE! Ça déborde!

Ah non! C'est pas vrai! J'accours dans la cuisine et je retire la casserole du feu. Les dégâts sont pires que j'aurais pu l'imaginer. Mon caramel en devenir s'est renversé sur mon électroménager tout neuf et il a coulé jusque sur le plancher. Comble de malheur, j'ai les deux pieds dedans.

— Ouache! Mes bas sont tout collés!

— Juliette, je t'ai déjà dit de jamais cuisiner sans chaussures. C'est dangereux!

— Je sais, papa. J'ai oublié. Pis là, mon caramel est foutu.

— Ça, à mon avis, c'est pas grave. C'est même une bonne nouvelle.

— OK, j'ai compris! Pas de caramel avec mes cailles.

— Enfin, t'es raisonnable.

— C'est parce que je suis tannée.

— Je te laisse à ton ouvrage. Courage, ma princesse.

— C'est ça, dis-je, découragée par la tâche qui m'attend. Ça va être trop l'enfer à nettoyer!

— Et rappelle-moi quand tu seras prête à faire ta recette.

— Ouin, ouin, si je tombe pas raide morte d'ici là.

— Fais-moi pas pleurer, ironise papa.

Pour le narguer, je lui ferme mon ordinateur au nez. Puis je tente d'enlever les traces de mon désastre du mieux que je peux. Pas évident. Une fois de plus, je me dis que la cuisine et moi, ça fait deux!

∗

— Wow! C'est bon, ce poisson-là.

— Vraiment délicieux, Juju. Mais tu devais pas nous faire des cailles au sirop d'érable?

Je suis satisfaite de constater que mes deux *best* aiment le filet de saumon farci au chèvre et aux tomates séchées que je suis allée acheter en courant chez le poissonnier.

Après la catastrophe de mon caramel, je n'ai pas eu le courage de cuisiner le plat promis. J'ai foutu mes petites bêtes au congélateur et j'ai fait comme toujours: je me suis procuré du prêt-à-manger. Ne restait qu'à le faire cuire et à préparer une salade de mâche, ce dont je suis au moins capable.

— J'ai changé d'idée, Clem. Ça me tentait plus de faire des cailles.

Il me faudrait être honnête et dire la vérité à mes invitées. Mais j'avoue que j'éprouve une légère honte à ne pas avoir réussi mon coup. Je décide donc de ne rien révéler. Je ne mens pas. Je ne dis pas tout, c'est différent.

— Et c'est toi qui as cuisiné ça? Wow! Tu m'impressionnes, lance Clémence.

Bon, ça y est, elle vient de me faire sentir coupable. Ah, et puis tant pis! Je n'ai pas besoin de les séduire par le ventre. Ni l'une, ni l'autre. Elles m'aiment pour moi. Pas pour ce qui se trouve dans leurs assiettes.

— Les filles, pour dire vrai, j'ai rien fait pantoute.

Marie-Pier hausse les épaules, en ajoutant qu'elle s'en fout complètement, tandis que Clémence affiche un sourire mystérieux.

— Quoi? Qu'est-ce qu'il y a?

— Je le savais. Ça vient du poissonnier au coin de la rue.

— Ben oui! Qu'est-ce que tu veux? Je suis nulle en cuisine.

— C'est pas grave, Juju. Mais j'aime mieux que tu nous dises la vérité. T'as pas besoin de nous éblouir.

— T'as raison, Clem.

Je suis heureuse de retrouver mes copines qui m'ont trop manqué ces derniers temps. Nous avons du rattrapage à faire puisque nous ne nous sommes pas vues et nous n'avons pas communiqué par texto ou par téléphone depuis plusieurs jours. C'était avant ma rencontre avec Étienne.

Je suis très surprise qu'il ne se soit pas manifesté auprès de Marie-Pier. Surprise et déçue. Moi qui pensais que le nouveau papa allait prendre ses responsabilités… Il faut croire qu'il est trop *chicken* pour ça!

J'observe mon amie d'enfance du coin de l'œil et je remarque, une fois de plus, ses traits tirés. À vouloir tout faire par elle-même, Marie est en train de se brûler. D'autant plus qu'elle a recommencé à travailler il y a quelques jours. Et bien que son projet de garderie au garage ait été accepté, elle n'en demeure pas moins hyper occupée et… trop fatiguée à mon goût.

Je trouve aussi qu'elle est un peu maniaque. Je comprends qu'elle veuille donner le meilleur à sa fille, mais est-ce vraiment nécessaire de cuisiner elle-même les purées pour bébé ? Et d'en préparer des tonnes avec des produits bios qui lui coûtent la peau des fesses ? Eugénie a-t-elle besoin de dormir dans des draps fraîchement lavés à chacun de ses dodos ? De s'amuser avec des jouets qu'elle désinfecte trois fois par jour ? Marie-Pier me dit que c'est essentiel. Et comme je ne connais rien aux bébés, je ne suis pas en mesure de la contredire. N'empêche que je trouve qu'elle ne relaxe pas souvent.

Ce soir, il a fallu que j'utilise des arguments inimaginables pour la convaincre de laisser sa poupoune à son père et de venir ici sans elle. Depuis son retour au travail, Marie se sent coupable de ne pas passer le reste de son temps avec Eugénie. Mon rôle à moi, c'est de la pousser à penser à elle et pas toujours à sa fille. Et je prends mon devoir très au sérieux.

Je propose un toast à nos cinq ans d'amitié et je relance ensuite la conversation sur Clémence.

— Toi, Clem, comment ça va avec ton nouveau collaborateur ?

— Ouin, le beau Hachim. Est-ce qu'il est devenu plus qu'un collègue de travail, finalement ?

— Bref, il s'est-tu rendu dans ton lit ou pas ?

Marie-Pier et moi, on se réjouit de la voir sortir de sa coquille. Et on aime bien la taquiner à ce sujet, elle qui rougit dès qu'on mentionne le nom du jeune chef.

— Les filles, vous allez vite en affaires, me semble.

— Ben quoi ? Ça fait presque deux semaines que vous travaillez ensemble, non ?

— C'est ça, presque deux semaines.

Hachim a été engagé par mon amie pour créer des recettes exclusives de prêt-à-manger minceur. Elle demande ensuite à son équipe de cuisiniers de préparer ses plats, qu'elle vend à des clients qui désirent maintenir un poids santé. Sa notoriété lui permet de donner un second souffle à son entreprise. Mais je sais que ce n'est pas le seul but qu'elle poursuit.

— Est-ce qu'il s'est passé quelque chose? Tu nous as dit que tu sentais que tu lui plaisais.

— Je pense bien, oui. Mais on dirait qu'il est sur les *breaks*.

— Fais les premiers pas, d'abord.

— Ouin, mais si je me trompe? Peut-être qu'il me trouve trop vieille.

— Là, Clem, tu vas m'arrêter ça tout de suite.

— C'est vrai pareil. J'ai cinq ans de plus que lui.

— Eille, méchante différence! T'as raison, t'es rien qu'une petite vieille défraîchie. Oublie ça, l'amour, c'est fini pour toi!

— T'es ben pas fine!

— C'est pour te montrer comment t'es conne de te croire trop vieille.

— Je suis pas conne.

— Oui, t'es conne.

— Juliette, intervient Marie-Pier, arrête. Tu sais que Clem est particulièrement sensible quand tu lui parles de même.

— S'cuse. Je fais pas ça pour mal faire.

Je me tourne vers Clémence et je lui donne un bisou, en lui demandant si elle me pardonne.

— Ben oui, me répond-elle d'un ton doux.

Me voilà rassurée. Maintenant, je dois penser à la façon de faire avancer la relation entre Hachim et mon amie, sa *boss*. Le problème, c'est que je ne le connais pas beaucoup, ce jeune chef célèbre. Je l'ai vu à quelques reprises au resto de papa, mais sans plus. Si je veux préparer un plan, j'ai besoin d'en savoir plus.

— J'ai une idée!

— Bon, encore une histoire de fous, je te gage, lance Marie-Pier.

— Trop pas, dis-je, offusquée. On va organiser un souper avec Hachim, pis on va le cuisiner.

— Pas question ! s'oppose Clémence.

— Pourquoi ? Je suis certaine qu'après dix minutes avec lui je suis capable de te dire où il en est avec toi.

— De un, Juju, c'est pas mal prétentieux de ta part.

— Daaaaahhhhh !

— De deux, il va se sentir comme s'il passait un examen. Juste nous trois et lui, il va trouver ça bizarre.

— On va inviter d'autre monde !

— Qui ?

— Je vais en parler à F-X.

— F-X ? questionne Marie-Pier. Il va pouvoir t'accorder plus qu'une heure le midi pour une baise à la sauvette ?

— Eille, t'exagères ! On se voit pas seulement le midi. Pis on fait autre chose que baiser.

— Non. Vous magasinez un condo, peut-être ?

De mes deux amies, Marie-Pier est celle qui approuve le moins ma liaison. En fait, elle est celle qui le dit sans prendre de gants blancs. Clémence non plus n'est pas très chaude à l'idée de me savoir l'amante d'un homme marié, mais elle me ménage, elle.

— Moi, au moins, je baise !

Marie-Pier me foudroie du regard, tandis que Clémence affiche un air catastrophé. Je me sens maintenant coupable de lui avoir balancé ça par la tête. *Cheap shot*, Juliette !

— Excuse-moi, Marie. Vraiment, je voulais pas dire ça.

Silence de mort. *Fuck !* J'ai encore tout gâché. Quand est-ce que je vais apprendre à me la fermer ? J'essaie à nouveau de me rattraper.

— Je veux juste que tu sois heureuse. Pis toi aussi, Clem.

Le bonheur de mes *best* m'importe beaucoup. Autant que le mien. C'est ce qui me porte à agir comme je l'ai fait la semaine dernière quand je suis allée relancer

Étienne. Vraiment étrange qu'il soit resté silencieux, celui-là. À moins qu'il ait donné des nouvelles à Marie, mais qu'elle garde ça pour elle. C'est possible. Très possible, même. Je dois en savoir plus, mais ça s'annonce difficile. Elle est fermée comme une huître.

— Mariiiiiiiiiie, s'il te plaît, dis-moi que tu me pardonnes.

Elle dépose sa fourchette et me regarde droit dans les yeux.

— Quand t'auras des enfants, t'essaieras d'avoir une vie sexuelle à travers ça. C'est pas évident, surtout quand t'as pas de chum.

— T'as raison, je sais pas de quoi je parle.

Son signe de tête à peine perceptible me rassure et m'indique qu'elle a passé l'éponge.

— Donc c'est vraiment tranquille pour toi?

— Yep! me répond-elle.

— Pas de nouveau *kick*? Pas d'ancienne flamme qui revient?

— Une ancienne flamme? T'as des drôles d'idées, des fois.

— Ça se pourrait, non? Un ex qui donne des nouvelles?

— Je vois pas qui. Ni pourquoi.

Avec un air agacé, Marie-Pier termine son assiette, pendant que Clémence vide ce qui reste de la bouteille de blanc de façon équitable dans nos trois verres. Je propose d'en ouvrir une autre et je me lève pour aller la chercher au frigo.

— Minute, Juliette. Pourquoi tu poses cette question-là?

Décidément, je ne suis pas assez subtile. Impossible de cacher quoi que ce soit à qui que ce soit. À contre-cœur, je retourne m'asseoir.

— Bah, laisse faire.

— Non, non, je te connais. T'as pas dit ça par hasard.

— Oui, je te le jure.

— Je te crois pas.

Sentant la soupe chaude, Clémence quitte la table pour aller aux toilettes.

— Bon, moi, je veux du vin, dis-je, en me levant à nouveau.

Je fuis le regard inquisiteur de Marie-Pier pour déboucher une bouteille de pinot grigio. Elle me relance en me rejoignant au comptoir.

— Dis-moi que t'as pas fait ça, Juliette?

— Fait quoi?

— Aller voir Étienne.

— Ben voyons!

Je fixe le limonadier que j'ai beaucoup trop enfoncé dans le bouchon de liège.

— Regarde-moi quand je te parle!

J'essaie de me composer un visage neutre et je lève les yeux. Elle m'observe avec attention pendant quelques secondes.

— TABARNAK! J'en reviens pas que t'aies fait ça.

À ce moment-ci, il ne me sert plus à rien de mentir. En fin de compte, ce n'est peut-être pas une si mauvaise chose. Qu'ils se rapprochent, ces deux-là, ça ne peut qu'être bon pour la petite Eugénie.

— C'est vrai. Je l'ai rencontré.

— Tu lui as dit quoi?

Elle est tellement enragée que je n'ose pas lui faire part de ma conversation avec son ex. Il est préférable d'attendre qu'elle se calme avant de lui annoncer qu'il est au courant qu'il est papa.

— Rien. Je l'ai juste croisé par hasard, mais je lui ai pas parlé de toi.

— Fiou!

— N'empêche que tu peux pas continuer comme ça, tu vas faire un *burn-out*.

— Je suis capable de m'occuper de ma fille. C'est-tu assez clair?

— Je suis pas d'accord. T'as besoin d'aide, t'as pus de vie!

Clémence revient dans la cuisine et nous regarde, l'air désolé.

— Qu'est-ce qui se passe ?

— Il se passe que Juliette veut encore diriger nos vies.

— Bon, les grands mots.

Épuisée, Marie-Pier va s'écraser sur le canapé du salon, en racontant à Clem que j'ai vu Étienne, mais que, par chance, je me suis retenue de tout lui dire. Je ne suis pas vraiment à l'aise avec cette version des faits, mais je trouverai bien un moyen de la rectifier en temps et lieu.

Je débarrasse la table pendant qu'elles jasent bébés entre elles. La nouvelle maman se plaint que sa fille est souvent malade.

— Soit elle fait de la fièvre, soit elle a des petits boutons rouges dans le dos, soit elle vomit ou elle fait des dents. Ça n'en finit plus ! Je suis toujours chez le médecin.

— Et il dit quoi ?

— Rien. Tout ce qu'il trouve à dire, c'est que je m'en fais pour rien, que c'est normal. Il est vraiment incompétent, je vais changer, je l'aime pas.

Je jette un coup d'œil soucieux à Clémence. Ce genre de discours, Marie-Pier le tient constamment. Dès que quelqu'un lui dit de se calmer le pompon, il ne sait pas de quoi il parle, selon elle.

Je ne suis pas la seule à m'inquiéter pour la santé de ma copine. Clémence aussi doute qu'elle puisse tenir le coup encore longtemps. Je ne suis donc pas si dans le champ que ça.

Je les rejoins au salon, avec la bouteille de vin et trois verres. Je fais un deuxième voyage pour apporter les desserts que j'ai achetés à la pâtisserie : trois crèmes brûlées à partager. Une à l'érable, la deuxième au chocolat blanc et la troisième au Nutella. Je place nos gourmandises sur la table à café, avec trois cuillères. Sans attendre, je m'attaque à celle au Nutella… *Oh my God* que c'est bon !

Pendant quelques instants, nous savourons notre dessert en silence et je suis heureuse de voir que la paix est revenue. Je me dis par contre qu'il me faudra établir un plan avec Clémence pour réussir à faire entendre raison à Marie-Pier.

— En tout cas, Juliette, je suis vraiment soulagée que t'aies rien raconté à Étienne.

Elle m'apparaît maintenant plus détendue. Voilà peut-être l'occasion de la préparer tranquillement à la véritable histoire.

— Tu sais, ç'aurait pas été une mauvaise chose.

— Tu te trompes. Ç'aurait été épouvantable.

— T'exagères un peu, quand même.

— *Nope !*

— Pourquoi tu dis ça ?

— Parce que je suis même plus certaine que c'est lui, le père d'Eugénie.

Un lourd silence s'installe dans la pièce. Je suis sans voix. Clémence aussi. Elle en laisse même échapper sa cuillère au sol. Ce que Marie-Pier vient de nous lancer à la tête n'a aucun sens. Au départ, elle voulait avoir un bébé pour convaincre son ex-amant de s'engager pour de bon. Devant son refus total, elle a voulu se faire avorter, puis elle a changé d'idée à la dernière minute, préférant élever son enfant seule. Et là, elle nous apprend *out of the blue* qu'elle a peut-être misé sur le mauvais cheval. C'est clair qu'il me manque des bouts de l'histoire. Ça mérite des explications.

— Ce serait qui, sinon ?

— Un collègue.

— Hein ? Comment ça ?

— Quand j'étais avec Étienne…

— Étais, étais… T'étais pas vraiment avec lui. C'était pas ce que j'appelle une relation de couple.

— Juju, intervient Clémence, laisse Marie finir.

— OK, je me la ferme.

Il faut que j'en sache plus. Je ne peux pas croire qu'Étienne n'a rien à voir avec Eugénie. Si c'est le cas, j'ai fait une méchante gaffe. Une de celles dont je n'ose pas imaginer les conséquences.

— J'ai eu une aventure avec un gars du garage.

— Lequel?

— Tu le connais pas, Juliette. Laisse-moi donc parler.

— S'cuse.

Je me cale dans mon siège et je prends une immense bouchée de crème brûlée. La bouche pleine, il y a moins de danger que je leur tombe sur les nerfs.

— C'est arrivé juste une fois. Fait que j'étais certaine que c'était pas lui. D'autant plus qu'on avait mis un condom.

Ça, ça me rassure. Ça signifie qu'elle se fait des idées et qu'Étienne a encore de fortes chances d'être le papa d'Eugénie.

— Et qu'est-ce qui te fait croire que ça pourrait être lui, le père? demande Clémence.

— C'est parce qu'elle lui ressemble.

— Ben voyons, dis-je en terminant ma bouchée. Elle te ressemble à toi.

— Et à lui aussi. En plus, Eugénie n'a rien, mais absolument rien d'Étienne. Vous avez pas remarqué?

Je secoue la tête, convaincue que la petite a des traits qui peuvent très bien s'apparenter à ceux du kinésiologue. Son regard brun foncé, par exemple.

— Elle a ses yeux, non?

— Non, il a les yeux noisette, pas bruns.

— Ben là, c'est semblable, non?

— Aucune ressemblance, je te dis. Elle a le menton, la bouche et les fossettes de Félix. Ah, pis ses cheveux, en plus. Les boucles, c'est lui.

— Félix? Je l'ai-tu déjà vu au garage?

— Ça m'étonnerait, il était adjoint au marketing. Mais ça fait plusieurs mois qu'il est parti. Heureusement, il a quitté le garage pour s'en aller chez BM.

— Pourquoi, heureusement?

— *Hello?* C'est parce que j'emmène Eugénie à la job tous les jours. Il l'aurait deviné en la voyant.

— Ouin, c'est vrai.

Clémence, même si elle est attristée par les révélations de notre amie, pose une main sur son épaule pour la réconforter.

— Pauvre chouette, ç'a pas dû être évident quand t'as réalisé ça.

— Bof! *Anyway*, Eugénie a pas de père. Alors un géniteur ou un autre…

— Quand même, t'as vécu ça seule. Pourquoi tu nous en as pas parlé avant?

— Parce que j'étais loin d'en être certaine. Mais là, plus ça va, plus j'en suis convaincue.

Dieu sait que j'aurais aimé que Marie se confie à nous avant. Ça m'aurait empêchée d'aller annoncer une fausse nouvelle de paternité à un gars qui risque maintenant de venir l'embêter avec ça. Ce n'est pas parce qu'il est resté dans l'ombre depuis une semaine qu'il le fera toute sa vie. Il faut que je lui explique le fond de l'histoire. J'entrevois déjà l'engueulade qu'il me fera subir… *OMG!*

Je regarde l'heure sur ma nouvelle montre rose Michael Kors que je me suis offerte un après-midi de déprime pour me consoler du faux bond que m'avait fait F-X sur l'heure du lunch. Il n'est pas trop tard pour lâcher un coup de fil à Étienne. Réglons ça le plus vite possible.

— Excusez-moi, les filles, je reviens.

Je me rends à la salle de bain et, au passage, je monte le volume de la musique. La voix de Lykke Li enterrera certainement la conversation que je m'apprête à avoir.

Une fois seule, je compose le numéro de l'ex-amant de mon amie. Son répondeur… *Damn!*

— Salut, c'est Juliette. Écoute, faut que je te parle absolument. Ce que je t'ai dit l'autre jour… Ben… Euh… C'est un peu compliqué, mais faudrait pas que tu te fasses d'idées. Ce serait mieux que je t'explique ça de vive voix. Fait que rappelle-moi. Mais pas ce soir, attends à demain. Et surtout, appelle pas Marie. Merci, Étienne.

Je raccroche, pas le moindrement soulagée. Je m'apprête à sortir de la salle de bain quand je réalise que la musique ne joue plus de l'autre côté de la porte. Ah non! Pourquoi s'est-elle arrêtée? Je prends une grande respiration en espérant que mes invitées n'ont rien entendu du message laissé à Étienne.

En ouvrant la porte, je découvre Marie-Pier qui se tient devant moi, les bras croisés et le regard plus noir que jamais.

14

« OK, c'est correct. Je vais y aller.»
À la lecture de ce texto, je saute de joie. Le
poids de dix tonnes que j'avais sur les épaules depuis
une semaine vient de me quitter. Marie-Pier accepte
finalement de se joindre à Clémence et à moi pour le
souper prévu ce soir avec Hachim et F-X. On pourra
dire que je l'ai échappé belle!

Quand elle a découvert que j'avais parlé à Étienne
de sa «paternité», ma copine s'est mise dans une rage
folle. Elle m'a traitée de tous les noms, avant de cla-
quer la porte de mon appartement et d'exiger que je
règle la situation «au plus sacrant».

Ce à quoi je me suis attaquée dès le lendemain matin
en me pointant à nouveau au gym de Brossard pour
parler au faux papa. J'ai décidé de jouer franc-jeu et

de tout lui raconter. Et tant pis s'il s'est offusqué d'apprendre que Marie-Pier l'a trompé. Il le faisait bien, lui.

J'ai toutefois cru bon de lui cacher l'identité de l'amant en question. Après ma visite au centre d'entraînement, je suis allée chez Honda Laverdière pour en faire un compte rendu à mon amie, espérant aussi apaiser sa colère. Mais elle a carrément refusé de me voir, prétextant qu'elle était occupée avec un client. Elle n'a même pas daigné se déplacer à l'accueil, préférant laisser à la réceptionniste l'odieuse tâche de me renvoyer chez moi.

Je suis partie le cœur gros. Ce n'est qu'en fin de journée que j'ai reçu de ses nouvelles. Elle me demandait par texto si elle pouvait dormir tranquille. J'ai répondu oui, en ajoutant qu'Étienne avait l'air soulagé de cette version de l'histoire. Qu'il aimait les enfants, mais préférait ceux des autres.

Je lui ai ensuite offert de prendre l'apéro avec moi, mais elle a refusé, affirmant vouloir garder ses distances. J'ai argumenté, je lui ai présenté de nouvelles excuses, j'ai joué la victime : rien n'y a fait. Celle que je considère comme ma sœur avait besoin d'air.

Bonne joueuse, je me suis inclinée et j'ai espéré chaque jour qu'elle reviendrait. Heureusement, le temps a passé vite, occupée que j'étais à visiter des bureaux dans le but de louer un petit espace pour mon entreprise. Après une semaine de pénitence, me revoilà dans ses bonnes grâces.

Ce soir, nous soupons donc tous ensemble chez Clémence. Au menu : tajine d'agneau aux abricots et étude du comportement de Hachim. Notre hôtesse s'est rangée à l'idée que ce rassemblement pourrait être une bonne chose. Question d'en apprendre un peu plus sur l'homme qui la fait vibrer. Et de déterminer s'il trouve Clem à son goût ou pas. Je suis folle comme un balai, d'autant plus que F-X a accepté de m'accompagner à titre de vrai chum. Il va même dormir chez moi après. Ça n'a pas été évident pour lui de se libérer un vendredi soir, mais il a réussi. Trop, trop *hot*!

La question de ma tenue pour la soirée m'obsède. Mon placard contient peu de vêtements propres, ce qui ne me facilite pas la tâche. Je n'ai pas fait mon lavage. Mais cette fois-ci, j'ai une bonne raison : ma laveuse est brisée. Et moi, laver des vêtements à la main, ce n'est pas ma tasse de thé.

Rien ne m'allume. Ma robe courte à motifs d'oiseaux : trop beige, sans personnalité. Mon *skinny* jeans pâle et ma camisole licou noire à pois blancs : OUA-CHE ! Ma jupe à volants grise et un top bourgogne en dentelle : trop *straight*, d'autant plus que la jupe tombe sous le genou. Un autre jeans, noir celui-là, et ma blouse en satin fuchsia : trop déjà-vu. Ah là là… Je n'ai plus rien à me mettre sur le dos !

Pendant un court instant, je m'imagine filer tout droit chez Urban Outfitters pour acheter la robe bleu ciel que j'ai remarquée il y a quelques jours. Celle qui dénude presque tout le dos. Mais la raison me revient rapidement ! On n'achète pas une robe à soixante-dix dollars quand on a une laveuse à faire réparer et, surtout, pas de contrat. De plus, je dois payer tous les frais inhérents à la fondation de mon entreprise.

Mes parents ont beau me donner un coup de main, mon père ne serait pas content que je fasse des dépenses inutiles. D'autant plus qu'il m'a fallu, encore une fois, renouveler mon équipement photo, à la suite du vol survenu lors de la manifestation à Québec. Une autre sortie d'argent imprévue.

Donc ce sera… mon *skinny* jeans et le haut que je porte pratiquement jour et nuit depuis le début de l'été. Mon t-shirt bleu-gris La Montréalaise, adorable avec son dessin de nœud papillon et son slogan *Live the life you love*. Trop moi, ce chandail ! Il est dans le panier à lavage, mais si je le suspends quelques minutes à la balustrade de mon balcon, ça va l'aérer et il sera presque propre.

Voilà une affaire réglée. Maintenant, la coiffure. Elle aussi me préoccupe. Ces temps-ci, j'en ai marre de ma tignasse qui prend des heures et des heures à laver, sécher et coiffer. J'aurais juste le goût d'avoir une coupe courte qui me simplifierait la vie au quotidien. Mais si je veux être honnête, je crains de moins attirer les regards. Ma chevelure a beau être lourde à porter, elle est quand même une des choses dont je suis le plus fière. Si seulement elle était plus facile à placer.

Mais j'y pense! Si j'essayais les rouleaux chauffants de nonna Angela? C'est elle-même qui m'a offert de les lui emprunter pour une occasion spéciale. Pour ce soir, ce sera parfait!

*

Ma grand-mère paternelle est adorable. L'année dernière, elle a emménagé dans une résidence pour personnes âgées autonomes. Au début, j'étais très chagrinée de la voir quitter l'appartement où j'ai passé des moments parmi les plus beaux de mon enfance. Mais maintenant qu'elle est bien installée et qu'elle a même laissé un dénommé Arthur entrer dans sa vie, je suis heureuse pour elle.

Quand les autres petites madames de l'immeuble ont découvert que nonna fréquentait régulièrement le plus beau septuagénaire de l'endroit, le ciel lui est presque tombé sur la tête. Aucune d'entre elles ne lui adressait la parole, elle était la *reject* de l'étage, se retrouvant souvent seule à sa table pour souper. Quelle récréation, tout de même!

Arthur lui a offert de quitter son groupe habituel pour lui tenir compagnie pendant les repas, mais elle ne voulait pas que leur relation semble trop officielle. Ils ont chacun leur appartement et se voient quand bon leur chante. Pas plus.

Elle a donc affronté les regards hostiles de ses compagnes pendant un certain temps. Jusqu'à ce qu'elle en ait assez. Elle a demandé à changer de logement et elle s'est fait de nouvelles copines au dix-huitième étage. C'est avec elles qu'elle soupe dorénavant, à deux pas de son nouveau chez-soi, dans la salle à manger communautaire qui offre une vue panoramique sur la ville. Et vlan!

Je lui lâche un coup de fil sur son cellulaire. Aucune réponse. Encore partie à une activité, je suppose. Combien de fois lui ai-je dit que le bonheur d'avoir un téléphone intelligent, c'est de pouvoir le traîner avec soi? Mais ma grand-mère préfère le laisser sur sa table de salon, histoire de ne pas l'oublier partout où elle papillonne.

Je me rends chez elle, plutôt que d'attendre qu'elle réponde. La résidence n'a pas tant d'espaces publics : j'aurai tôt fait de la trouver.

À l'extérieur, le chaud soleil de la mi-juillet me donne envie d'aller flâner au quai de l'Horloge avec ma bande dessinée favorite. J'ai toujours aimé les BD. Elles me parlent plus que les livres, je m'en confesse. Je suis plus du type image que texte. Normal, avec mon métier de photographe, non?

Fillette, j'ai lu les classiques : Tintin, Astérix, Boule et Bill, etc. Mais mon personnage préféré, c'était sans contredit Mafalda. Même si je ne comprenais pas toujours ses revendications politiques, j'aimais son côté dénonciateur, sa façon de remettre les adultes à leur place et sa curiosité envers le monde. À cause d'elle, j'ai fait la grève de la soupe pendant des mois. Si Mafalda avait horreur de ce mets, eh bien moi aussi!

Aujourd'hui, j'adore tout ce qui est BD de *chick*. *Les Nombrils* est la série que je préfère, surtout pour son personnage de Karine, la «pas belle» devenue belle. Un parfait exemple de résilience.

Mais bon, Karine devra se passer de moi pour le moment. J'ai trop à faire, dont m'occuper de ma tête. Je saute dans ma voiture, en direction de chez nonna.

Une fois sur place, je me rends au dix-huitième étage pour vérifier si elle est de retour dans son logement. En cours de route, l'ascenseur s'arrête au quatrième, pour laisser entrer une vieille dame qui pousse une marchette avec difficulté. Pauvre madame, elle me fait pitié. Je m'approche et je lui tends le bras.

— Avez-vous besoin d'aide?

— Je t'ai rien demandé, toé! Tasse-toé.

Son ton agressif me donne la chair de poule et me fait reculer jusqu'au fond de l'ascenseur. En silence, j'attends patiemment qu'elle entre, mais, visiblement, ce ne sera pas facile. L'aînée à l'air austère et aux cheveux en broussaille avance millimètre par millimètre. Je ne comprends pas pourquoi elle n'est pas accompagnée dans ses déplacements. C'est clairement pénible pour elle. Elle devrait utiliser un fauteuil roulant.

En plus, cette femme semble avoir besoin d'une bonne douche. Une étrange odeur de renfermé et de pourriture s'en dégage. Même si elle ne m'est pas sympathique, j'avoue que je compatis. Mais je n'ose pas lui offrir un coup de main et je garde les yeux fixés au sol.

La résidante finit par entrer dans la cabine. Épuisée, elle s'appuie contre le mur, près du tableau de contrôle. Les portes se referment et l'ascenseur monte. La dame joue avec le chapelet qu'elle tient à sa main droite, sans se préoccuper de sa destination. Est-ce qu'elle se rend au dix-huitième elle aussi ou est-ce qu'elle a oublié de peser sur le bouton de son étage? Je m'approche pour vérifier.

— Vous allez où? dis-je en tendant le bras vers les chiffres lumineux.

L'octogénaire – ou peut-être même la nonagénaire – sort de sa torpeur et me dévisage avec mépris. Sans crier gare, elle me fouette la main avec son chapelet aux grosses perles blanches.

Je suis tellement surprise qu'il me faut un moment avant de réagir. La vieille haïssable en profite et me frappe de nouveau. Non mais, ça va pas, la tête? Je m'éloigne en me retenant de ne pas l'injurier comme elle le mériterait. Vieillir ne lui donne pas le droit de molester les autres. Ostie de chipie!

La voilà qui approche péniblement sa main du tableau de contrôle et appuie sur le bouton d'urgence. L'ascenseur s'arrête d'un coup sec.

— Qu'est-ce que vous faites là?

Je pèse sur quelques boutons pour essayer de faire redémarrer l'appareil, mais rien ne fonctionne. Je m'apprête à prendre le téléphone pour informer la sécurité qu'il s'agit d'une erreur quand la sorcière brandit à nouveau son chapelet. Eille, ça va faire!

— Arrêtez-moi ça tout de suite!

À mon grand étonnement, elle range son objet de dévotion dans la poche de sa veste de laine. Je lui tourne le dos et j'attrape le récepteur quand je sens quelque chose frapper mes fesses. Je me retourne et je vois la vieille grébiche qui me lance des cœurs de pommes en décomposition avancée. OUA-CHE!

— Arrête! T'es rien qu'une crisse de folle!

Mon insulte ne l'intimide pas. Elle continue de me lancer d'autres déchets alimentaires, des pelures d'orange et de banane. Au téléphone, j'entends une voix d'homme.

— Qu'est-ce qui se passe?

— Faites repartir l'ascenseur, s'il vous plaît. Je veux sortir d'ici.

— Vous êtes en danger?

Voilà un bien grand mot, mais, à voir le regard machiavélique de mon assaillante, mieux vaut ne pas prendre de risques. Surtout que je m'interdis de la maîtriser en la touchant. Une cinglée de la sorte, on ne sait pas ce que ça peut faire.

— Non, je veux juste qu'il reparte.

C'est avec un immense soulagement que j'entends le moteur de l'appareil se remettre en marche. Je me réfugie dans un coin pour éviter le bombardement et je fixe le plancher.

— Dix-huitième étage, lance une voix mécanique.

Dès que les portes s'ouvrent, je me précipite vers le corridor, faisant fi des détritus qui jonchent le sol, mais c'est à ce moment que le plan de la sorcière prend tout son sens. Une pelure de banane m'envoie valser dans les airs et j'atterris avec fracas sur le dos, m'étalant de tout mon long sur le tapis poussiéreux. Mon assaillante émet un ricanement haineux et m'enjambe pour sortir de l'ascenseur beaucoup plus vite que lorsqu'elle y est entrée. Ah, la vieille tabarnak! Elle m'a bien eue!

Heureusement, j'ai eu le temps d'amortir la chute avec mes mains et je ne m'en tire pas trop mal. C'est mon *ego* qui est le plus touché. Je me relève et j'aperçois mon bourreau qui se dirige d'un pas qui, sans être rapide, n'est pas celui d'une personne malade. J'éprouve à la fois de l'aversion et de la pitié pour elle. Il ne faut vraiment pas avoir de vie pour s'en prendre aux autres ainsi. À moins qu'elle ne soit pas complètement lucide? Qu'en sais-je, au fond?

En la dépassant, j'observe ses yeux et j'y lis une satisfaction malsaine. Non, cette femme-là est parfaitement consciente de ses agissements. Et ça m'enrage.

Je lui fais face et je la défie du regard. Elle fait de même, en avançant.

— Tasse-toé!

Pas question! Je reste là à la défier, tandis qu'elle tente de m'écarter du revers de la main. Je ne peux résister et je lui fais une pichenotte bien sentie sur l'épaule. Tiens, la vieille!

Avant de m'attirer des ennuis, je m'enfuis en courant et j'entre en coup de vent chez ma grand-mère. Comme d'habitude, la porte n'est pas verrouillée.

Maintenant bien à l'abri, j'éclate d'un grand rire en repensant à l'air ahuri de la sorcière quand je me suis défendue. *OMG!* Ça valait cent piasses!

— Nonna, tu devineras jamais ce qui m'est arrivé!

Je me dirige vers la cuisine où je l'imagine en train de préparer ses fameux biscuits aux figues et au miel. Mais l'endroit est vide.

— Nonna?

Je retourne sur mes pas quand elle sort de sa chambre, en refermant la porte derrière elle. Je suis étonnée de voir que, pour une fois, elle n'est ni vêtue impeccablement, ni parfaitement coiffée. Son chemisier beige, un peu froissé, n'est pas dans son pantalon, et les boucles de ses cheveux sont emmêlées. Était-elle allongée ?

— T'étais couchée ?

— Euh, oui, oui.

Son embarras me laisse entrevoir le pire.

— T'es pas malade, hein ?

— Mais non, *topolino*. Arrête de toujours penser que je vais pas bien.

C'est vrai que dès qu'elle a un signe de faiblesse, j'imagine le pire : crise cardiaque, cancer, alzheimer… Tout ce qui me terrorise, quoi.

— Mais qu'est-ce que tu faisais au lit ?

— Rien, rien… Je me reposais.

Elle fuit mon regard et je comprends ce que j'aurais dû saisir depuis le départ : elle n'est pas seule. Sur le coup, je suis un peu abasourdie d'apprendre qu'elle fait des mamours à son amoureux en plein après-midi, mais bon, elle a droit à sa vie, elle aussi. Je lui donne ma bénédiction, en la taquinant un peu.

— Dis donc, vous vous payez du bon temps, toi et Arthur ?

Elle me lance un regard malin. Du genre qui veut dire : « Mêle-toi de tes affaires. »

— Quoi ? J'ai deviné ? C'est pas grave, nonna. T'as le droit de faire ce que tu veux avec Arthur.

— Chuttttt !

Elle m'entraîne par le bras vers la cuisine. Pourquoi donc ? Leur relation n'est pas clandestine, à ce que je sache ! Soudain, la porte de la chambre s'ouvre sur un monsieur qui n'est pas Arthur. *OMG !* Ma nonna a deux amants ? Je la fixe, stupéfaite.

— C'est qui, ça, Arthur ? lance l'homme, mécontent.

Beau papi, son deuxième amant. Très chic, avec son pantalon gris, son cardigan blanc et sa chemise grise aux fines rayures.

— C'est personne, Albert. C'est pas tes oignons.

Albert… Arthur… J'espère qu'elle ne se mélange pas entre les deux lors de ses ébats. Trop drôle !

N'empêche que je n'en reviens pas. Ma grand-mère qui collectionne les amoureux! On aura tout vu!

— Moi, c'est Juliette.

Albert me tend la main de mauvaise grâce. Je sens qu'il veut en savoir plus sur cet Arthur dont j'ai parlé. S'il connaît le moindrement Angela Lombardi-Gagnon, il sait qu'il ne l'impressionnera pas avec son regard accusateur.

— Pas Arthur Lamothe, toujours? demande-t-il à nonna.

Avec une certaine fierté, elle lui confirme son hypothèse.

— Mon rival?

— Oui, ton rival. Qu'est-ce que ça change?

— Ça change que j'aime pas être deuxième. Encore moins quand c'est Arthur Lamothe le premier.

— T'es pas deuxième. Vous êtes tous les deux égaux. J'en préfère pas l'un à l'autre.

— Pouahhhhh!

C'en est trop! J'éclate de rire. Quelle situation saugrenue!

— Juliette, s'il te plaît, intervient-elle.

Ce que j'adore chez nonna, c'est qu'elle ne se sent pas coupable une miette d'utiliser deux hommes à la fois. Avant qu'elle emménage ici, la situation aurait pu me choquer, je le concède. Dans son appartement de la Petite-Italie, elle était nonna Angela. Rien de plus, et surtout pas une amante.

Mais je me suis peu à peu habituée à la voir fréquenter Arthur et j'ai constaté que ça lui faisait le plus grand bien. Chacun a besoin de se sentir aimé et valorisé. Et tant qu'à avoir un amant, pourquoi ne pas en avoir deux? Si l'un n'est pas dispo, elle peut se rabattre sur l'autre. *Nice*.

— Je pense que je vais vous laisser gérer ça entre vous, dis-je.

Elle approuve d'un signe de tête et m'embrasse chaleureusement avant que je la quitte. En plus de m'offrir un reste de *torta alle nocciole* et de me prêter ses rouleaux chauffants. Je suis comblée.

Une fois à la maison, je m'empresse de me servir un morceau de gâteau aux noisettes et j'essaie de joindre mes parents par Skype. Faut trop que je raconte ça à papa.

— Allô, ma princesse!

— Allô, papa! T'es seul?

— Oui, Charlotte est partie magasiner au village.

Au village… J'imagine maman visiter les quelques rares commerces qui ont pignon sur rue et tenter de dénicher un truc potable à se mettre sur le dos. Pas exactement le centre-ville de Montréal, on s'entend. Mais il faut croire qu'on s'habitue à tout, puisqu'elle ne se plaint jamais du manque de magasins dans son nouveau pays. Bon, c'est certain que, quand elle vient me visiter, elle dévalise les boutiques de la rue Sainte-Catherine avec moi! Et comme c'est souvent elle qui paie, j'en profite!

— Tu sais pas ce qu'a fait nonna?

— Non, quoi? Il ne lui est rien arrivé, j'espère?

— Mais non, c'est plutôt drôle. Tu sais qu'elle a un amoureux?

— Ouin… Arthur. Je l'ai rencontré ce printemps. Il m'a pas impressionné.

Je ne sais pas pourquoi papa s'entête à ne pas aimer Arthur. Il est pourtant gentil et attentionné. Mais mon père croit que sa mère est trop bonne avec les autres et se laisse avoir… Eh bien, je vais lui prouver le contraire.

— Il est correct, voyons. Mais c'est pas ça.

— C'est quoi?

— J'arrive de chez elle et imagine-toi donc qu'elle était au lit en plein après-midi, mais pas toute seule.

— Juliette! Je veux pas savoir ça. Ça nous regarde pas.

— Attends.

— Non, non. Si t'es pour me parler de la vie sexuelle de ma mère, je ferme mon ordi.

— J'ai pas de détails. Ce que je sais, c'est qu'elle couche aussi avec…

— Juliette ! Arrête !

— … un dénommé Albert. Tu t'imagines ? Ta mère a deux amants ! Pouahhhhh !

Mon père ne trouve pas la chose très drôle. Il reste de marbre.

— *Come on*, papa. Elle est *hot*, nonna ! En plus, je suis certaine qu'ils sont plus jeunes qu'elle. C'est *cool*, non ?

— Non. Elle va se mettre dans le trouble.

— Mais non !

— Bon, c'est tout ce que t'avais à me dire ?

— Euh… Ben oui.

— Je te laisse, OK ? J'ai des trucs à faire.

— OK, mais fais-toi-z'en pas. Elle est assez grande pour savoir ce qu'elle fait.

— Je suis pas certain, Juliette. Ni pour elle, ni pour toi. Parfois, j'ai l'impression d'avoir abandonné deux ados.

— Franchement !

— Je suis inquiet, ma princesse. Tu me parles pas de ce qui t'arrive.

— Mais oui je te parle.

— Je te connais assez pour savoir que t'es pas du style à rester des mois sans qu'il y ait un gars dans le portrait.

— Je suis trop occupée.

— Je te crois pas. Et si tu dis rien, c'est parce que c'est pas net.

Je me tais quelques instants. Le ton doux de papa m'invite à la confidence. Je décide de tout lui raconter, mais je pose une condition.

— Si jamais t'en parles à maman, je t'étripe. C'est-tu assez clair ?

15

STATUT FB DE **CLÉMENCE LEBEL-RIVARD**

Il y a une heure, près de Montréal

En train de cuisiner mon fameux tajine d'agneau pour des invités très spéciaux.

J'espère qu'il va être bon ! #menoum

Non ! Non ! Non ! C'est pas vrai ! Je suis affreuse ! Les rouleaux chauffants ont eu un effet catastrophique sur ma longue chevelure blonde. Les boucles sont tellement petites et serrées qu'on dirait une permanente. Je voulais des vagues, moi, pas des mèches en tire-bouchon !

Peut-être aurais-je dû lire les instructions avant de jouer à la coiffeuse ? Maintenant que j'y jette un coup d'œil, je réalise que j'ai utilisé la mauvaise taille de rouleau, en plus de les avoir portés beaucoup trop longtemps.

Me voilà bien mal prise ! En plus, F-X peut sonner à la porte de mon appartement d'un instant à l'autre. Pas trop envie qu'il me surprenne comme ça, d'autant plus que ça fait au moins six jours que nous ne nous sommes pas vus. Je veux lui faire bonne impression. Je brosse énergiquement mes cheveux dans le but d'assouplir les boucles, mais je n'y arrive pas. Les boudins restent bien en place. *Damn!*

Exaspérée, je me rends à l'évidence : je n'ai pas d'autre choix que de me mouiller les cheveux et de les sécher à nouveau. Le problème, c'est que je n'ai pas le temps, Clémence m'en voudrait à mort d'être plus en retard que je le suis déjà. Ça fait quinze minutes qu'elle nous attend, F-X et moi, pour le fameux souper avec Hachim et Marie-Pier. Je vais devoir y aller coiffée ainsi.

Ding, dong!

Bon, affrontons tout de suite les sarcasmes. J'ouvre à mon amant et, contrairement, à ce que je croyais, il n'éclate pas de rire. Il me regarde plutôt avec une certaine… fascination, dirais-je. Comme s'il était hypnotisé.

— Qu'est-ce qu'il y a ? T'as ben un drôle d'air.

— C'est tes cheveux, répond-il en entrant.

— Je sais, je fais dur.

— Mais non, c'est juste que je viens de revenir vingt ans en arrière.

Le ton ému de François-Xavier me ramène moi aussi à des souvenirs tendres de notre enfance, que nous avons vécue ensemble sur le Plateau-Mont-Royal.

— C'est vrai que j'avais des boucles comme ça.

— Pis moi, je voulais toujours jouer avec.

— Ouin, dis plutôt que tu voulais me tirer les cheveux !

— Aussi !

Je lui souris non sans éprouver une certaine gêne. Replonger dans notre vie d'enfant me fait tout drôle. Il a vraiment été un frère pour moi et, quand j'y repense, j'éprouve parfois une sorte de confusion entre mes sentiments de petite fille et ceux qui m'habitent aujourd'hui. Comme s'ils étaient incompatibles. C'est pourquoi je préfère penser à ici, maintenant.

De son côté, il n'est nullement troublé par le fait que nous avons grandi ensemble. Il assume pleinement notre passé. Je ferme les yeux un instant pour chasser les images de cette fillette aux boucles d'or et de ce petit garçon aux cheveux bruns qui s'amusaient à faire des courses de vélo dans la ruelle. Quand je les rouvre, je n'ai plus devant moi qu'un gars de vingt-sept ans que j'ai trop envie d'embrasser.

— Viens ici, toi!

Il s'approche et touche mes cheveux comme si c'était le bien le plus précieux de la Terre.

— Vraiment pareils.

— Ah! Arrête de revenir là-dessus, ça me *turn off* ben raide!

En guise de réponse, il colle ses lèvres sur les miennes et m'embrasse passionnément en glissant sa main sous mon chandail, dans le bas de mon dos. Je me laisse faire quelques instants, puis mon sens du devoir – ou plutôt de l'amitié – me ramène à mes obligations. Je me dégage avec douceur de son étreinte.

— Faut qu'on parte, on est déjà en retard.

— C'est pas quinze minutes de plus ou de moins qui vont changer grand-chose. Je me suis ennuyé de toi, Juliette.

Et le voilà qui revient à la charge en déboutonnant carrément mon jeans. En temps normal, j'adore quand il ne passe pas par quatre chemins. Il faut dire que, souvent, notre temps est compté et nous n'avons pas le loisir de nous encombrer de trop longs préliminaires. Mais aujourd'hui, c'est différent. Nous avons toute la soirée… et la nuit pour nous aimer. De plus, je ne veux pas faire attendre mes copines.

— Bas les pattes, F-X Laflamme!

Je joins le geste à la parole en écartant brusquement ses mains de mon jeans. Un peu surpris, il hésite un moment avant de récidiver en descendant la fermeture éclair de mon pantalon.

— Eille! Qu'est-ce que j'ai dit?

— J'ai envie de toi, Juliette. Ça fait trop longtemps.

Sa remarque me met hors de moi. Je recule en rattachant mon jeans.

— Ah ben, tabarnak ! C'est la faute à qui si on s'est pas vus de la semaine, hein ?

Stupéfait, il se fige sur place. Il est habitué à mes sautes d'humeur, mais il n'a pas vu venir celle-là. Il affiche maintenant un air penaud. Mais s'il croit s'attirer ma pitié, il se trompe.

— J'étais disponible, *moi*. Tous les soirs. Pis presque tous les midis.

— M'excuse.

— Tu t'excuses, tu t'excuses… Ça me donne rien à moi, ça !

— Tu sais que si j'avais pu venir te voir, je l'aurais fait. Mais avec la semaine de fous que j'ai eue, Loukas qui était malade, j'ai…

— Ton fils, c'est pas mon problème.

Mon commentaire jette un froid dans l'entrée d'où nous n'avons pas bougé depuis son arrivée. J'aurais préféré ne pas m'exprimer ainsi, mais la réalité, c'est que je le pense vraiment. Je le défie du regard. Il est abasourdi.

— Juliette, je peux pas le faire disparaître. Il est là et il sera toujours là.

Je réalise que mon comportement est enfantin. M'en prendre à un petit être sans défense, ça manque totalement de maturité. Et ça ne change rien.

— Je sais, je veux pas que tu le négliges pour moi. Désolée.

— Je te promets d'être plus libre, OK ?

— Ouin… Mais je me contenterai pas des miettes toute ma vie.

— Hum, hum, tu me l'as déjà dit.

Depuis que nous avons eu une conversation sérieuse sur notre avenir la semaine dernière, F-X sait à quoi s'en tenir. Je ne vivrai pas dans l'ombre de miss Tzatziki très longtemps. Je ne lui ai pas donné d'ultimatum, mais je souhaite qu'il la quitte le plus tôt possible. Il a exigé du temps, je lui en ai accordé. Combien de temps exactement ? Ni lui ni moi ne le savons.

— Et si on profitait de notre soirée ? me relance-t-il. Au lieu de nous chicaner ?

— C'est *cool*. Et puis, ce soir, on est un peu comme un vrai couple, non ?

— Un peu, oui. On parle quand même d'une sortie officielle avec tes chums de filles.

Son manque d'enthousiasme me met la puce à l'oreille.

— Quoi, ça te tente pas ?

— Ben oui, c'est juste que…

— Dis-moi pas que t'es intimidé ! Tu connais Marie depuis que t'es petit. Pis Clem, tu l'as vue une fois, est vraiment pas gênante.

— C'est pas ça. J'espère juste que personne va me juger. Hachim, je l'ai jamais rencontré.

F-X a bien du mal à *dealer* avec le fait qu'il est un homme infidèle. Il m'a confié que, les jours où on baise, il est incapable de se regarder dans le miroir sans s'écœurer lui-même. Moi, je lui réponds toujours qu'on ne choisit pas de qui on tombe amoureux. Ce à quoi il rétorque que ce n'est pas une raison pour être malhonnête. Et ça se termine quand je le rassure en lui affirmant que l'honnêteté viendra en temps et lieu.

Pour le moment, sa crisse de folle n'est pas encore prête à encaisser un tel choc. Mais ça arrivera. Et si ça n'arrive pas assez vite à mon goût, je trouverai bien un moyen de faire avancer les choses.

— On est pas obligés de lui dire, pour ta femme. Je vais te présenter comme mon chum.

— Je préférerais ça.

— Parfait. Laisse-moi juste le temps de m'attacher les cheveux et on y va.

— Ah non ! Je les aime, moi.

— Nahhh. Pas question… espèce de nostalgique.

Je me sauve en douce vers la salle de bain avant que son sourire trop charmeur me convainque de continuer à jouer à Boucle d'or.

*

— Fait que c'est comme ça que je me suis retrouvée au poste de police, habillée en *fan* des Canadiens, sans une cenne et plus d'appareil photo. Un cauchemar !

En racontant ce qui m'est arrivé à Québec le mois dernier, j'essaie de détendre la très lourde atmosphère qui règne chez Clémence depuis le début de la soirée. On dirait que rien ne fonctionne. D'abord, notre hôtesse est d'une nervosité pas possible. Elle multiplie les maladresses et les excuses, ce qui met tout le monde mal à l'aise.

Ensuite, chacun des invités – sauf moi – semble avoir envie d'être ailleurs. À commencer par Marie-Pier qui ne cesse de consulter ses textos et son Facebook. J'ignore si elle attend un message important ou si elle s'emmerde, mais son comportement manque carrément de savoir-vivre. Ah non, je sais ! Elle doit vérifier si son père, qui garde Eugénie ce soir, lui écrit pour lui donner des nouvelles. Quelle maman contrôlante !

Et pour ce qui est des deux hommes qui complètent notre groupe, ils sourient avec politesse aux histoires que je raconte, mais sans pousser la discussion plus loin. D'accord, mon amant connaît par cœur l'épisode professionnel qui m'a coûté mon équipement photo, mais pas Hachim. C'est la première fois qu'il l'entend et ça l'intéresse autant qu'un trou dans un bas de laine. Charmant…

D'ailleurs, il est bizarre, ce gars. J'ai vraiment du mal à le saisir. Quand nous l'avons rencontré au spa, je le trouvais plutôt entreprenant. Il a invité Clémence au resto, en plus de lui proposer de devenir amis Facebook. Des signes encourageants, quoi ! Mais en ce moment, je le sens sur la défensive et j'ignore pourquoi.

Je poursuis mon histoire, que je termine en queue de poisson devant le manque d'intérêt de mon auditoire. Je me tais et j'avale une bonne bouchée du délicieux tajine d'agneau. Après tout, ce n'est pas juste à moi de faire la conversation!

Je reste donc silencieuse, attendant que quelqu'un d'autre prenne le relais, mais mes compagnons sont tous absorbés par le contenu de leur assiette… et de leur verre. Le vin rouge qu'a apporté F-X est excellent. Il se boit à la vitesse de l'éclair si je me fie à nos coupes presque vides. J'empoigne la deuxième bouteille que vient d'ouvrir Clémence et j'en verse à mes amis, avant de m'en servir généreusement.

En avalant une longue gorgée, je me dis que je devrais peut-être modérer ma consommation d'alcool. Quand je commence à être étourdie et à me sentir encore plus frondeuse que d'habitude, c'est que je suis légèrement ivre. Ah, et puis tant pis! La soirée est trop coincée pour rester raisonnable.

— J'espère que ça vous plaît, nous demande Clémence pour la énième fois.

— Ça fait longtemps que j'ai pas aussi bien mangé. Ça fond dans la bouche.

Je suis la seule à m'extasier. Les autres se contentent de réponses polies, qui manquent d'enthousiasme. Pourtant, la bouffe est vraiment délicieuse avec ses parfums du Maghreb et ses abricots qui ajoutent une touche sucrée. Je ne comprends pas leur réserve. Pauvre chouette! Elle semble abattue par la situation. Vite, venons à sa rescousse.

— F-X, avoue que c'est *fucking* bon!

Je donne un petit coup de coude à mon amoureux pour l'inciter à être un peu plus démonstratif. Il saisit mon message et la félicite chaleureusement pour ses talents de cuisinière. Au tour de notre invité-vedette, maintenant.

— Hachim, toi qui es chef, comment trouves-tu la bouffe ?

— Super bonne. Ça me rappelle mon enfance.

— Ah oui ? Tu mangeais souvent des trucs semblables ?

— Ben oui. C'est la cuisine de mon pays.

— Ton payyyyyyys ?

— Le Maroc.

— Ah, je savais pas que tu venais du Maroc. Toi, Clem, tu le savais ?

Elle me fusille du regard, l'air de dire : « Pourquoi tu penses que j'ai préparé un plat marocain ? » Oups…

Marie-Pier qui, jusque-là, se tenait tranquille dans son coin avec son cellulaire, se mêle à la conversation.

— Est-ce que tu as grandi ici ou là-bas ?

— Là-bas, jusqu'à vingt et un ans.

— Et tes parents, ils sont toujours au Maroc ?

— Oui, je suis parti seul. D'abord en France, pour un stage dans un Relais & Châteaux. Puis je suis venu ici.

— Il a appris la cuisine en compagnie d'un des top chefs français, précise fièrement Clémence comme si elle parlait de son amoureux.

Je remarque d'ailleurs que notre nouvel ami tique légèrement devant le ton un peu trop admiratif de notre hôtesse. Je vais devoir la prévenir de se garder une petite gêne.

La conversation s'anime enfin autour de la table quand Hachim nous parle de son maître de stage français et de la façon dont il devait marcher au doigt et à l'œil, sous peine de réprimande.

— Une chance que j'ai reçu une éducation stricte et rigide. Je n'étais pas trop dépaysé.

— Ah oui ? C'était sévère chez vous ?

— Assez, oui. J'ai été élevé dans la religion islamique.

— Ah bon… Et tu la pratiques encore ?

Clémence m'envoie un regard réprobateur que j'ignore complètement.

— Non, mais j'ai gardé certaines valeurs.

— Lesquelles?

— Surtout celles qui concernent la famille.

— Pas le rôle des femmes, toujours?

— Juju, intervient Clémence, pas besoin d'avoir un ton accusateur. Je pense pas qu'Hachim ait un problème avec les femmes. Sinon il n'aurait pas voulu travailler avec moi.

Elle se tourne vers son collègue et le gratifie de son plus beau sourire. Il lui répond avec timidité et replonge le nez dans son assiette. Pas *clean*, le mec… Je n'aime pas ça et je me promets d'enquêter plus à fond. Et étant donné qu'il bosse au resto de papa, je ne devrais pas avoir trop de difficulté à obtenir des informations.

La remarque de Clémence lui permet d'éviter la question. Tu ne t'en tireras pas aussi facilement, mon homme! J'y reviendrai un jour, n'aie crainte. Pour l'instant, tentons d'aborder un sujet plus neutre, mais c'est quoi, un sujet neutre, au juste? Certainement pas la politique. Non, le mieux, c'est de nous en tenir à des anecdotes de vie. C'est rarement un terrain glissant, mais je ne peux tout de même pas une fois de plus accaparer le plancher avec mes histoires professionnelles. Ce serait à un autre de le faire.

— F-X, mon chéri, parle-nous de ton chantier à Ottawa.

Mon amant, qui s'apprêtait à prendre une bouchée, dépose sa fourchette et se tourne vers moi pour me regarder d'un air contrarié. J'ignore si c'est l'utilisation de l'expression «mon chéri» qui l'embête ou l'idée de devoir se raconter. Il ne me donne pas beaucoup d'indices en restant silencieux. J'insiste.

— Allez, mon chéri.

Il doit comprendre que l'emploi de ce surnom affectueux vise uniquement à en mettre plein la vue à notre invité d'honneur. Je veux qu'il nous croie un couple solide et non des amoureux clandestins.

— Euh… On est en train de construire un nouveau musée, dit-il avec un peu trop de modestie à mon goût.

— Pas n'importe quel musée. Ça va être un des plus gros du pays. Avec combien de salles d'exposition, déjà?

— Juliette, je suis pas certain que ça intéresse tes amis.

— Mais bien sûr que ça les intéresse.

— Oui, oui, répondent mes deux copines en chœur.

Hachim se met aussi de la partie en hochant vigoureusement la tête.

— Bon, tu vois!

Il ne se fait pas prier plus longtemps et décrit avec passion ce qui constitue le plus important projet de sa carrière. Conception iconique, revêtement d'aluminium autonettoyant, certification LEED, etc. Je pourrais l'écouter pendant des heures tellement il est enflammé. D'ailleurs, j'aime nettement mieux qu'il me parle de son bébé professionnel plutôt que de son vrai bébé.

Son monologue est interrompu par un appel. Il jette un œil sur l'écran de son cellulaire et je vois son visage joyeux changer du tout au tout.

— Excusez-moi, faut que je le prenne.

Et le voilà qui disparaît dans le couloir. Je l'entends répondre par un bref et sec « Allô », suivi d'un claquement de porte, celle de la salle de bain qu'il vient de refermer derrière lui.

Marie-Pier me lance un regard interrogatif et je sens que, tout comme moi, elle se doute qu'il s'agit d'Ursula.

— Est-ce qu'elle l'appelle souvent? me demande-t-elle.

Je lance un petit avertissement non verbal à mon amie, lui rappelant ainsi qu'Hachim n'est pas au courant de la situation. Elle comprend et en profite pour orienter la conversation sur un autre sujet.

— Finalement, j'ai décidé de laisser tomber les couches lavables.

— Ah, ouache ! Marie, on mange !

— S'cuse, Juliette. Je te savais pas aussi sensible.

Si cette information me lève un peu le cœur, elle me rend néanmoins très heureuse. Avec tout le travail que demande Eugénie, laver des couches en plus était, à mon sens, inhumain. Peut-être que Marie-Pier est sur le point de comprendre qu'elle n'a pas besoin d'être parfaite pour être une bonne mère. Enfin une nouvelle dont on peut se réjouir.

Pendant que mes deux amies poursuivent leur discussion de maman, je tends l'oreille pour entendre la conversation de F-X. Mais il est beaucoup trop loin. Je m'approche et je colle mon oreille contre la porte des toilettes.

— Oui, oui, Ursula, promis.

Bon, qu'est-ce qu'il promet à sa folle, maintenant ? Pas de retourner chez lui ce soir, j'espère !

— Écoute, faut que j'y aille. Oui, bisous, bisous.

Eille ! Ça va faire, les bisous, bisous dans l'appartement de Clémence ! L'alcool m'enlève toute gêne et j'entre dans la pièce en coup de vent. Assis sur le rebord du bain, il me regarde, interloqué. Il se lève et me tourne le dos, ce qui me fâche encore plus. Je croise les bras et j'attends qu'il termine sa stupide conversation.

— J'ai pas vraiment le temps, là… Ursula, je suis avec des gens… Je suis certain que c'est super beau… Me montrer ça sur FaceTime ? Euh… pas vraiment, non.

Oh my God ! Est-ce qu'elle vient de lui demander de l'appeler sur FaceTime ? Non ! Non ! Non ! Il ne faut pas qu'ils fassent un appel vidéo ; elle va rapidement comprendre que son mari n'est pas à Ottawa. D'ailleurs, qu'est-ce qu'elle peut bien avoir de si urgent à lui montrer ?

Je piétine d'impatience jusqu'à ce que F-X raccroche et me regarde. Son air inquiet et embarrassé m'indique que nous n'avons pas fini d'entendre parler de miss Tzatziki ce soir.

— Elle me rappelle sur FaceTime dans deux.

— T'as juste à pas répondre.

— Non. Elle commence à soupçonner quelque chose. Si je fais ça, ça va être pire.

— Tabarnak !

Immédiatement, je me mets en mode solution. Il doit bien y avoir un moyen de faire croire qu'il est sur son chantier à Ottawa. Je me rue dans la cuisine pour solliciter de l'aide.

— On est dans marde ! Il faut qu'on trouve quelque chose ici qui ressemble à un chantier. Ou à Ottawa.

F-X, qui me suit, a l'air abattu.

— Oublie ça, Juliette.

— Qu'est-ce qui se passe au juste ? demande Clémence.

En vitesse, j'explique la situation à mes amies, me fichant maintenant de ce que peut penser le jeune chef. Tout comme moi, mes deux *best* se sentent investies d'une mission. Elles se lèvent, observent les lieux et commencent à émettre des idées.

— Debout devant la fenêtre, avec le rideau, c'est neutre, non ? suggère Clémence.

— Un rideau de dentelle ? Y a pas ça dans un musée !

— T'as raison, Juju.

— Un drapeau canadien, propose Marie-Pier.

— Ouiiiii ! F-X en gros plan, le drapeau en arrière. Ça peut faire la job.

— Ben voyons, Juju, ç'a pas de bon sens ! De toute façon, j'ai juste un drapeau québécois, nous informe notre hôtesse.

— Merde !

Une certaine frénésie règne maintenant dans la pièce. En fait, ce sont surtout nous, les filles, qui sommes allumées, et particulièrement moi. Le vin aidant, il m'est facile d'imaginer des scénarios pour transformer la réalité.

Mon amant semble déjà avoir abandonné la partie, et Hachim a l'air bête comme ses deux pieds. Non mais, on s'en fout! La situation est urgente et, même si on peut ressembler à trois poules pas de tête, je suis convaincue que nous allons résoudre le problème. D'ailleurs, j'ai une autre proposition.

— Dehors, devant une boîte aux lettres. Ça doit être les mêmes à Ottawa?

— Je sais pas où y en a une dans le coin, indique Clémence.

— Ça va faire bizarre, planté devant une boîte aux lettres, ajoute Marie-Pier.

— Ouin, t'as raison… J'ai une autre idée. Tes gars, Clem, ils ont pas des jouets qui pourraient ressembler à des trucs de construction?

— Oui, mais ça va paraître que c'est des jouets d'enfants.

— Peut-être pas. Ça dépend comment on les cadre. Pis on va mettre un filtre sur l'image, ça va aider.

— Tu penses?

— Ben oui, je suis photographe, je sais de quoi je parle.

— Juliette, arrête. C'est ridicule, ton affaire, lance F-X en se retenant de rire.

— Tu prends pas la situation très au sérieux pour un gars qui risque de se faire attraper les culottes baissées.

— C'est pas ça. Mais tu perds ton temps. Je répondrai pas, c'est tout. Je trouverai bien une excuse.

— Mais non. Il y a un moyen de s'en sortir, je suis certaine.

Tout à coup, le téléphone de mon amant sonne. Tel un arrêt de mort, tout le monde retient son souffle.

Je jette un œil sur l'écran de son cellulaire et j'y vois Ursula, avec ses magnifiques cheveux noirs et ses lèvres sensuelles. Que je la déteste! Elle porte une camisole hyper décolletée et transparente qui laisse très bien entrevoir sa poitrine. C'est ça qu'elle voulait lui montrer? Ah, la chipie!

Si je pouvais, je lui exposerais mes propres atouts… D'accord, beaucoup moins volumineux, mais naturels, au moins! Même si je n'ai pas de preuve, je suis certaine que miss Tzatziki a eu une augmentation mammaire. Des seins comme les siens, ça ne se peut juste pas!

Sans que mon geste soit planifié, j'arrache le téléphone des mains de mon compagnon et j'appuie sur répondre. Il me fixe d'un air horrifié. Qu'est-ce qui m'a pris? Maudite boisson! Pendant un instant, je ne sais plus quoi faire avec l'appareil que F-X tente de récupérer. Je le dépose d'un coup sec sur la table, l'écran contre la nappe. Les autres me regardent, éberlués.

— François-Xavier, t'es là?

La voix de miss Tzatziki nous parvient en sourdine. Mon amant se prend la tête entre les mains, découragé, pendant que je reste immobile, n'osant plus respirer et consciente de la gaffe que je viens de faire.

— Pourquoi c'est tout noir? beugle Ursula.

Et c'est là que j'ai un éclair de génie. Je me penche à l'oreille de F-X pour lui murmurer mon plan.

— Dis-lui que ton FaceTime marche pas.

Son regard s'illumine et c'est avec soulagement qu'il s'adresse à sa conjointe.

— Je sais pas ce qui se passe, Ursula. Moi non plus, je te vois pas. Mon FaceTime fonctionne pas.

— C'est bizarre. Pourtant, y avait une image au début. C'était flou, mais ça ressemblait à un t-shirt avec une inscription de Montréal.

Là, elle parle de mon chandail La Montréalaise. Heureusement, elle n'a pas vu mon visage. Ouf!

— Aucune idée de ce que c'était.

— En tout cas, c'est dommage que tu puisses pas me voir, susurre-t-elle au bout du fil.

Le ton qu'elle emploie démontre clairement qu'elle a des intentions coquines. Si j'étais sage, je me réfugierais dans une autre pièce, loin des prochaines paroles qui pourraient me blesser.

— Ursula, je suis pas…

— Je me faisais une joie de te montrer ma nouvelle camisole. Elle me fait trop des seins d'enfer, tu vas l'adooooorer.

— Arrête, s'il te plaît.

Un malaise s'installe dans la pièce. Et le premier à être gêné, c'est F-X. Surtout qu'il ne peut pas aller se cacher bien loin, son téléphone doit rester sur la table. En bonne hôtesse qu'elle est, Clémence nous fait signe de la suivre au salon, pour lui laisser un peu d'intimité. Les autres lui obéissent, mais je demeure plantée devant mon amant, que je défie de continuer à faire des mamours au téléphone avec sa femme pendant qu'il est avec sa maîtresse. Voyons jusqu'où il va aller.

— Pourquoi? T'aimes ça d'habitude quand je te parle de cul.

— Ursula, je suis pas seul.

— Je m'en fiche. Trouve-toi un petit coin, pis dis-moi des affaires cochonnes.

C'est une chose de savoir que notre homme a une autre femme dans sa vie. C'en est une autre d'en être témoin. La réalité me frappe de plein fouet et je ressens une profonde douleur au fond de mon âme. Embarrassé comme je l'ai jamais vu, il m'implore par des gestes de quitter la pièce. Je reste de marbre et, pour me donner de la contenance, je fais cul sec avec mon verre de rouge.

— Ursula, raccroche, maintenant.

— Non, j'ai déjà commencé à enlever ma…

Les images qui surgissent dans ma tête – celles de F-X caressant la volumineuse poitrine de sa Grecque au corps de déesse – me bouleversent à un point tel que je sens mes yeux se remplir d'eau.

— OK, c'est assez. Faut que je te laisse, je te rappelle.

Il attrape son téléphone et le fait glisser jusque dans sa main, l'écran toujours vers le sol. Ursula l'interpelle une dernière fois, avant qu'il réussisse à le fermer à tâtons. Une fois l'appareil éteint, mon amant pousse un énorme soupir de soulagement et se tourne vers moi. Les larmes qui coulent sur mes joues le déstabilisent, et toute la culpabilité du monde l'envahit. Sans un mot, il me prend dans ses bras et me serre très fort pendant que je laisse toute ma peine s'exprimer.

J'essaie du mieux que je peux de contenir mes sanglots, mais c'est plus fort que moi. Je me déteste de me donner ainsi en spectacle devant lui, mes amies et un employé de papa, qui doivent sûrement m'entendre depuis la pièce voisine.

— Je m'excuse tellement, chuchote-t-il dans un vain effort pour me réconforter.

Pourquoi donc suis-je tombée amoureuse d'un gars qui n'a rien d'autre à m'offrir que du temps emprunté à une fille qui ne le laissera jamais partir et à un bébé qui n'a rien demandé de tout ça? Pourquoi, hein? Je pleure, comme si je venais de réaliser que la vie parallèle de F-X, celle qu'il a avec sa nouvelle famille, existe bel et bien. Comme si ce n'était plus un jeu, mais la vraie vie. Vraie de vraie.

Est-ce que c'est ce que je souhaite? Pour la première fois depuis le début de notre liaison, je m'interroge sérieusement sur ce qui m'attend. Est-ce que nous avons un avenir?

Les bras de mon amant m'apaisent un peu et je parviens à sécher mes larmes. Blessée, je sens le besoin de m'éloigner et je me dégage de son étreinte. Quand je croise ses beaux yeux verts, j'y vois une énorme tristesse et je me remets à sangloter de plus belle.

— Chut, chut, ça va aller.

Il m'entoure à nouveau de ses bras musclés et je m'appuie contre son torse. Dix mille questions m'assaillent et me tourmentent. J'ai juste envie d'être seule avec lui pour les lui poser… Et me faire rassurer.

Je prends une grande respiration pour me calmer et, du revers de la main, j'essuie mes joues.

— On s'en va-tu?

— D'accord.

— Je vais aviser Clem.

Je le quitte pour me rendre au salon dans le but de tout d'abord m'excuser auprès de mes amis. En entrant, j'interromps une conversation à voix basse entre Clémence et Hachim. Je suis étonnée de constater qu'elle est à la fois estomaquée et triste, tandis qu'il baisse les yeux pour fuir mon regard. Marie-Pier, qui semblait les observer, m'apparaît contenir un sentiment de colère que je ne comprends pas. Est-ce que c'est ma crise qui les met dans un tel état?

— Euhhh… Je suis désolée. Je voulais pas faire de peine à personne.

Devant une telle affirmation, Clémence, généralement, me fait un *hug* bien senti en me disant qu'elle est triste pour moi, mais de ne pas m'inquiéter avec ça. Cette fois-ci, elle reste stoïque et ne fait pas un geste pour me consoler. Ah non! J'espère qu'elle n'est pas arrivée au bout de sa patience avec moi. C'est vrai qu'elle doit en avoir marre de mes histoires compliquées qui occupent toute la place. Ce soir, nous sommes ici pour elle, pour l'aider à mieux comprendre son collègue et à le séduire. Pas pour mettre en scène ma relation avec un gars marié! Une fois de plus, je me dis que je suis nulle comme amie. Trop nulle.

Je décide de me racheter en restant encore un peu pour continuer à analyser le beau Marocain. Je dois bien ça à ma copine.

— On pourrait servir le dessert?

— Je vais y aller, moi, annonce soudain Hachim.

— Hein? Déjà? dis-je, surprise.

— J'ai une grosse journée demain.

— Ah bon.

Il est vraiment bizarre, ce gars-là. J'ignore pourquoi, mais il fuit mon regard depuis que je suis entrée dans la pièce. Comme s'il m'en voulait. Qu'est-ce que j'ai bien pu lui faire?

Clémence n'insiste même pas pour qu'il termine le repas avec nous et elle offre de l'accompagner à la porte. Il nous salue sans nous faire la bise, et les voilà qui quittent le salon, me laissant légèrement éberluée par ce revirement de situation. Je l'entends remercier notre hôtesse et sortir de l'appartement, sans même dire au revoir à F-X. Non mais, tu parles d'un « pas de classe » !

— Bon débarras ! lance Marie-Pier.

— Veux-tu ben m'expliquer ce qui se passe ?

— Moi, un gars de même, je suis pas capable.

— Coudonc, qu'est-ce qu'il a fait ?

— Il a dit qu'il fréquentait pas ça, des gars qui trompent leurs femmes. Que ça l'écœurait !

— Eille ! Il se prend pour qui, lui ?

— Je sais pas, mais il est *straight* en tabarnak !

— Comme si c'était de ses affaires !

Clémence nous rejoint et je m'aperçois que ses yeux sont inondés d'eau. Mon cœur se serre à l'idée que j'ai tout gâché. Elle qui comptait beaucoup sur cette soirée, la voilà bien désillusionnée.

— Je m'excuse, Clem. Si j'avais su.

Elle secoue la tête pour chasser le trop-plein d'émotion qui l'envahit. Elle essuie ses larmes et se ressaisit, comme elle le fait presque toujours. Une sagesse qui parfois m'inquiète un peu.

— C'est pas de ta faute, Juju.

— Ben oui ! J'aurais jamais dû venir avec F-X.

— Ça n'aurait rien changé. Avec ce qu'il pense des divorces en plus, c'est clair que j'ai pas de chances.

— Hein ? Quoi, ça ?

— Tantôt, en plus de dénigrer F-X, il a dit que, pour lui, le mariage était sacré et qu'il était contre le divorce.

— Ah oui ? J'ai pas entendu ça, nous informe Marie-Pier.

— Dans quelle époque il vit, lui ?

— Ses valeurs religieuses, j'imagine, précise Clémence. Mais c'est là que j'ai compris.

— Compris quoi?

— Ce qui l'empêchait d'aller plus loin avec moi.

— Tu penses qu'il est sur les *breaks* parce que t'es divorcée?

— Je suis certaine. Je lui ai pas dit tout de suite, et son comportement a changé quand il l'a appris. J'avais pas réalisé, mais là…

— J'en reviens pas!

— Moi non plus, ajoute Marie-Pier.

— Pour une fois que je sentais que je plaisais à un gars…

— Ah, pauvre chouette! Il va y en avoir d'autres, tu vas voir.

— Juliette a raison. C'est pas le seul gars sur la Terre qui va s'intéresser à toi.

— Vous croyez?

Je suis parfois dépassée par le peu de confiance en soi de Clem. Pourtant, elle est si belle, si allumée, si accomplie sur le plan professionnel… Elle a tout pour plaire.

— C'est sûr. Et ça va arriver beaucoup plus vite que tu le penses.

— J'espère, parce que ça me manque sérieusement.

Nous restons plongées dans nos réflexions quelques instants et c'est ce moment-là que choisit F-X pour se pointer le bout du nez.

— Ça va? Il est ben *weird*, lui!

— Ça, tu peux le dire! lance Marie-Pier, encore furieuse.

— Mais non. Il a juste eu une éducation différente.

— Arrête de le défendre, Clem! dis-je.

Se sentant de trop, mon amant m'informe qu'il retourne à la cuisine. Je suis partagée entre mon envie de rentrer à la maison pour me coller contre lui et mon devoir d'amie. Celui qui m'indique de rester pour consoler Clémence.

— F-X?

Il revient sur ses pas et me gratifie de son plus beau sourire, celui qui me fait craquer à tout coup. Dire que nous avons la nuit entière juste pour nous deux. J'en rêve déjà. Mais ça devra attendre. Pour l'instant, je souhaite me consacrer à ma copine qui, sous ses airs de femme forte, éprouve une profonde tristesse.

— Ça te dérange-tu d'aller chez moi pendant que je console Clem?

Son sourire s'évanouit et je dois me parler très fort pour ne pas changer d'idée.

— OK, acquiesce-t-il finalement. Prends ton temps.

Soulagée de le voir aussi compréhensif, je lui donne un bisou en lui promettant à l'oreille de bien m'occuper de lui plus tard. Satisfait, il nous laisse seules toutes les trois, et le regard de reconnaissance que m'adresse Clémence me confirme que j'ai fait le bon choix.

16

STATUT FB DE **JULIETTE GAGNON**
Il y a 36 minutes, près de Montréal
Ma filleule a hérité de mes gènes. Un vrai petit poisson dans l'eau.
#Génielaverdière ☺

— Allô, mononcle ! C'est nous !
Avec la clé qu'Ugo m'a gentiment offerte, j'entre dans son luxueux condo avec Marie-Pier et son bébé. Comme à son habitude, il a verrouillé la porte, même s'il y est… Sauf que, cette fois-ci, il ne semble pas être présent.

— Y a quelqu'un ?

— Il n'est pas là ? demande mon amie.

— Ç'a pas l'air.

— Il nous attendait, non ?

— Ben oui. Je lui avais dit qu'on venait se baigner avec Eugénie. Il était tout content de la voir.

— Bizarre.

— En effet. Remarque, il est peut-être juste allé faire une course.

— Ça doit être ça. Bon, on se prépare?

— Yep!

Il y a deux semaines, quelques jours après notre souper de merde chez Clémence, Marie-Pier a exprimé son désir d'initier sa fille à la baignade. Pas question toutefois de fréquenter une piscine municipale... Beaucoup trop dangereux qu'elle attrape des microbes, a-t-elle dit alors que je poussais un énième soupir de découragement devant ses phobies de mère.

Je lui ai alors proposé de venir se baigner ici, faisant valoir qu'Ugo, obsédé du ménage comme il est, ne vivrait pas dans une tour à condos où tout n'est pas impeccable. Et que la piscine de l'immeuble l'est forcément. Après quelques minutes d'hésitation, elle a dit oui.

C'est ainsi que nous nous retrouvons chez Ugo, en ce premier jour du mois d'août, pour passer une journée de rêve. Mononcle a non seulement accepté qu'on plonge dans la piscine sur le toit, mais il nous a aussi promis un dîner de reines. Il a parlé de gaspacho aux tomates jaunes et coriandre, de guédilles au homard et avocat, de salade de fenouil confit et de charlotte aux fraises, en l'honneur de maman. Un lunch que nous accompagnerons d'une bonne bouteille de rosé que je m'empresse de ranger au frigo, qui est presque vide.

— Ouin, il est pas en avance dans ses préparatifs.

— Qu'est-ce que tu dis, Juliette? me lance ma compagne depuis le salon où elle troque les vêtements de sa fille pour un adorable maillot jaune fluo à pois blancs.

— C'est rare qu'Ugo est à la dernière minute comme ça. Il n'y a rien de prêt pour ce midi.

— Il est peut-être débordé.

— J'imagine, dis-je, soucieuse.

Il y a quelque chose qui m'agace. Ce n'est pas dans ses habitudes de ne rien prévoir et d'être absent au lieu de nous accueillir. Depuis que je suis petite, mononcle représente la stabilité même. En couple avec son chum depuis toujours, propriétaire de la boucherie Saint-Amand depuis la nuit des temps… Même sa coupe de cheveux n'a pas changé. Sa chevelure a grisonné, mais elle est restée aussi fournie que dans sa jeunesse.

Et que dire de sa fidèle amitié avec maman? Il ne l'a jamais laissée tomber, même si, de son propre aveu, elle l'exaspérait parfois avec « ses plans à la con ». Dont celui qu'elle avait mis en place pour reconquérir le cœur de mon père, lors d'un voyage en Martinique. Il m'a raconté que, s'il ne l'avait pas freinée, elle aurait acheté une banderole indiquant : « Je t'aime, P-O » et qu'elle l'aurait fait installer sur un avion circulant au-dessus de leurs têtes. Si lui trouvait ça ridicule, moi, j'ai adoré l'idée. C'est tellement romantique !

Donc ce n'est pas normal qu'il ne soit pas ici cet avant-midi. J'empoigne mon cellulaire et je compose son numéro.

« Bonjour, vous avez bien joint Ugo Saint-Amand. Veuillez me laisser un message, je vous rappellerai dès que possible. »

Tomber sur sa boîte vocale n'a rien de rassurant. Je raccroche sans dire un mot, préférant lui envoyer un texto dans lequel je mentionne que nous l'attendrons toutes les trois à la piscine.

Une fois nos bikinis enfilés, et après avoir enduit Eugénie de crème solaire de la tête aux pieds à trois reprises, nous montons sur le toit. Je suis heureuse de constater que l'endroit est vide. La terrasse est entièrement à nous, personne pour nous déranger et nous observer. Trop chouette !

Je m'installe sur une chaise longue pour profiter des chauds rayons du soleil et je regarde mon amie se glisser dans l'eau, sa fille dans les bras. Enchantée, la belle Eugénie pousse de grands cris de joie en tapant des mains, ce qui ravit sa maman.

Pour Marie-Pier, le désir d'avoir des enfants a toujours été clair. Il n'a jamais été question qu'elle passe à côté de son rêve. La preuve : elle n'a pas attendu d'avoir une relation amoureuse stable pour être enceinte.

En ce qui me concerne, l'enjeu bébé est beaucoup plus complexe. J'aime les flos, mais de là à en avoir un à moi, je ne suis pas certaine du tout. Je n'ai jamais entendu « l'appel de la maternité », ce sentiment plus fort que tout qu'a vécu ma copine, ce besoin qu'elle a ressenti jusque dans ses tripes. Ni mon corps, ni ma tête, ni mon cœur ne m'ont envoyé ce message.

Plus les années avancent, moins je pense que c'est pour moi. Mais c'est encore un peu confus. Le problème, c'est que je n'ose en parler à personne, c'est donc difficile d'y voir clair. Je crains d'être jugée et étiquetée comme une égocentrique qui vit uniquement pour sa petite personne.

Quand mes amis me questionnent à savoir si je veux fonder une famille, je réponds toujours la même chose : je le ferai plus tard. Quand j'aurai un chum stable, que ma carrière sera établie, que je posséderai beaucoup de REER et que je serai propriétaire d'une maison ou d'un condo. Et maintenant, je peux ajouter l'excuse de ma compagnie. Quand elle sera assez florissante pour me laisser du temps pour respirer.

Le seul à qui j'ai envie de me confier, c'est Ugo. Ce qui m'en empêche, c'est ma crainte qu'il s'échappe devant ma mère. Et elle, je veux la tenir à l'écart de ma réflexion. C'est fou à quel point je préfère que maman soit loin des enjeux de ma vie ; elle est trop contrôlante à mon goût. Mais j'avoue que c'est aussi parce que j'ai une peur terrible de la décevoir. Une peur qui me vient de mon enfance, m'a déjà expliqué mononcle.

Selon lui, en grandissant aux côtés d'une femme aussi forte de caractère que Charlotte Lavigne, je ne pouvais faire autrement que de me comparer. Ambitieuse, autant dans sa vie professionnelle que dans sa vie amoureuse, ma mère a toujours eu des critères élevés. Pour elle et pour moi. Ce que je crains, c'est de ne pas être à la hauteur de ses fameuses attentes. Ugo me rassure souvent à ce sujet, affirmant que Charlotte a eu, elle aussi, ses périodes d'hésitations et de « girouettage ». Mais pour moi, elle reste celle qui a accompli tout ce qu'elle souhaitait. Et je doute de pouvoir en arriver là un jour.

— Juliette, tu viens te baigner?

Bonne idée! Ça m'empêchera de m'inquiéter du fait que je n'ai pas encore de nouvelles de notre hôte. Je les rejoins dans la piscine et j'effectue quelques longueurs sous la surface. J'aime nager depuis que je suis toute petite, même si je ne le fais plus aussi souvent qu'à l'époque, quand je suivais des cours de natation le samedi matin.

— T'as rien perdu, hein? T'es toujours comme un poisson dans l'eau, commente Marie-Pier au moment où j'émerge.

— Une chance. C'est le seul sport dans lequel je suis pas pire.

— Pas pire? T'es plus que pas pire. Tu nages vraiment bien. Tu devrais t'y remettre.

— Regarde qui parle! La fille qui n'a pas repris son entraînement depuis qu'elle a accouché.

— Justement, c'est fini, ce temps-là. Je retourne au gym dès demain.

— Ah oui? Wow! Je suis trop contente pour toi.

— Oui, pis j'ai même l'intention de courir le marathon de Montréal.

— Celui de cette année? dis-je, un peu interloquée, sachant qu'il aura lieu dans environ deux mois. Me semble que ça donne pas beaucoup de temps de préparation...

— Je sais. C'est pour ça que je vais faire le demi-marathon.

— Ah, OK, c'est plus sage!

Je m'assois sur le rebord de la piscine pendant que Marie-Pier fait tourbillonner sa fille dans l'eau. Eugénie rit aux éclats. Quelle belle photo ça ferait! Je la verrais bien, accrochée fièrement au mur d'un salon familial. Celui des grands-parents de la petite, par exemple. Mon cœur se serre à l'idée que ce genre d'image ne décorera peut-être jamais la maison de mes parents. Dire que ma mère souhaite tant avoir des petits-enfants !

La dernière fois qu'elle est venue me visiter, nous sommes allées magasiner au centre-ville de Montréal. Passant devant une boutique de vêtements pour bébés, elle s'est excitée et elle m'y a traînée de force. Devant les robes de la collection Envolée fleurie et les t-shirts de Brise citronnée, elle est carrément devenue folle. Elle a acheté pour quatre cents dollars de vêtements pour bébé-fille, en disant que « ça allait servir un jour ». Le sac dort encore dans le fond du placard de ma chambre. Une autre déception en vue pour maman…

— T'as vu, Juliette, comment Eugénie aime l'eau ?

— Comme sa marraine.

— Yep !

Quand ma copine m'a proposé de devenir la marraine de sa fille, j'ai été transportée de joie et j'ai accepté sans trop réfléchir à ce que ça pouvait impliquer. Ce n'est que plus tard, en lisant sur le sujet, que j'ai réalisé qu'il serait souhaitable que je m'investisse auprès d'elle. Le problème, c'est que je ne sais pas trop comment. Mais maintenant, les deux pieds dans l'eau fraîche de l'immense piscine, je viens peut-être de trouver une façon de le faire.

— Mariiiiiiiie ?

— Oui, Juliette.

— Si j'inscrivais Eugénie à des cours de natation, tu me laisserais l'y emmener ?

Ma copine ne répond pas et continue de jouer avec sa fille comme si elle n'avait pas entendu ma question.

— Marie ?

Devant mon insistance, elle s'immobilise et se tourne vers moi.

— Je sais pas, Juliette.

— Comment ça, tu sais pas ? Tu m'as pas nommée marraine pour rien ?

— Non, mais…

— Mais quoi ?

Sans un mot, elle me tend Eugénie et sort de l'eau pour venir s'asseoir à mes côtés. Immédiatement, elle la reprend. Espèce de mère possessive !

— J'aimerais mieux y aller moi-même. Pour passer le plus de temps possible avec elle, tu comprends ?

— Non.

— T'es ben bête !

— Pour une fois que je te propose quelque chose, tu pourrais faire un effort, me semble.

— J'en fais, clame-t-elle, sur la défensive.

— Pantoute ! T'es tout le temps collée sur elle, ça te ferait pas mourir de t'en séparer une heure par semaine.

— J'aime ça, être avec elle. J'ai le droit, non ?

Même si je ne suis pas maman, je peux comprendre qu'on veuille être avec son enfant, mais, honnêtement, je trouve que Marie exagère. En plus de l'amener avec elle au travail, elle va la voir chaque fois qu'elle a une minute libre et elle ne la fait presque jamais garder. C'est tout juste si elle la laisse à un de ses parents pour une soirée.

— C'est pas ça, la question, mais t'as pas peur que vous ayez une relation trop fusionnelle ?

— Peut-être, mais je vois pas où est le problème.

Son ton un peu désespéré me met sur un pied d'alerte. Je l'observe avec attention pendant qu'elle essuie délicatement les bras d'Eugénie avec une serviette pour bébé qui doit coûter une fortune. Non, elle n'est pas dans son état normal.

— Qu'est-ce que t'as, Marie ?

— Rien.

— Eille, je te connais depuis assez longtemps pour comprendre que quelque chose fait pas ton affaire. C'est quoi ?

La petite, qui en a assez de rester ainsi à ne rien faire, choisit ce moment pour se mettre à pleurnicher. Ce qui donne l'occasion à mon amie d'éviter de répondre à ma question. Mais ça ne se passera pas comme ça, parole de Juliette Gagnon.

— *Come on*, arrête de me mentir.

Marie-Pier pousse un long soupir et serre sa fille contre elle un peu plus fort. Pauvre poupoune, elle va étouffer! Mais les larmes que j'aperçois au coin des yeux de ma copine m'empêchent d'intervenir.

— Coudonc, qu'est-ce qui t'arrive?

— C'est Félix.

— Félix? C'est qui, lui?

— Ben voyons, Juliette! Félix Nadeau! C'est son père, me rappelle-t-elle en caressant les cheveux de son bébé.

— Qu'est-ce qu'il a fait?

— Rien, encore.

— Pourquoi tu te mets dans cet état-là, d'abord?

— Parce qu'il revient travailler au garage. Pis s'il voit Eugénie, il va tout comprendre. Elle lui ressemble trop.

Cette information ne m'apparaît pas catastrophique. Au contraire, j'y vois plutôt du positif. Ce Félix a certainement des qualités si Marie a couché avec lui. Peut-être même qu'il a des compétences parentales. Tout au moins en tant que pourvoyeur.

— Et ce serait si épouvantable que ça s'il savait?

— Ben là! Je peux pas croire que tu dises ça!

Les larmes qui coulent maintenant sur ses joues m'indiquent qu'elle n'est pas prête à envisager la possibilité de laisser Félix entrer dans la vie d'Eugénie. Je décide de me ranger à ses arguments. Pour le moment, en tout cas.

— Excuse-moi, t'as raison. Ç'a pas d'allure… Mais pourquoi t'as pas dit à ton père que tu voulais pas qu'il revienne travailler avec vous autres?

— Je lui ai dit trop tard. Il l'avait déjà embauché.

— Il ignorait que c'était le père de sa petite-fille ?

— Oui, et quand je lui ai appris, il pouvait plus rien faire.

— Marie, ça veut pas dire que Félix va comprendre. Ni qu'il va te demander quoi que ce soit.

— Je veux pas qu'il m'enlève mon bébé.

J'avoue que je suis un peu déstabilisée par la dramatisation dont elle fait preuve. D'habitude, c'est moi qui saute aux conclusions et qui imagine les pires scénarios, pas elle. Elle qui a toujours gardé la tête froide, on dirait que la maternité l'a rendue plus vulnérable.

— Il fera pas ça. Arrête de tout voir en noir.

— En tout cas, il est mieux de pas s'essayer. Parce qu'il va voir à qui il a affaire !

*

Une heure plus tard, nous voilà de retour dans l'appartement. Toujours aucun Ugo en vue. Ça m'inquiète sérieusement.

— J'espère qu'il a pas eu un accident.

— Mais non, il va arriver d'une minute à l'autre, je suis certaine.

J'essaie de me laisser convaincre par l'optimisme de mon amie, qui me demande où elle peut installer Eugénie pour son dodo.

— Dans le bureau, ce sera parfait.

Je l'aide à ouvrir le parc de bébé dans la pièce accueillante, avec ses murs d'un beau jaune paille, quand mon regard est attiré par un document qui traîne sur le pupitre d'Ugo. Plusieurs passages sont surlignés en vert. Curieuse, je m'approche, et mon cœur fait un bond au moment où je lis le titre du texte trouvé sur Internet.

— Marie ! Viens voir !

Elle me rejoint et, du doigt, je lui montre l'article en question. Elle sursaute à son tour.

— Tire pas de conclusions trop vite, Juliette, c'est peut-être pas pour lui.

— Pour qui, d'abord ?

— Je sais pas, moi. Son chum, un ami.

Je prends la feuille et je lis le premier paragraphe, histoire d'être certaine qu'il traite bien du sujet annoncé.

« Beaucoup d'hommes atteints d'un cancer de la prostate pourraient survivre plus longtemps grâce à l'hormonothérapie. Selon une étude menée auprès de… »

Le cancer de la prostate : celui pour lequel les hommes portent d'horribles moustaches tout le mois de novembre, celui qui a emporté le seul politicien en qui j'avais confiance. Je ne peux pas croire que ça arrive à mononcle Ugo. Pas à lui ! C'est tout simplement impossible !

Devant l'hypothèse qu'il soit malade, je sens la panique m'envahir. Ma respiration devient saccadée et mes mains tremblent quand je dépose le document sur le bureau.

— Dis-moi que c'est pas vrai ! Il va pas mourir. Pas tout de suite !

— Wô ! On se calme, Juliette. Y a rien de certain.

— Pourquoi il est pas là, hein ? Pourquoi il répond pas à son cell ? Parce qu'il est à l'hôpital ?

— On en sait rien.

— Il est temps qu'on le sache !

Je m'empare de son iPad, bien en vue sur le pupitre, et j'ouvre le calendrier.

— Tu vas pas faire ça, Juliette ?

— Pourquoi je me gênerais ?

Aussitôt que j'aperçois l'emploi du temps d'Ugo pour la journée, la panique que j'essayais de contenir prend toute la place. Je manque carrément d'air, j'étouffe et un vertige me fait perdre l'équilibre. À un point tel que je laisse échapper l'appareil électronique au sol. Marie-Pier me retient juste avant que je m'écrase, moi aussi, sur le plancher. Elle m'aide à m'asseoir sur la chaise à roulettes et récupère la tablette. À voix haute, elle lit l'information qui vient de me causer un tel choc.

— Radiothérapie, local B-149. *Shit!*

Pendant que j'essaie de retrouver une respiration normale, les pires images défilent dans ma tête à toute allure. Dont une qui me fait éclater en sanglots. Celle d'une urne dorée portant le nom d'Ugo Saint-Amand.

*

La porte du condo s'ouvre lentement. Ugo entre en se traînant les pieds comme je l'ai rarement vu faire. Il s'appuie sur Bachir, son fidèle compagnon. Assise seule sur le canapé, les bras croisés, je les observe en silence. Marie-Pier est rentrée chez elle. Moi, je n'ai pas voulu bouger d'ici tant qu'Ugo ne se pointerait pas.

— Tu veux t'asseoir au salon ou t'étendre dans la chambre? demande Bachir à son chum.

— Dans la chambre, s'il te plaît. Je suis épuisé.

La peur qui me tenaille depuis que j'ai lu son agenda s'amplifie davantage quand je l'entends se plaindre, lui dont ce n'est vraiment pas l'habitude.

Je me lève d'un bond, renversant du coup le sac de *jelly beans* que j'avais posé sur mes genoux. Les dizaines de petits bonbons multicolores roulent sur les lattes de cabreuva, le magnifique plancher brésilien que j'adore parce qu'il sent la cannelle. Surpris par le bruit, les deux amoureux se tournent dans ma direction.

— Juliette! Qu'est-ce que tu fais ici? s'écrie Bachir.

Ugo me dévisage avec stupeur, sans dire un mot. Il a l'air très mécontent de me voir. Tant pis! Il n'avait qu'à ne pas m'inviter.

— Comment ça, qu'est-ce que je fais ici? On avait un rendez-vous pour se baigner. Je suis venue avec Marie-Pier et sa fille.

— On avait pas dit mardi prochain? demande-t-il.

— Non, on avait dit aujourd'hui, vendredi.

— On s'est mal compris, Juliette. Je suis désolé.

— Désolé de quoi ? De me cacher que t'as le cancer ? dis-je d'un ton accusateur que je regrette aussitôt.

Il pousse un soupir de découragement et, d'un geste las, il s'assoit à la table de la salle à manger. Je l'y rejoins, pendant que Bachir offre de nous préparer de la tisane gingembre et miel. Ce qu'Ugo accepte avec empressement.

— Comment tu l'as appris ?

Je baisse la tête, légèrement honteuse d'avoir fouillé dans sa tablette, et je préfère passer cette information sous silence.

— J'ai vu un article sur ton bureau.

— Qu'est-ce que tu faisais là ?

Quand Ugo m'a donné la clé de son condo, il a aussi imposé quelques règlements, dont celui de ne pas m'aventurer dans ses espaces privés.

— Fallait coucher Eugénie, j'ai pas voulu mal faire. Puis je suis pas allée dans ta chambre, juste dans le bureau.

— OK, je comprends.

Le silence s'installe quelques instants et, malgré les tas de questions qui se précipitent dans ma tête, j'attends qu'il m'en parle lui-même. Bachir dépose devant nous deux tasses en verre remplies d'eau bouillante, dans lesquelles flotte un morceau de gingembre frais.

— Attention, c'est chaud, nous prévient-il avant de se retirer pour aller faire une brassée de lavage.

— Si je te l'ai pas dit, reprend-il, c'est parce que je voulais pas que tu le saches.

— Pourquoi ? J'ai le droit de savoir.

— J'avais pas envie que tu t'inquiètes avec ça.

— C'est quoi ? Je l'aurais appris quand ? Quand t'aurais été mort ?

Encore une fois, je m'en veux d'avoir lancé pareille hypothèse. Surtout quand je m'aperçois qu'il est vraiment exaspéré.

— Tu vois, c'est pour ça aussi que je voulais te tenir à l'écart de ma maladie. J'ai pas besoin de quelqu'un qui dramatise tout.

Ses paroles me font l'effet d'une douche froide. Il a raison, je ne dois pas me laisser guider par la peur. C'est mon soutien que je dois lui offrir, pas mon hystérie.

— Excuse-moi, Ugo. Je dirai plus des affaires de même. Promis, juré.

Et comme chaque fois qu'il est bête avec moi, mononcle se sent coupable deux secondes plus tard.

— Non, c'est moi. Je suis un peu fatigué, c'est tout.

— Un peu? Non, t'as l'air crevé. Viens, je vais t'aider à aller t'allonger.

— Ça va, Juliette. Bachir est là pour moi.

J'ai terriblement envie d'en savoir plus sur le stade de son cancer. Est-il précoce ou avancé? A-t-il été diagnostiqué tôt? Est-ce qu'il peut s'étendre ailleurs? Aux reins? Au foie? Aux intestins? Ça tourbillonne dans ma tête, mais je me tais, craignant de le bouleverser avec mes questions. Ugo, qui me connaît depuis toujours, n'a pas besoin que j'ouvre la bouche pour comprendre mes angoisses.

— Regarde, Juliette, on va avoir une bonne discussion sur le sujet, toi et moi. Mais pas aujourd'hui.

L'idée de rester dans le néant m'affole encore plus, et je sens mes yeux se remplir de larmes. J'ai toutefois promis d'être forte et je les chasse en prenant une grande respiration.

— Dis-moi juste que… que tu vas pas mourir, hein?

— Mon médecin trouve que je réponds très bien aux traitements. J'ai bon espoir de guérir. Et toi aussi, tu dois être positive.

Je me lève et je m'installe derrière lui pour l'encercler de mes bras et coller ma joue contre la sienne.

— OK, je vais être positive. On va se battre.

— Ça, c'est l'attitude que je veux que tu aies.

— Tu peux compter sur moi. Je te laisse te reposer, maintenant.

Je lui donne un bisou sur la joue et je m'éloigne pour gagner la sortie, ramassant au passage mon sac à bandoulière.

— Juliette ? m'interpelle-t-il.

— Oui, mononcle ?

— Tu gardes ça pour toi, hein ?

Là, il m'en demande trop. Je veux bien attendre qu'Ugo soit en meilleure forme pour connaître les détails de sa maladie, mais il faut que je partage mes inquiétudes avec quelqu'un.

— Tu peux pas me demander ça. Avec qui je vais parler ?

— Avec moi ou avec Bachir.

— Laisse-moi le dire à Marie et Clem, au moins.

— OK, mais seulement à elles.

— Pis maman ? Faut qu'elle le sache !

— Surtout pas ! Si jamais j'apprends que Charlotte est au courant, je te ferai plus jamais confiance. C'est clair ?

— C'est beau. Fâche-toi pas.

Je lui envoie un baiser et je le quitte en songeant que, si jamais ma mère découvre un jour que je lui ai caché le cancer de son meilleur ami, je ne suis pas mieux que morte.

17

STATUT FB DE **JULIETTE GAGNON**

À l'instant, près de Montréal

Mes amis, soyez prévenants et allez passer un test de dépistage du cancer de la prostate. Pleeeeeeease !

— Je vais te prendre un rendez-vous chez mon médecin.

— Juliette, j'ai juste vingt-sept ans. J'ai pas besoin de faire vérifier ma prostate.

— Il est jamais trop tôt pour prévenir.

Assise à ma table de cuisine avec F-X, à manger des épis de maïs bien sucrés, je ne démords pas de mon idée. Je veux qu'il passe un test de dépistage du cancer de la prostate. Il m'informe qu'il n'a pas de médecin de famille attitré. Je lui offre de consulter le mien. En plus, il pourra en profiter pour obtenir un bilan de santé complet. Comme ça, je ne m'inquiéterai plus.

Depuis ma visite chez Ugo, il y a quelques jours, je vois la maladie partout : les maux de tête de

Clémence cachent une tumeur cérébrale, les grains de beauté de Marie-Pier deviennent un cancer de la peau, et mon manque d'énergie est causé par le syndrome de fatigue chronique. J'essaie de me raisonner, mais c'est plus fort que moi, je pense au pire tout le temps.

— OK, je vais y aller, si ça peut te rassurer, trésor.

Trésor… J'avoue que le surnom dont m'a récemment affublée mon amant me laisse perplexe. Je suis touchée de savoir que je suis précieuse pour lui, mais j'ai de la difficulté avec le côté possessif de ce terme affectueux. Un trésor, c'est quelque chose qu'on ne veut pas partager, n'est-ce pas? Non pas que j'aie l'intention d'aller voir ailleurs, mais je n'aime pas l'idée de lui être exclusive, alors que lui ne l'est pas.

Même s'il jure qu'il quittera Ursula dès que possible, je ne le croirai que le jour où ça arrivera. Et ça, j'ignore quand ce sera. J'ai beau l'interroger, il me donne peu de détails sur sa vie conjugale et familiale. «C'est pour ton bien», estime-t-il. Ce avec quoi je suis entièrement en désaccord.

Tout ce que je sais pour l'instant, c'est que sa femme a émis des doutes sur sa fidélité. Qu'a-t-elle dit exactement? A-t-elle des soupçons sur l'identité de la maîtresse de son homme? Lui a-t-elle fait du chantage émotif? Toutes des questions qui, chaque fois que je les lui pose, restent sans réponse.

La situation m'exaspère. J'en ai assez d'être tenue à l'écart de l'évolution de notre histoire, d'être dans le néant sur ce qu'il vit quand je ne suis pas là. Moi, je lui raconte bien ce qui m'arrive. C'est décidé, il devra faire de même!

— Y a des trucs qui doivent changer entre nous deux.

Surpris, F-X dépose son verre de thé glacé sur la table, sans même le porter à ses lèvres.

— Quoi donc?

— Je veux savoir où t'en es avec Ursula.

— Y a rien de nouveau, je te le répète, faut juste que tu sois patiente.

— C'est pas ce que je veux comme réponse. Je veux que tu me décrives comment ça se passe avec elle.

— Pas question ! lance-t-il promptement, avant de prendre un ton plus doux. De toute façon, elle t'arrive pas à la cheville.

— Niaiseux ! Je veux pas que tu me parles de vos baises.

— Une chance.

— J'ai besoin de savoir ce qu'elle pense, ce qu'elle dit. C'est quoi, ses doutes, au juste ? Elle croit que t'as une liaison ? Une aventure ?

— Juliette, non. S'il te plaît.

Je me lève et je le regarde de haut, bien décidée à lui montrer que je suis sérieuse.

— C'est ça où tu retournes au boulot sans me toucher.

Quand F-X a sonné à la porte de mon appart, il y a dix minutes, je ne l'attendais pas et je venais tout juste de me servir à dîner. Je lui ai donc proposé de manger avant qu'on se retrouve dans la chambre à coucher. Surpris par ma suggestion – en général, on fait toujours l'inverse –, il a néanmoins accepté. Ce qui, à l'heure actuelle, me convient très bien.

— Tu vas me faire du chantage sexuel ?

— Yep !

— C'est pas *cool*, ça.

— C'est toi qui es pas *cool*. Ce qui se passe chez vous, ça me concerne aussi.

— Ça va te donner quoi ?

— Une idée de quand ça va se terminer, ta *fucking* histoire avec elle !

— Pas nécessairement.

— Coudonc, je vais finir par croire que t'es pas près de la laisser pantoute ! Comme si t'avais quelque chose à me cacher !

Il se lève à son tour et s'approche pour me serrer dans ses bras. Je résiste deux secondes, puis je m'abandonne.

— Je te cache rien, Juliette. Quand je suis avec toi, je veux pas gaspiller du temps à penser à ça, c'est tout.

Il glisse une main sous mon t-shirt, caresse le bas de mon dos, puis remonte tranquillement le long de mes côtes, me donnant des frissons de désir. J'en oublie ma résolution et je me dis que je pourrai toujours le faire parler plus tard. Son visage enfoui dans mon cou, il me lèche la gorge, puis le lobe de l'oreille. Sa bouche cherche ensuite à gagner la mienne, mais je m'écarte prestement.

— Arrête, j'ai plein de blé d'Inde pogné dans les dents.

— On s'en fout, Juliette.

D'un geste vif, il me ramène à lui en plaquant mon corps contre le sien et il m'embrasse avec passion. Son baiser goûte le beurre bien salé, et je veux m'y perdre jusqu'à la fin des temps.

*

— Moi, Juliette, j'appelle ça un manipulateur !

— Tu penses ?

— C'est clair.

Il y a à peine deux minutes que F-X a quitté mon appartement que déjà je suis au téléphone avec Clémence pour lui faire part de ce qui vient de se passer. Bien entendu, le sujet Ursula a vite été écarté au profit d'une baise torride. De celles qui donnent de l'énergie pour tout l'après-midi. J'adore !

— Ouin... Mais j'haïs pas ça, me faire manipuler comme ça.

Silence au bout du fil. Visiblement, mon amie n'apprécie pas mon commentaire.

— C't'une *joke*, Clem !

— Me semble, oui.

— Je te le dis.

— Tu vois bien qu'il évite le sujet, Juju. Il comprend pas que c'est important pour toi.

Là, je reconnais qu'elle marque un point. Après l'amour, je l'ai relancé, mais il a affirmé qu'il était en retard pour un rendez-vous avec un client. Donc aucun détail supplémentaire sur sa vie avec sa Grecque. Cependant, j'ai des petites nouvelles pour lui. J'ai l'intention de faire ma propre enquête, ce que j'annonce en primeur à ma copine.

— Il est pas le seul à pouvoir me fournir de l'info sur sa vie de couple. J'ai une autre idée pour arriver à mon but.

— …

— Clem, t'es là ?

— Oui, oui, c'est juste que toi, quand t'as des idées, c'est pas toujours rassurant.

— Fais-moi donc confiance, dis-je en replaçant ma lampe de salon mauve, que mon amant a envoyé valser au sol pendant nos ébats… Vraiment épique, cet accouplement !

— Je vais essayer. Qu'est-ce que t'as en tête ?

— Je vais l'inviter à luncher.

— Qui ça ?

— Ben, elle, Ursula.

— T'es pas sérieuse, Juju ?

— Très. Et vous allez vous joindre à nous, Marie et toi.

— Je penserais pas, non.

— Ben oui ! Comme ça, vous aussi, vous allez pouvoir l'analyser.

— Pour que ça fasse comme la dernière fois avec Hachim ? *No way !*

— *Pleeeeeeease !*

— Tes plans de fous, Juliette, ça vire toujours à la catastrophe.

— Mais non !

— Tu vas lui donner quelle raison pour l'inviter toute seule, sans F-X?

— Les photos pour le baptême. C'est dans deux semaines.

— D'accord, mais nous autres, on fait quoi là-dedans?

— Ahhh, Clémence, c'est des détails, tout ça. On improvisera.

— T'es folle!

— Oui, et c'est pour ça que tu m'aimes.

— Mais ça veut pas dire que je suis obligée de céder à tous tes caprices. Et là, j'embarque pas.

— Bon, bon, je vais bien finir par te convaincre. Là, faut que je me prépare. J'ai ma première job de photographe pour ma nouvelle compagnie.

— Ah oui, c'est vrai! Bonne chance, Juju!

— Merci, Clem.

— Rappelle-moi après pour me dire comment ça s'est passé.

— Promis.

Je raccroche et je saute dans la douche, histoire de ne pas indisposer mes clients avec une odeur de sexe. Quoique, dans leur milieu, ils y sont plutôt habitués…

18

STATUT FB DE **JULIETTE GAGNON**
À l'instant, près de Laval
Excitée par mon premier contrat en tant
qu'entrepreneure !
Ça va faire des photos assez spéciales.
#jevaisvoirdesbizounes

En stationnant ma petite Honda Civic devant l'établissement où je suis attendue, je suis heureuse de constater que l'immeuble est bien entretenu. Les vitres teintées de la façade sont étincelantes, les poignées de porte en métal scintillent et l'immense enseigne reluit de propreté. De quoi calmer mes appréhensions.

Mon premier contrat en tant qu'entrepreneure, je l'ai signé avec la propriétaire du Cheval fou, un commerce situé à Laval, qui se spécialise dans l'érotisme.

Estelle Vachon a communiqué avec moi la semaine dernière, après avoir vu la page de mon entreprise sur Facebook. Nous nous sommes rencontrées dans un café du boulevard Saint-Laurent et, tout de suite, ç'a cliqué. Ce n'est qu'à la fin de l'entretien qu'elle m'a avoué que le bar qu'elle gérait était en fait un cabaret érotique dont elle souhaitait changer l'image.

— Prendre des photos de danseuses? lui ai-je lancé, embarrassée.

— Non, de danseurs. C'est un club pour les femmes, a-t-elle précisé.

Pas plus à l'aise avec cette idée, je suis restée interloquée. Mais elle s'est tellement bien employée à me vendre son entreprise que j'ai accepté de travailler avec elle. Surtout qu'elle n'a pas lésiné sur mon cachet, que je n'ai pas hésité à gonfler pour compenser mon léger trouble.

Estelle m'a expliqué qu'elle voulait redorer l'image du Cheval fou et en faire un établissement très classe. Elle m'a engagée pour photographier son personnel pour le nouveau site web.

— Mais… ils vont-tu être habillés? lui ai-je demandé, inquiète.

— Ils vont porter le minimum.

Et ce minimum, j'ai très hâte de voir de quoi il s'agit, me dis-je en frappant à la porte.

Une minute plus tard, la propriétaire m'ouvre. Vêtue de *leggings* en cuir noir, d'une camisole grise et chaussée de bottillons cloutés, Estelle est très sexy, et on voit tout de suite qu'elle en impose. Grande et mince, le regard déterminé et le sourire franc, elle donne l'image d'une femme qui sait où elle s'en va. Je l'imagine dans la quarantaine, mais elle pourrait tout aussi bien avoir dix ans de plus. Et si elle passe ses soirées dans un bar, ce n'est certainement pas pour picoler avec les clients.

— Bonjour, Juliette, merci d'être là.

— C'est moi qui vous remercie, Estelle.

Nous entrons et elle me guide jusqu'à la scène, qu'elle me propose d'utiliser comme décor. En passant devant le bar, elle me présente un de ses employés qui s'affaire à nettoyer le comptoir.

— Juliette, c'est Steven, notre barman préféré. Les clientes adorent ça quand il donne son show.

Je serre la main du beau châtain au teint basané, en m'interrogeant sur le genre de spectacle qu'il offre. Est-il lui aussi un danseur ? Comme si elle sentait mon questionnement, la propriétaire apporte quelques précisions.

— Steven est un as de la préparation des cocktails. Attends de le voir en action plus tard. Et ses Cosmos sont délicieux.

— J'ai hâte de goûter ça.

— Ç'a l'air que je suis meilleur pour brasser des *drinks* que pour brasser mon cul sur le *stage*, hein, Estelle ?

Je reste surprise devant sa répartie légèrement agressive et je remarque que sa patronne n'est pas contente du tout, comme en témoigne le regard noir qu'elle lui jette. Elle m'entraîne plus loin, en me prenant par le bras.

— Fais pas attention, Juliette, me dit-elle à voix basse. Dans notre milieu, on a aussi nos divas.

— Pour vrai ?

— Tellement. Des crises de vedette, j'en vois presque tous les jours.

— Ah ouin ? C'est spécial.

— Ça se jalouse, ça se poignarde dans le dos, ça se fait des coups de cochon.

— Ayoye ! Ça doit pas être évident de gérer ça.

— Non, surtout qu'ils viennent toujours brailler sur l'épaule de matante quand la moindre chose fait pas leur affaire. Des vrais enfants, je te dis.

Estelle monte sur la scène et m'invite à la rejoindre. Je la suis et j'y dépose mon équipement.

— Vous êtes faite forte, en tout cas.

— J'ai l'habitude. Pis je me laisse pas impressionner par ces gars-là.

— Vous avez toute mon admiration.

— Bof, tu sais, c'est pas difficile. C'est des petites bêtes attachantes, je les aime bien, au fond.

J'acquiesce d'un signe de tête et je passe en mode travail, observant tout d'abord l'éclairage des lieux. Comme je le craignais, c'est plutôt sombre.

— Est-ce qu'il y a d'autres lumières ?

— Steven, va allumer les *spots* ! ordonne-t-elle d'une voix forte.

Le barman s'exécute, et nous voilà éblouies par les projecteurs. Ouache ! C'est beaucoup trop ! Je demande qu'on baisse l'intensité jusqu'à ce que j'obtienne ce qui m'apparaît comme un bon résultat. Ce que je dois cependant vérifier avec un sujet.

— Estelle, pouvez-vous vous placer ici deux minutes ? dis-je en lui indiquant le milieu de la scène.

Elle m'obéit pendant que je sors un de mes appareils photo pour prendre quelques clichés que j'examine après coup sur mon écran numérique.

— J'ai besoin d'éclairage d'appoint. Je vais aller le chercher dans mon auto, je reviens.

— Steven, mon beau, va aider Juliette à transporter son stock.

— Merci, mais c'est pas nécessaire.

— Non, non. Ici, tu vas être bien traitée. J'y tiens.

Le barman réapparaît et me suit à l'extérieur. J'ouvre le coffre de ma voiture et je lui indique d'agripper ma *soft box* et deux trépieds pour ombrelle, pendant que je m'occupe du reste.

Ses gestes brusques m'alarment. Pas envie qu'il casse mon équipement.

— Écoute, laisse faire, Steven. Je vais m'organiser toute seule.

— Non, non, c'est correct. La *boss* a dit de t'aider, on va t'aider.

— Comme tu veux… Fais juste attention, OK ? C'est fragile.

— Oui, oui, je suis pas con.

— J'ai pas dit ça.

— Toi, non, mais elle, oui.

Il m'apparaît clair qu'il existe un conflit majeur entre la propriétaire du cabaret érotique et son employé. S'il y a une chose dont je n'ai vraiment pas besoin, c'est me retrouver au beau milieu d'une chicane de bureau. J'ignore sa dernière remarque et je referme le coffre.

— Bon, on a tout ce qu'il faut.

— Elle est ben fine, Estelle, quand tu la vois pour la première fois, mais fais attention. Elle peut te jouer dans le dos *big time*, pis elle sait pas compter.

Qu'est-ce qu'il peut bien vouloir dire ? Qu'elle ne les paie pas à leur juste valeur ? Bon, laissons passer. Je retourne à l'intérieur en évitant de le regarder, de peur d'alimenter la discussion. Une fois l'équipement déposé sur le plancher de bois, je m'installe.

— J'en ai au moins pour une demi-heure, Estelle.

— OK, je vais aviser mes gars de rester dans leurs loges. Tu nous feras signe quand tu seras prête.

— *Cool.*

*

— Un, deux, trois, sexe !

J'ai rarement eu autant de sourires Pepsodent devant moi. Ni de torses nus gonflés aux stéroïdes. Ni de string ou de *balls-lifter* laissant deviner que ces hommes ont beaucoup de plaisir à offrir… Heureusement que je me suis tapé F-X ce midi, sinon ma concentration en prendrait un coup et ma petite culotte serait mouillée.

Les dix danseurs se prêtent à l'exercice avec enthousiasme. Après les avoir photographiés un à un, j'en suis à l'image de groupe. Celle qui sera sur la page d'accueil du site web.

Je comprends maintenant ce que voulait dire Estelle quand elle parlait de divas et de compétition entre eux. C'est à qui m'offrira la pose la plus sexy, la plus osée et la plus virile.

Pour leur photo individuelle, les gars ont voulu répondre à tous les fantasmes féminins. J'ai eu droit à l'homme de ménage qui passe l'aspirateur en sous-vêtement sexy, au pilote d'avion sans uniforme coiffé d'une casquette, au cowboy chaussé de bottes et muni d'un lasso, au policier en boxer moulant brandissant une matraque, etc.

Un autre a préféré jouer le mec mystérieux, relevant le col de sa chemise déboutonnée pour cacher une partie du bas de son visage. Un autre s'est transformé en *bad boy* aux épaules tatouées et à la main glissée dans son jeans ouvert, qu'il portait sans bobettes. Et le dernier a couvert son pénis avec une bouteille de champagne, la plaçant dans une position pour le moins suggestive. Bref, j'ai été servie.

À l'heure actuelle, mes sujets sont tous habillés pareil : un string noir, et c'est tout. Ils sont vraiment *hot*, et je ne peux m'empêcher de me questionner sur leur vie en dehors du travail. Est-ce qu'ils ont des blondes avec qui ils soupent avant de venir faire leur quart de travail ? Des gamins qu'ils emmènent au parc le samedi matin ? Des mamans à qui ils apportent des fleurs le deuxième dimanche de mai ? Franchement, Juliette ! Comme si ces gars-là n'avaient pas le droit de vivre les mêmes choses que nous ! T'es un peu *retarded* de penser comme ça.

N'empêche qu'on doit se sentir étrange d'être la femme, la fille ou la mère d'un « professionnel de l'érotisme », comme ils se décrivent. Pas certaine que j'aimerais que tout le monde voie mon homme, mon père ou mon fils flambant nu.

La séance qui s'achève est certes particulière, mais pas tant que ça, finalement. À part leur accoutrement et leurs poses assez provocantes merci, mes sujets se sont vraiment comportés en pros. Pas de *flirtage* inutile, pas de blagues déplacées, pas de perte de temps. Ils sont là pour faire un travail, et moi également.

Peut-être aussi que le fait que leur patronne les a à l'œil depuis la première prise les incite à agir en gentlemen.

— On a presque terminé, les gars. Montrez-moi ça encore une fois, ces beaux *body*-là !

Je souris en les regardant gonfler le torse, rentrer les abdos et faire saillir leurs biceps… De vrais athlètes !

— Eille, c'est-tu bientôt fini ?

Ça, c'est Steven qui, derrière son bar, n'arrête pas de chialer depuis que les flashs crépitent. Allez savoir pourquoi, mais il est *full* fru. Il dérange tout le monde avec ses commentaires négatifs, à commencer par mes *boys* qui font tout pour ne pas se laisser distraire, mais qui, de temps à autre, grimacent d'agacement ou même de dégoût. J'ignore ce qui s'est passé avec lui, mais on ne peut pas dire qu'il a la sympathie de ses collègues.

Estelle l'a ramené à l'ordre à quelques occasions et, visiblement, il n'en a rien à foutre. Je ne comprends pas qu'elle tolère un tel comportement. Moi, si j'étais sa *boss*, je lui aurais ordonné d'aller prendre l'air et de nous laisser travailler en paix.

— J'ai besoin des lumières pour faire mon ménage !

Ah, qu'il m'énerve ! Je jette un regard exaspéré à Estelle qui saisit mon message. Elle va illico rejoindre son employé malcommode.

— Steven, ça suffit ! Prends sur toi !

— Prendre sur moi ? C'est une injustice totale, pis tu le sais très bien !

— Y a rien d'injuste là-dedans. Les standards, c'est les standards, c'est tout.

J'essaie de me concentrer sur les quelques clichés qu'il me reste à faire, mais j'avoue que c'est difficile. Cette conversation m'intrigue. De quels standards parle-t-elle au juste ?

Soudain, Steven se rue vers nous, monte sur la scène et se place au beau milieu du groupe. Devant nos airs éberlués, il enlève son t-shirt et ses jeans, pour se retrouver dans un string identique à ceux de ses compagnons... comme s'il s'était préparé. *Weird!*

— Moi aussi, j'ai le droit d'être dans la photo.

— *Come on*, Steven, reviens-en! lance un des danseurs.

Estelle, qui l'a suivi, l'agrippe par le bras pour le forcer à descendre de la scène, mais Steven résiste. Par prudence, mes modèles lui laissent la place et se retirent le long du mur. Je m'écarte aussi et j'en profite pour vérifier mon travail sur mon écran. Constatant que la force ne sert à rien, sa patronne adopte un ton plus doux.

— Sois raisonnable, s'il te plaît. Combien de fois je t'ai dit de pas prendre ça personnel?

— C'est facile pour toi de dire ça! Si on refusait que tu danses parce que tes boules sont pas assez grosses, tu les ferais refaire, c'est *toutte*!

Hein? Qu'est-ce qu'il est en train de raconter là? *Oh my God!* Si c'est ce que je pense, c'est vraiment trop hilarant. Je dois me retenir pour ne pas rigoler un bon coup.

— Steven, on reviendra pas là-dessus! Est trop petite, est trop petite. C'est la vie.

Là, je dois carrément me faire violence pour ne pas éclater d'un fou rire qui durerait de longues secondes. J'utilise un truc que j'ai lu dans une revue de filles et qui m'est resté: je fixe le sol et je songe très fort à quelque chose de désagréable, le tas de vaisselle sale qui m'attend dans mon appartement. Ça marche à moitié. Steven a senti que je me bidonnais intérieurement puisqu'il s'adresse à moi d'un ton insulté.

— Eille! C'est pas drôle! Pis est pas si petite que ça.

— Steven, laisse Juliette en dehors de ça!

— Il me manque même pas un pouce, pis mon diamètre est parfait.

Je n'ose plus respirer tellement je crains d'éclater de rire et d'envenimer la situation. Je dois sortir d'ici au plus vite, sinon je ne réponds plus de moi. Tiens, pourquoi ne pas me réfugier aux toilettes? Je descends les premières marches de la scène sans même annoncer où je m'en vais quand le barman à la petite quéquette – il me sera désormais impossible de parler de lui sans lui attribuer ce qualificatif – m'interpelle à nouveau.

— Va-t'en pas! J'ai besoin de toi pour faire un test.

Non mais, qu'est-ce qu'il s'imagine? Pas question de faire quelque test que ce soit avec lui, surtout pas un qui concerne son «problème». Du coup, la situation m'apparaît moins drôle.

— Écoute, Steven, dis-je en me retournant, j'ai rien à voir là-dedans.

— Justement, c'est ça que ça me prend. Quelqu'un de neutre.

Je me tourne vers Estelle pour qu'elle vienne à mon secours, mais, bizarrement, elle me regarde en réfléchissant, puis s'adresse à son employé.

— Tu veux lui faire faire un test visuel ou à l'aveugle?

— *WHAT*? Non mais, ça va pas?

— Inquiète-toi pas, Juliette, on te demandera rien de compliqué. Ni de compromettant.

— Visuel, répond Steven.

— OK, on va le faire.

— FAIRE QUOI?

Estelle ignore ma remarque et continue de négocier avec le *wannabe* danseur nu. Je suis de plus en plus angoissée.

— Mais tu vas me promettre une chose, Steven.

— Quessé?

— Si elle a la même évaluation que moi, tu me parles plus jamais de vouloir faire de la scène.

Il hésite quelques instants, fixant la propriétaire du cabaret comme s'il se demandait s'il peut lui faire confiance, puis il se lance.

— *Deal!*

— *Deal!* Shawn, Carlos, venez ici! lance Estelle en regardant le groupe de danseurs qui les observe.

— Eille, t'es pas *fair*. Tu prends ceux qui ont les plus gros.

Oh my God! Oh my God! Oh my God! C'est clair que je vais devoir jouer au jeu des comparaisons. Est-ce que ce sera avec ou sans le string? Quoi qu'il en soit, je ne veux pas faire ça du tout! *NEVER!*

— Écoutez, Estelle, je sais pas si…

— Juliette, je vais ajouter vingt-cinq pour cent de plus à ton cachet si tu me rends ce service-là.

Ohhh… Intéressant, comme proposition! Je ne peux pas l'ignorer.

— En plus, t'es photographe, tu vas le voir tout de suite. Je comprends que t'es pas habituée d'examiner des queues, mais, nous autres, ça fait partie de notre vie de tous les jours.

— Pas moi.

— T'es professionnelle, t'as juste à juger ça de la même manière que tu jugerais n'importe quoi d'autre.

— Vu comme ça… Mais ils vont-tu enlever leur string?

— Ben oui!

— Ah bon…

Je tergiverse encore, mais l'idée de pouvoir m'acheter le téléobjectif dernier cri avec ce que j'appellerai «ma prime petite bite» a raison de mes derniers scrupules.

— OK, j'embarque.

— Merci!

Estelle se range aux arguments de son employé et remplace Shawn et Carlos par Diego et Slick, qui, je suppose, sont un peu moins avantagés côté «outil de travail». Elle leur ordonne de se mettre côte à côte et m'invite à me placer tout juste devant eux.

Me prenant au jeu, je ne suis désormais plus du tout intimidée par mon rôle. Je n'ai qu'à me comporter comme une gynéco qui examine les parties génitales de trois hommes, le toucher en moins.

À la demande de leur supérieure, les trois hommes retirent leurs sous-vêtements et je ne peux m'empêcher d'avoir une réaction de surprise et d'éprouver un léger malaise. C'est tout de même la première fois de ma vie que trois gars se retrouvent complètement nus devant moi. Pas trop habituée de voir trois bizounes en même temps… Vraiment étrange.

À première vue, elles se ressemblent beaucoup. Je serais bien en peine de dire si l'une est plus grosse que l'autre. Je crois que je ne dirai pas ce que ma cliente veut entendre.

— Steven! Tu triches, lance Estelle.

Comment ça, tricher? que je me demande. Je vois rien d'anormal, moi.

— Ben oui, regarde donc ça, ajoute un des participants au test.

— C'est pas vrai, se défend Steven.

— T'es semi, mon beau. C'est évident, précise Estelle.

— Non.

— Oui.

— Bon, OK, mais c'est pas de ma faute si la photographe est *cute*.

— Essaye pas, Steven. Envoye, débande. Pense à ta mère.

Là, c'est carrément surréaliste. J'éclate d'un grand rire qui résonne dans toute la pièce et, malgré le regard noir que me jette le barman à la petite quéquette, je continue de me bidonner. Estelle me dévisage avec sévérité. Oups… Pour eux, c'est du sérieux, ne l'oublions pas. Je réussis à contrôler mes émotions et je lui présente mes excuses.

— Bon, on attend deux minutes, pis on recommence.

Je patiente en regardant partout, sauf là où je devrai le faire tout à l'heure. Un lourd silence règne dans le cabaret, comme si nous nous préparions à envoyer un homme à l'abattoir.

— OK, ils sont prêts. Juliette, s'il te plaît.

J'observe les trois spécimens à comparer et, aussitôt, ça me saute aux yeux. C'est clair que le pénis de Steven est plus petit. Beaucoup plus petit. Je sens que je vais faire un malheureux…

— Alors, Juliette, qui a le plus gros et qui a le plus petit ?

— Euh… le plus gros, c'est pas mal égal entre Slick et Diego. Le plus petit, je suis désolée, Steven, mais c'est le tien.

Steven me fait une moue boudeuse, mais, contrairement à ce que j'appréhendais, il ne semble pas démoli.

— Ça, je le sais, figure-toi !

— Ben là, je comprends pas ce que vous attendez de moi.

— Que tu nous dises d'environ quel pourcentage il est moins gros, s'empresse de préciser Estelle.

— Quoi ? Comment voulez-vous que je sache ça ?

— On veut ton évaluation approximative. Pas seulement sur la longueur, sur le diamètre aussi.

— Pourquoi vous le mesurez pas, à la place ? Ce serait bien plus simple.

— On l'a fait. Mais Steven ne reconnaît pas les résultats.

— C'est parce que tu mets ton ruban trop bas ! s'insurge-t-il.

— On recommencera pas cette discussion-là, mon beau. Tu sais très bien que je mesure selon les règles de l'industrie.

— Les règles, les règles, on se demande bien qui les a faites, ces règles-là. On devrait avoir un syndicat pour les contester !

— Arrête de dire n'importe quoi ! Bon, Juliette, vas-y.

Décidément, ça se complique. J'ai l'impression d'être prise à partie dans une histoire beaucoup plus complexe qu'il n'y paraît. Je ne suis pas certaine qu'entre Estelle et Steven il existe seulement une rela-tion employeuse-employé.

Une vieille liaison amoureuse? Naaah, ça m'éton-nerait. Un lien familial? *Shit!* J'espère que ce n'est pas son fils! Voyons, Juliette, arrête d'écrire des scénarios de films débiles dans ta tête et fais donc ce qu'on te demande!

— Euh… je dirais qu'il est… un tiers moins long. Pour le reste, je vois pas beaucoup de différence.

Estelle lance un regard victorieux à Steven, qui remonte subito son string. Il récupère ses vêtements au sol et descend les marches de la scène, sans un mot. Puis il revient sur ses pas pour affronter Estelle et la fixer froidement.

— En tout cas, tu pourrais être plus compréhensive envers moi. T'es ma tante, crisse!

Steven nous quitte après avoir jeté un nouveau regard méprisant envers sa tante. Il traverse le bar, ses vêtements sous le bras, et se dirige vers la sortie où il passe la porte presque tout nu. J'hallucine! Tout un premier contrat pour Juliette Gagnon – Photographe inc.! J'ignore si c'est un signe précurseur, mais, à ce rythme-là, je ne risque pas de m'ennuyer.

19

C'est donc ben compliqué de stationner à Montréal !
C'est quoi tout ce trafic sur l'heure du lunch ?
#vivelabanlieue

En déposant mes sacs sur le comptoir, je me demande finalement si j'ai fait le bon choix. Peut-être que j'aurais dû opter pour des sushis, des empanadas ou des bagels au saumon fumé pour recevoir Ursula et son amie Pandora, et non pas pour des plats grecs du traiteur d'en face...

Moi, je les trouve délicieux, mais je ne m'y connais pas comme elles en matière de cuisine méditerranéenne. Je n'ai pas grandi avec une table remplie de feuilles de vigne, de *taramosalata* et de moussaka. Oh, et puis tant pis ! Si ça ne leur plaît pas, elles mangeront plus tard et se contenteront de boire de l'ouzo.

Quand j'ai convié Ursula à un dîner pour, soi-disant, lui proposer des idées pour le baptême, elle a accepté tout de suite, en m'informant que Pandora allait l'accompagner. Je lui ai dit que c'était parfait, vu que je voulais faire ça entre filles, ce qui justifiait l'exclusion de F-X. Je lui ai aussi suggéré de garder notre rencontre secrète, question que son mari « n'essaie pas de nous imposer des concepts de gars ». Et, bien que mon argument ait été, je l'avoue, un peu faible, elle s'est rangée à mon avis. Ce qui m'a soulagée puisque je suis convaincue que, si F-X avait eu vent de notre lunch, il aurait exigé que je l'annule.

J'aurai donc le champ libre pour interroger Ursula à ma guise et tenter d'en savoir plus sur sa vie conjugale. J'en suis enchantée.

Ce qui me fâche, par contre, c'est que mes deux *best* ont refusé de se joindre à nous, prétendant que mon plan était suicidaire. « Le suicide de qui ? » ai-je répliqué.

« Le tien. Ou celui d'Ursula. Voyons, Juliette, c'est certain qu'elle va comprendre ce qui se trame entre toi et son mari. Et on ne sait pas comment elle va réagir », a affirmé Marie-Pier.

Il est vrai que la santé mentale de miss Tzatziki est assez fragile. Enfin, je ne suis pas une spécialiste, mais, chaque fois que je l'ai rencontrée, je l'ai trouvée bizarre, légèrement décalée par rapport à la réalité… C'est peut-être aussi de la grosse manipulation. Je n'en serais pas étonnée.

Clémence, de son côté, croit que ma véritable intention est de faire éclater le couple F-X-Ursula. Pff… N'importe quoi ! Bon, j'avoue que ça m'arrangerait, mais je me suis promis de ne rien dévoiler. Le but est d'essayer de voir clair dans leur couple et d'ainsi savoir où s'en va mon histoire avec F-X. Ce qui est plus que légitime !

Mon ordinateur m'annonce l'arrivée d'un appel Skype. Je jette un coup d'œil à l'écran et, une fois de plus, je ressens un profond sentiment de culpabilité.

C'est maman qui tente de me joindre depuis son balcon avec vue sur la mer au Costa Rica.

Depuis que j'ai appris le cancer d'Ugo, il y a maintenant une semaine, je n'ai répondu à aucun des appels de ma mère, de peur de m'échapper. J'ai préféré lui écrire un courriel dans lequel je disais que tout allait bien et je lui racontais ma séance photo au Cheval fou, espérant la divertir et lui faire oublier ma non-disponibilité sur Skype. Mais c'est le contraire qui s'est produit. Elle a tellement ri en lisant mon message qu'elle a exigé que je lui raconte l'épisode de vive voix. Ce qui explique ses appels quotidiens. Comme je la connais, je ne pourrai plus me cacher bien longtemps ; elle va trop se douter que quelque chose se trame. Aussi bien l'affronter maintenant.

— Allô, maman !

— Enfin ! T'es pas facile à joindre, ma chérie.

— Désolée, je suis occupée. Toi, comment ça va ?

— Je chôme pas, moi non plus. Ton père a changé plein de trucs sur le menu du centre et on est en train de mettre tout ça en place. On s'en va de plus en plus vers le crudivorisme, mais pas complètement, quand même. On garde nos fruits de mer grillés.

Et la voilà partie dans l'énumération des nouveaux mets bientôt offerts aux adeptes de yoga qui séjournent là où elle travaille avec papa. Je l'écoute d'une oreille distraite en rangeant mes plats préparés au frigo et, surtout, en regardant ma montre. Il ne me reste qu'une demi-heure avant l'arrivée de mes invitées. J'aurai à peine le temps de sauter dans la douche et de mettre la table.

— Juliette, tu m'écoutes ?

— Mais oui, maman. C'est juste que je suis un peu pressée, j'ai des amies qui viennent dîner.

— Ah oui ? Clémence et Marie-Pier ?

— Non.

— Des nouvelles copines ?

— Euh…

Je suis bien embêtée de répondre à sa question. Maman ignore tout de ma relation avec mon ami d'enfance. En fait, elle ne sait même pas qu'il est revenu dans ma vie l'année dernière. Si je lui parle d'une certaine Ursula, elle va me poser des questions et je crains qu'elle devine mon malaise. J'ai toujours eu beaucoup de difficulté à lui mentir sans que ça paraisse. Il est préférable de changer de sujet. Lui parler de bouffe, tiens. C'est la meilleure façon de détourner son attention.

— Faudrait que tu me donnes ta recette de... de veau au cumin.

— Juliette, depuis quand tu veux cuisiner un mijoté? En plein été en plus? T'as refusé que je t'achète une mijoteuse la dernière fois qu'on s'est vues. Tu disais que t'allais oublier ta bouffe dedans pendant trois jours.

— Ben quoi! J'ai le droit de changer d'idée.

Le silence qui suit n'augure rien de bon. Mieux vaut mettre fin à cette conversation.

— Maman, je te laisse, OK? On se rappellera une autre fois.

— Juliette, qu'est-ce qui se passe?

— Ahhh, t'es fatigante! Rien, rien. Tout est *cool*, OK?

— Je te crois pas. Je le sens qu'il y a quelque chose qui va pas.

— Tu te fais des idées!

— Juliette, assieds-toi deux secondes, pis regarde-moi.

Si je lui obéis, je suis faite! Je serai incapable de lui cacher ce qui arrive à Ugo. D'autant plus que j'ai beau en parler avec mes copines, j'ai toujours cette boule dans la gorge qui se manifeste dès que je pense à celui qui me sert de père depuis que le mien cuisine des langoustes dans un autre pays. Et puisque je n'ai pas eu cette fameuse discussion avec lui, je n'ai pas tous les détails et j'en suis encore à m'imaginer le pire. Je dois absolument me défiler, trouver une excuse.

— JULIETTE!

Ce ton, je le connais trop bien. C'est celui qu'elle adoptait quand j'étais enfant et qu'elle voulait me faire avouer mon dernier mauvais coup. Comme cette fois où j'avais utilisé sa mousse de truffe noire, rapportée d'Italie, pour faire un masque de boue à mes Barbie. En prenant place devant mon ordinateur, je sais d'avance que je vais trahir mononcle. J'en crains les conséquences, mais, sincèrement, je ne vois pas comment je pourrais cacher ce drame à maman plus longtemps.

— OK, je vais tout te raconter, mais promets-moi une chose : t'en parleras pas à la personne concernée. Pas avant qu'elle le fasse elle-même.

— Promis. Mais je comprends pas. De qui tu parles?

— D'Ugo.

Sentant le sérieux de la situation, ma mère m'écoute avec attention, sans m'interrompre, ce qui est plutôt rare. Elle met d'habitude toujours son grain de sel dans une conversation. Je partage avec elle ce que je sais : la radiothérapie, sa grande fatigue après son traitement, son moral que j'ai trouvé solide, mais que je soupçonne de ne pas être si fort que ça, etc.

À la fin de mon récit, elle ne dit rien. Ses yeux sont pleins de larmes et je sens les miens qui se remplissent aussi. Puis elle prend une profonde respiration et se racle la gorge avant de me parler de sa voix déterminée :

— Juliette, fais le ménage de ta chambre d'amis. J'arrive demain.

*

— Ursula, je peux pas transporter le siège et les sacs! Aide-moi, s'il te plaît.

— Chuttt! Pas si fort. Le bébé…

Je viens d'ouvrir la porte de mon appartement, et la scène qui s'offre à moi me laisse perplexe. La femme de F-X me sourit froidement pendant que son amie Pandora transporte un siège de bébé de couleur rose. C'est à qui, ce bébé-fille? À Pandora? Il ne peut en être autrement, puisque Loukas se fait garder par ses grands-parents, selon ce que m'a dit Ursula hier. La présence d'un flo n'était pas prévue, mais il faudra bien composer avec…

— Les filles, donnez-la-moi et occupez-vous des sacs. Ça va être bien plus simple.

— De qui tu parles? me demande sèchement Ursula.

— Ben, du bébé. C'est ta fille, Pandora?

La jeune Grecque m'observe d'un drôle d'air. Elle ne répond pas à ma question et jette un regard un peu paniqué à sa compagne qui, elle, prend la parole.

— Qu'est-ce que tu racontes? Pandora a pas d'enfant. C'est Loukas!

— Ah… OK.

Je ne peux m'empêcher de trouver étrange le choix de couleur de son siège. Rose pour un garçon?… *WTF!* Mais bon, peut-être suis-je trop traditionnelle? En tout cas, ça ne doit pas plaire à F-X, lui qui est plutôt sobre dans son look.

— Parlez moins fort, on va le réveiller! répète la jeune maman aux seins gonflés à l'hélium.

Bon, d'accord, je suis méchante. Mais je constate à nouveau qu'Ursula a une super belle poitrine… qu'elle met bien en évidence grâce au décolleté plongeant de son chemisier blanc hyper ajusté. Et ça me fait chier! Respire, Juliette, elle n'est même pas assise à ta table que t'es déjà plus capable de la sentir! Ça va être beau tout à l'heure.

— Je vous donne un coup de main, dis-je en me forçant à revenir à de meilleurs sentiments.

J'attrape le siège un peu trop fort. Le petit se met à hurler.

— Bon, c'est fin, ça ! Juliette, tu pouvais pas faire attention ? se fâche miss Tzatziki.

« Eille ! L'ostie de folle, on se calme ! » Ça, c'est ce que je me dis dans ma tête, même si ce n'est pas l'envie qui manque de le lui crier. Je prends sur moi et j'aide tout ce beau monde à entrer.

Quelques minutes plus tard, nous sommes bien installées toutes les trois à la table de la cuisine. J'avoue que je ne sais plus par quel bout commencer. Maintenant calmé, Loukas tète son biberon dans les bras de sa mère. J'ai offert un verre d'ouzo à mes invitées et j'ai servi un plat d'olives Kalamata en guise d'amuse-bouche. C'est donc le moment d'entamer la conversation, mais ma concentration n'y est pas.

Trop de trucs bizarres sollicitent mon attention : cette couverture lilas Hello Kitty qu'elle a placée sur son épaule, ou ce bonnet orné d'une fleur jaune en tricot, que porte son bébé... Rien de très masculin dans l'environnement du petit. Même son chandail et son pantalon sont plutôt neutres... *Weird !*

Est-ce qu'elle utilise toujours des accessoires féminins pour son garçon ? Est-ce que F-X est au courant ? Je ne peux pas le croire ; il ne laisserait pas faire ça !

Je tente de voir si Pandora éprouve le même malaise que moi, mais la pauvre fille a envie d'être partout, sauf ici. Comme dans toutes ses relations amicales, Ursula ordonne, et les autres suivent. Je les plains.

— Bon, tu voulais nous parler du baptême, Juliette ?

Oui, mais, en cet instant, cette célébration me passe dix pieds par-dessus la tête. Je suis bien plus préoccupée par le problème d'identité sexuelle dont risque de souffrir Loukas. Je dois en apprendre plus.

— Juliette, je te parle !

Ah, qu'elle m'énerve ! J'ai juste besoin de quelques secondes pour trouver quelque chose... Tiens, ça y est !

— En fait, je pense pas que tu vas aimer mes idées, finalement.

— Pourquoi ?

— C'est que j'avais imaginé un concept très p'tit gars, mais je crois pas que...

— C'est quoi, le problème ? J'aime ça, les trucs de gars.

— T'es certaine ?

— Ben oui ! Attends !

Ursula fouille dans l'immense sac en toile qu'elle a déposé à ses pieds et en sort un paquet de couches Winnie l'Ourson.

— Regarde ! Tu vois ?

Non, je ne vois pas vraiment. Ce n'est qu'un bébé ours, qui peut plaire autant aux filles qu'aux garçons et, surtout, ça ne fait pas disparaître le siège rose.

— OK, mais le reste, dis-je en montrant du nez la couverture de couleur lilas et le siège à côté du mur.

— De quoi tu parles ?

La réponse d'Ursula me laisse perplexe. Soit elle se fout de ma gueule, soit elle est complètement coupée de la réalité. Une fois de plus, j'essaie de deviner ce que pense Pandora, mais elle s'intéresse plus aux olives qu'à la conversation. Et je suppose que c'est intentionnel. Qui a envie d'affronter une folle pareille ?

Ébranlée et ne sachant plus du tout comment m'y prendre, je me lève pour aller au frigo. En sortant mes plats préparés, je me demande ce que F-X sait réellement de tout ça.

— Voulez-vous des feuilles de vigne ?

— Si elles sont tièdes, oui.

À vos ordres, madame ! Pendant que je place mon entrée au four sans même l'avoir préchauffé, je laisse mes invitées pour aller aux toilettes. À l'heure actuelle, il n'y a qu'une personne qui peut me venir en aide et c'est Marie-Pier. Je lui envoie un texto.

« Help ! Ursula est vraiment folle. Viens nous rejoindre stp. »

Sa réponse, brève et claire, ne se fait pas attendre longtemps.

« Non. »

Je ne me décourage pas pour autant.

« Elle transporte Loukas dans un siège rose et l'habille en fille. »

Nouvelle réponse instantanée :

« Tu me niaises ? »

« Non, viens, pleeeeeease. »

« OK. »

Yé ! Je retourne à la cuisine, plus sûre de moi. Ursula explique à sa copine-esclave à quel point la maternité est exigeante et l'accapare.

— Tu dois faire d'énormes sacrifices dans ton couple, sinon ça marche pas du tout.

— Ah oui ? Comme quoi ? dis-je en reprenant place auprès d'elles.

Je suis curieuse de connaître les détails et j'espère surtout apprendre qu'il ne se passe plus grand-chose au lit entre elle et mon amant.

— Tu peux plus satisfaire ton homme comme avant.

— J'imagine, mais, concrètement, ça veut dire quoi ?

— Les premiers mois, c'est pas évident, j'avais plus trop envie. Je lui faisais surtout des pipes.

Too much information for me. Je n'aime pas les images que je vois. Pour être honnête, je les déteste. Mieux vaut changer de sujet. Mais Ursula ne l'entend pas ainsi.

— Récemment, c'est revenu. Mais faut que tu ralentisses le rythme quand même. Ça peut pas être de la même manière qu'avant le bébé.

— …

— Coudonc, ça vous intéresse-tu ?

— Oui, oui, continue, dis-je pour être polie.

— On est donc passés de deux baises à une.

— Par semaine ?

— Ben non. Par jour.

Je reçois cette information comme si on m'avait donné un coup de masse sur la tête. Ils baisent tous les jours! F-X va de mes bras aux siens en quelques heures... Ça me heurte profondément et je m'en veux maintenant d'avoir voulu en savoir plus sur leur couple.

— Toi, Juliette, t'as quelqu'un dans ta vie?

— Euh... Oui, oui, mais rien de sérieux.

— Ah bon? Tu veux pas un vrai chum?

— Euh... Ça presse pas.

— T'es *strange,* toi! Toutes les filles veulent être en amour.

Sa remarque m'indigne et m'inquiète à la fois. Est-ce qu'elle juge mon comportement ou est-ce qu'elle se doute que son mari est plus qu'un ami pour moi?

— À ton âge, poursuit-elle, tu devrais penser au mariage. À trente ans, tu commences à être passée date et t'as de la compétition des plus jeunes.

Non mais, sur quelle planète vit cette fille? Premièrement, j'ai juste vingt-sept ans et, deuxièmement, c'est pas tout le monde qui se case dans la vingtaine! Pas trop évoluée, la femme de mon amant!

— Prends Pandora, par exemple. Elle a trente et un ans et elle est toujours célibataire. D'après moi, elle va l'être jusqu'à la fin de ses jours.

J'éprouve un profond malaise à entendre miss Tzatziki parler de son amie comme si elle n'était pas là. C'est un manque de respect total et, une fois de plus, je me demande ce qui a pu attirer F-X chez cette folle. À part son *body* d'enfer.

Je regarde Pandora, cherchant un mot gentil à lui dire. Elle fixe la table, et ses mains sont crispées sur son verre d'ouzo. Elle le porte à sa bouche, fait cul sec, puis se lève.

— Tu sauras, Ursula, que je suis plus célibataire!

Sa déclaration inattendue me ravit, tout en me laissant légèrement dubitative. Pourquoi sent-elle le besoin d'adopter un ton défensif, voire agressif? C'est une nouvelle qu'elle devrait être heureuse de partager avec son amie, non ? D'ailleurs, celle-ci semble aux anges.

— Mais c'est formidable ! Pourquoi tu me l'as pas dit avant ?

— Parce que… Parce que…

Pauvre fille qui reste muette tellement elle est effrayée. L'élu de son cœur est-il marié ? Est-ce que c'est ce qu'elle craint de révéler ? Pandora cherche du courage et le trouve dans mon verre d'alcool à quarante pour cent, qu'elle boit d'un trait. L'heure est grave.

— C'est qui ? demande Ursula. Je le connais ?

— Non.

— Je comprends pas pourquoi tu m'as caché ça ! Je pensais que j'étais ta *best* !

C'est incroyable, elle doit toujours tout ramener à elle ! J'ai rarement vu quelqu'un d'aussi égocentrique. Son comportement me hérisse au plus haut point. Pour éviter de lui crier des bêtises par la tête, je vais à la cuisine pour vérifier si mes hors-d'œuvre sont prêts. J'entends Ursula qui continue de harceler sa compagne et je décide que, tièdes ou pas, je les sers, mes feuilles de vigne !

— C'est injuste ! Moi, je te confie mes secrets les plus intimes. T'es la seule à savoir que je fais tout pour avoir un autre bébé.

WHAT ? Ça n'a aucun sens ! Son flo a juste sept mois. Et son mari couche avec moi. Pas question qu'elle tombe enceinte à nouveau, faut que j'avertisse F-X au plus sacrant. Je dépose mes entrées sur la table et je m'assois.

— Me semble que c'est vite pour un deuxième ?

— T'as pas d'enfants, toi ?

— Euh… Non.

— Ben tu parleras quand t'en auras !

Là, je me retiens à deux mains pour ne pas l'étriper. Ou lui lancer par la tête que c'est moi que F-X aime. Pas elle ! Je prends plutôt une grande respiration et je bois une longue gorgée de boisson anisée. Je suis convaincue qu'il ignore ses intentions. Il ne peut pas être d'accord avec cette décision. Impossible !

Miss Tzatziki est vraiment une manipulatrice de gros calibre. Et le biberon qu'elle vient de retirer de la bouche de Loukas m'apporte une autre réflexion. Je me demande s'il est vrai qu'elle a éprouvé des problèmes d'allaitement après son accouchement. C'est ce qu'elle a écrit sur Facebook, affirmant que ça lui crevait le cœur de sevrer son « petit *hêlios* ». Mais je ne serais pas étonnée qu'il s'agisse d'une tactique pour se donner toutes les chances de procréer. *OMFG !* J'espère qu'elle n'est pas déjà enceinte ! Je comprends pourquoi elle veut baiser tous les jours.

Elle retourne à sa conversation avec sa copine, qui paraît vivre une véritable torture.

— Avez-vous des projets de mariage, toi et ton fiancé ?

— Oui, répond-elle presque en murmurant.

— Ah ben là ! J'en reviens pas ! Tu vas me laisser en dehors de l'organisation du plus gros événement de ta vie ?

Quelle bonne suggestion ! Moi, c'est ce que je ferais, en tout cas.

— Non, non, mais il faut que tu saches, Ursula, que ce sera un mariage différent des autres.

— Hein ? Tu vas faire une célébration religieuse, au moins ?

— Non.

— Comment ça, non ?

— Parce qu'elle veut pas.

— Qui ça ? Certainement pas ta mère !

— Non, ma… ma… ma… blonde.

Un lourd silence se fait dans la pièce. Ursula s'est figée, et Pandora a cessé de respirer. Même bébé Loukas ne bouge plus. De mon côté, je trouve la situation ridicule, mais je me retiens bien de le manifester. Pandora est gaie. *So what ?*

Quelques secondes s'écoulent pendant lesquelles j'observe la conjointe de F-X. Elle est sous le choc, comme si elle venait d'apprendre une nouvelle épouvantable. Sa réaction est inquiétante.

— Ursula, ça va?

— …

— C'est pas grave, tu sais.

Mes paroles ont pour effet de la faire sortir de sa torpeur.

— Pas grave? On voit que tu connais pas nos familles, toi!

— Ben là, elles renieront quand même pas Pandora pour ça. On est pas dans les années 60!

— C'est exactement ce qu'elles vont faire.

— Meuhhh, je te crois pas.

— Pandora, dis-lui que j'ai raison.

— Je sais pas si mes parents vont me renier, mais je sais qu'ils seront pas d'accord.

— En tout cas, tu les verras pas à ton mariage. Encore moins si c'est pas une célébration orthodoxe.

— J'en suis consciente.

— Et t'es prête à vivre avec ça?

— Oui. À condition que toi, tu y sois.

Ursula ne répond pas et se lève pour aller déposer son bébé dans son siège pour son dodo. Elle revient vers nous, l'air déterminé.

— Ce sera pas possible, Pandora.

Je rêve ou quoi? Elle va laisser tomber celle qu'elle appelle sa *best*… parce qu'elle est gaie! *WTF!*

— Je suis désolée, poursuit-elle. Je peux t'appuyer en privé, mais je peux pas le faire en public.

Ça, c'est trop! Je suis scandalisée et je ne peux m'empêcher d'intervenir.

— Pourquoi? C'est quoi, ton *fucking* problème?

— Juliette, mêle-toi de tes affaires!

Je me tais et, immédiatement, je m'en veux de le faire. J'ignore pourquoi je me laisse autant impressionner par cette fille. Comme si elle exerçait un pouvoir malsain sur moi. Je l'écoute poursuivre ses inepties.

— Je peux pas prendre le risque de me mettre mes parents à dos, tu comprends?

Pandora, qui, jusqu'ici, était demeurée de marbre, se lève et fait face à sa pseudo-amie. Son regard méprisant me réjouit.

— On sait bien! T'es pas capable de gagner ta vie toi-même. Faut surtout pas que tu perdes ton allocation de deux mille piasses par mois!

— J'ai fait le choix de rester à la maison pour élever mon fils. C'est mon droit.

— T'as jamais travaillé de ta vie, Ursula Dimopoulos! T'as toujours eu tout cuit dans le bec!

— C'est pas vrai. J'ai eu des clients avant de me marier.

J'ai vaguement entendu parler qu'Ursula avait eu une brève carrière de designer d'intérieur. Carrière qu'elle a aussitôt mise sur la glace le jour où elle a appris qu'elle était enceinte… Comme si on ne pouvait pas faire les deux en même temps!

— Deux clients, oui. Dont les voisins de tes parents qui voulaient refaire leur cuisine. En plus, ce contrat-là, tu l'as même pas terminé.

— Chacun ses priorités.

— Eh bien, moi, ma priorité, c'est de me trouver une vraie *best*.

Sur ces paroles on ne peut plus claires, Pandora tourne les talons et quitte mon appartement. Ursula la suit des yeux, mais n'essaie pas de la retenir. Je suis *flabbergastée*. Est-ce que la femme devant moi a un cœur? Je me pose sérieusement la question.

Je ne sais plus comment réagir. Dois-je lui parler de ce qui vient de se produire ou me comporter comme elle et faire comme si rien n'était arrivé? Trop *weird*, la situation.

Je pourrais créer une diversion en servant le dîner, mais je n'ai plus envie de passer un moment en tête à tête avec miss Tzatziki. Cette rencontre est une catastrophe, ct j'ai juste hâte que ça se termine. Tes idées à la con, Juliette, laisse-les dans un tiroir de ta tête la prochaine fois!

La porte de mon logement s'ouvre et m'apporte finalement une bonne nouvelle. Marie-Pier entre avec Eugénie dans les bras. Ouf! C'est vrai, j'avais oublié que je l'avais appelée à la rescousse.

— Salut, Marie!

— Salut!

— Comment va la poupoune?

Au mot « poupoune », mon invitée s'anime, se ruant sur ma copine, mais surtout sur son enfant.

— Mais t'es donc ben *cute*, toi! lance-t-elle à la petite en lui caressant la menotte.

— Bonjour, Ursula.

Elle ne répond pas aux salutations de mon amie et, les yeux toujours fixés sur le bébé, lui ouvre tout grand les bras.

— Viens voir matante Ursula.

Marie me regarde, soucieuse. Je comprends qu'elle n'est pas trop à l'aise avec cette proposition, mais je ne peux pas croire que miss Tzatziki soit dangereuse. Je lui signifie que c'est correct et elle laisse aller sa fille à regret.

Ursula ne cesse de s'extasier sur la beauté d'Eugénie, la complimentant sur son « petit nez fin, fin, fin… ses joues roses et bien pleines… ses yeux de star avec des longs, longs cils ». C'est à croire qu'elle n'a jamais vu un bébé-fille de sa vie!

J'en profite pour préparer trois assiettes, dans lesquelles je dispose de la salade grecque. Je ne peux pas compter sur l'aide de Marie-Pier, puisqu'elle ne quitte pas des yeux celle qui fait tournoyer son bébé dans ses bras.

— T'es une vraie petite Chloris, toi!

— Chloris? C'est qui ça?

— Voyons, Juliette, c'est la déesse des Fleurs. Tu connais pas la mythologie grecque?

— Euh… non ! Toi, tu connais ton histoire québécoise ? dis-je en espérant la coincer à mon tour.

— Certain !

— Ah ouin, c'est qui, René Lévesque ?

— Ben voyons ! Un boulevard !

— Pouahhhhhh ! Excuse-moi, mais t'es totalement n00b. C'est un ancien premier ministre du Québec.

— Ah bon ! Il a pas dû faire sa marque, sinon je me souviendrais de lui.

OMG ! S'il fallait que je dise pareille aberration devant ma mère, je ne serais pas mieux que morte : elle qui m'a éduquée pour que j'aie la fibre nationaliste. Ce qui n'a pas fonctionné mais, au moins, ça me permet de ne pas avoir l'air d'une totale ignorante quand on évoque le nom du fondateur du Parti québécois.

— Ouinnnnnnn ! Ouinnnnnnn ! Ouinnnnnnn !

Voilà Loukas qui se réveille. Et on ne peut pas dire qu'il le fait avec douceur. Pauvre ti-chou ! Il doit avoir fait un cauchemar. Étrangement, sa mère le laisse hurler et ne va pas s'enquérir de ce qui ne va pas.

— Ursula ! Ton bébé pleure ! lance Marie-Pier, alors que c'est l'évidence même.

— Donne-lui sa suce, ça devrait être correct.

— Tu ferais mieux de le prendre, je pense.

— Mais non, je le connais. Il veut sa suce, c'est tout !

Ma copine lève les yeux au ciel et prend le bambin dans ses bras pour le consoler. Rien n'y fait. Ni la suce, ni les mots doux, ni les bras réconfortants.

— Ursula, il a besoin de toi !

De mauvaise grâce, elle accepte d'échanger Eugénie contre son fils. Pendant qu'elle le berce, Ursula scrute la petite, comme si elle était en osmose avec elle. Vraiment inquiétante, la Grecque. Un coup d'œil à mon amie me permet de constater qu'elle pense comme moi.

Peu à peu, Loukas se calme, et le silence revient dans l'appartement. Je pousse un soupir de soulagement et retourne à ma mise en place. En sortant les feuilletés aux épinards du frigo, mon regard est attiré par l'écran de mon cellulaire qui traîne sur le comptoir. Tiens, un texto que je n'ai pas entendu entrer, sans doute à cause des sanglots du bébé. Aussitôt que je lis le nom de l'expéditeur, mon cœur fait un bond dans ma poitrine. C'est F-X. *Damn!* S'il avait fallu qu'Ursula voie ça!

Ne voulant prendre aucun risque, je m'enferme dans la salle de bain pour lire le message.

« Visite-surprise. Je suis là dans cinq. ☺ »

QUOI? Non, il ne peut pas venir ici! Pas maintenant! Je lui renvoie un texto : « Impossible. On se voit demain comme prévu. »

Pendant quelques secondes, j'attends qu'il donne signe de vie. Rien. Je décide de passer à l'action et je sors dans la rue. Je regarde à gauche et à droite. Aucun F-X en vue. Mon cellulaire à la main, je compose son numéro et je laisse sonner. Toujours aucune réponse. Exaspérée, je raccroche et je scrute les trottoirs remplis de gens qui iront faire la file pour acheter les meilleurs bagels de Montréal ou manger une énorme assiette de souvlakis.

De plus en plus nerveuse, je jette aussi des regards vers mon balcon afin de m'assurer qu'Ursula ne s'y pointe pas, histoire de vérifier pourquoi j'ai décampé de la sorte. Rien de ce côté non plus. Qu'est-ce qui lui prend, à F-X, de débarquer aujourd'hui? Je n'ai tellement pas besoin de ça.

Finalement, je le repère au milieu des gens. Il marche d'un pas rapide. Non, non, non! Je cours à sa rencontre et je peste contre mes gougounes à semelle compensée qui m'empêchent d'aller aussi vite que je le souhaiterais. En plus des flâneurs qui me bloquent le passage et que je dois contourner. C'est à bout de souffle que j'arrive devant lui.

— Juliette?

Étonné de me voir apparaître, il me demande si tout va bien. Et là, je me rends compte que je n'ai aucune explication pour justifier ma présence dans la rue et, surtout, j'ignore ce que je vais lui dire pour lui interdire d'entrer chez moi.

— Euh… euh… non, ça va pas.

— Qu'est-ce qui se passe ?

Allez, force-toi, Juliette. Déniche une idée, ça presse !

— J'ai des coquerelles. On peut pas aller chez moi.

— Hein ? Comment ça, des coquerelles ?

— Je sais pas ce qui est arrivé. C'est dégueulasse. Elles sont partout, dans ma cuisine, ma salle de bain… même dans mon lit ! Des milliers de coquerelles.

— Des milliers ?

— Euh… Oui, oui. Et elles sont grosses de même ! dis-je en montrant avec mes doigts une longueur d'environ dix centimètres.

— Hein ? J'ai jamais vu des coquerelles grosses comme ça.

Je réduis mon écart de la moitié.

— Comme ça, peut-être.

— Juliette, as-tu appelé un exterminateur ?

— Euh, oui, oui… Il est là en ce moment, il traite l'appart au complet.

— OK, je vais aller le voir. Juste pour être certain qu'il fait bien ça.

À mon grand désespoir, F-X marche en direction de mon logement. Je le retiens par le poignet.

— Pas nécessaire.

— Ça me fait plaisir, trésor.

Et il se remet en route, déterminé. Je fais quoi, là ? L'arrivée d'un texto sur mon cellulaire capte mon attention. Je m'immobilise pour le lire. C'est Marie-Pier.

« T'es où ? Ursula est fru, elle s'en va. »

Parfait ! Bon débarras. Maintenant, je dois retenir mon amant, qui a pris de l'avance. Je le rejoins et je l'agrippe par le bras pour l'inciter à ralentir.

— Pourquoi on va pas manger, hein ? J'ai pas déjeuné, je meurs de faim.

— On ira après.

— Non, tout de suite.

Je le sens se raidir soudainement. Il s'arrête net et examine un VUS blanc stationné dans la rue.

— On dirait le char d'Ursula.

C'est à mon tour de figer sur place. Heureusement, je retombe vite sur mes pieds.

— Mais non, des BM, y en a plein ici.

— Pas avec un autocollant du drapeau de la Grèce.

— Ben oui, c'est plein de Grecs dans le secteur.

— Je te dis que c'est le sien, je reconnais la plaque.

— T'es certain ?

— Oui. Veux-tu bien me dire ce qu'elle fait dans le coin ? Elle quitte jamais Laval.

— On est mieux de pas prendre de risques. Rentrons dans l'épicerie.

Perplexe, il m'obéit néanmoins, et nous nous retrouvons devant le comptoir des fromages, dans une très étrange atmosphère. Devrais-je tout lui dire, là, maintenant ? De toute façon, il me faudra lui parler des obsessions de sa folle épouse, surtout de sa manie de vêtir Loukas en fille. Et je devrai aussi l'aviser qu'il pourrait devenir papa à nouveau d'ici quelque temps.

De plus, ça ne m'étonnerait pas que miss Tzatziki l'informe elle-même de notre rencontre. Tôt ou tard, il sera au courant.

Ce sont des arguments plus que valables. Pourtant, j'hésite. Un commerce bondé n'est pas le meilleur endroit pour avoir ce genre de discussion. Et je n'ai pas envie qu'il se fâche contre moi en public. J'aime mieux attendre que mon appart soit libre. Je l'y emmènerai et je mettrai les choses au clair. Incluant la fausse histoire de coquerelles.

— Penses-tu qu'elle s'en allait chez toi ? Te faire une visite-surprise ?

Ohhh, que je ne sais pas quoi répondre à cette question. Je fuis son regard en faisant semblant d'être totalement absorbée par une pancarte indiquant un rabais sur le fromage halloumi.

— Juliette ?

— Je sais pas. On en profite-tu pour commander un sandwich ? On peut le manger ici, aux petites tables.

— Attends, je veux régler cette histoire-là. Je vais l'appeler pour voir où elle est.

— Euh… C'est peut-être pas une bonne idée.

— Au contraire.

Sans que je puisse l'en empêcher, il compose le numéro de sa femme et j'ai très peur de la suite. Honteuse plus que jamais, je préfère m'éloigner et aller fouiner du côté de la boulangerie pour acheter un croissant aux amandes. En le mangeant compulsivement sur place, je souhaite très fort qu'Ursula passe sous silence la dernière heure. Ouais, tu peux rêver, Juliette Gagnon !

Pourquoi faut-il que mes plans virent toujours au cauchemar ? Comment se fait-il que je n'arrive pas à obtenir ce que je veux sans créer de commotion autour de moi ? Au départ, mes intentions étaient sans malice et j'étais pleine de bonne volonté… Pourquoi ça se retourne contre moi ? C'est injuste.

Je termine ma viennoiserie en surveillant mon amant du coin de l'œil. Il me tourne le dos, son téléphone collé contre l'oreille. Puis il raccroche et reste de longues secondes immobile. Je comprends qu'il sait tout. Et moi, je veux rentrer six pieds sous terre.

20

STATUT FB DE **JULIETTE GAGNON**

À l'instant, près de Montréal

Super lunch avec mon amie Clémence Lebel-Rivard.
Une super fille, belle, intelligente et… célibataire.
À qui la chance ?

—*L*a bonne nouvelle, c'est que t'auras pas à faire les photos du baptême.

— Ouin, vu comme ça.

Assise à une terrasse de la rue McGill avec Clémence, convoquée d'urgence à la suite de la journée désastreuse d'hier, j'essaie de me consoler avec son point de vue.

Quand F-X a découvert que j'avais invité sa conjointe à dîner, il a carrément pété sa coche, affirmant que je jouais avec le feu. Il a attendu que nous soyons bien à l'abri des regards, dans ma cuisine – pas du tout infestée de coquerelles –, pour me parler comme il ne l'avait jamais fait auparavant.

— Qu'est-ce que tu cherches, Juliette ? Qu'elle apprenne tout, sans que j'aie pu la préparer ? Tu veux qu'elle nous fasse la vie dure pendant des années ?

— NON. Je voulais juste en savoir plus sur vous deux parce que tu me dis jamais *fucking* rien ! ai-je répondu, furieuse à mon tour.

— T'agis de façon inconsciente. T'es complètement irresponsable !

Ce sont ces paroles qui m'ont fait le plus mal. Je ne l'avais jamais vu aussi fâché. Il s'est calmé un peu quand je lui ai dit qu'Ursula habille leur fils comme une fille. Sa colère s'est alors transformée en une vive inquiétude. Il la savait dérangée, mais pas à ce point. Il m'a confié l'avoir surprise à agir ainsi, mais elle lui avait dit que c'était une blague. Quant au siège rose, oui, il l'avait vu, mais il était certain qu'elle s'en était débarrassée quand il l'avait exigé. Elle l'avait plutôt caché dans leur immense garage du 450.

Ensuite, en apprenant que sa femme désirait devenir enceinte pour avoir une fille, il a sauté dix pieds dans les airs, lui qui pensait qu'elle portait un stérilet. C'est du moins ce qu'elle lui laissait croire.

Mais le plus triste de la journée d'hier, c'est quand mon amant a quitté mon appartement, sans même m'avoir touchée, en me disant qu'il était préférable pour l'instant de prendre un *break*.

— Combien de temps ? lui ai-je demandé, malheureuse comme les pierres.

— Le temps qu'il faudra.

Crisse de réponse pas d'allure ! Ça signifie quoi, exactement ? Quelques jours ? Quelques semaines ? Je l'ignore. Ce que je sais, par contre, c'est qu'il refuse que je me pointe au baptême de son fils. Eh bien, qu'il s'organise tout seul ! J'en ai assez de cette situation ambiguë.

— Tu vas faire quoi maintenant ? me relance Clémence comme si elle avait lu dans mes pensées.

— Je sais pas.

— Attendre sagement que monsieur décide que votre pause est terminée? Qu'il daigne te revoir?

— Eille! T'es ben baveuse. D'habitude, c'est moi qui suis comme ça!

— Avec toi, y a que la provocation qui marche.

— Meuhhh! N'importe quoi!

— Non, c'est vrai. Peut-être pas tout le temps, mais souvent.

Je pousse un soupir de découragement et, ne trouvant rien à ajouter, je mords dans un calmar frit trempé dans de la mayo à la lime. Un régal.

— T'en as partout!

— Quoi, ça?

— De la mayo, Juju. Essuie-toi, m'ordonne-t-elle en me tendant sa serviette de papier, puisque la mienne est partie au vent.

Toujours aussi maternelle, mon amie Clémence. Je lui obéis en réfléchissant à ses paroles. Attendre F-X? Est-ce vraiment ce que je souhaite?

— Toi, Clem, tu ferais quoi?

— Moi, je vivrais ma vie. Encore plus si j'avais vingt-sept ans.

— Regarde qui parle. Depuis combien de temps t'as pas baisé?

— Juliette, franchement!

— Ben quoi!

— C'est pas de tes affaires.

— T'es donc ben prude! On est entre amies. *Anyway*, je le sais: un an. Depuis Arnaud…

Arnaud est le père de ses jumeaux, qu'elle a quitté l'été dernier après avoir appris qu'il menait une double vie. Tout un choc!

— Pis, ça?

— C'est pas sain, Clem. Tu peux pas te passer d'amour aussi longtemps.

— J'en ai plein, d'amour. Mes gars, vous autres…

— Ça remplace pas le sexe et tu le sais très bien.

— Je suis pas comme toi, Juju. Je suis pas capable de coucher avec un gars sans avoir une relation avec lui.

— C'est ça! Dis donc que je baise avec n'importe qui!

— C'est pas ça. Moi, il faut que je sorte avec le gars. Des amis modernes, ça m'intéresse pas.

— Amis modernes… T'as une façon élégante de dire les choses.

— C'est joli, non?

— Trop pour ce que c'est.

— Ah bon. Je croyais que ça te plaisait?

— J'y ai trouvé mon compte un certain temps, mais ça laisse quand même un grand vide. Pis y a toujours un con qui s'attache à toi.

— T'es dure, Juliette.

— Bon, bon, on parlait pas de moi. Toi, avec Hachim, y a rien à faire?

— Non, il est complètement fermé. Encore plus depuis le souper. On s'en tient à des relations professionnelles, pis j'ai hâte que son contrat finisse.

— Ouin, c'est poche, ça. Il mériterait que je le fasse virer du resto de mon père.

— Ben voyons! Tu peux pas faire ça!

— J'ai juste à dire à papa qu'il est bête comme ses deux pieds quand on va souper là. Ou qu'il se pogne avec d'autres employés. Ou qu'il a mauvaise haleine.

— T'as pas d'allure. T'as pas le droit de mentir comme ça.

— Je sais… Je le ferai pas vraiment.

— Pas vraiment? Tu veux dire quoi exactement?

— C'est correct. Je vais laisser tomber.

— Bon, ça c'est plus sage.

— N'empêche que…

— Juliette Gagnon!

— OK, OK. C'est beau!

Le silence s'installe quelques instants. Clémence se concentre sur sa salade d'endives au bleu. Beurk!

Moi, le fromage qui pue, pas capable! Je termine mon assiette de mollusques et je demande au serveur de nous apporter la carte des desserts.

— J'aurai pas le temps d'en prendre un, Juju. Faut que je sois au bureau dans quinze minutes.

Ça, c'est l'autre chapitre de la vie de mon amie que je n'aime pas : son travail. Elle bosse sans arrêt. Je veux bien admettre que son entreprise de prêt-à-manger, ses chroniques à la télé à titre de nutritionniste établie et les clients qu'elle reçoit en consultation représentent une charge de travail incroyable. Mais elle ne connaît pas la signification du mot « déléguer ».

— Qu'est-ce qui presse tant?

— J'ai de l'ouvrage, c'est tout. Et les semaines où j'ai pas mes garçons, j'en profite pour avancer le plus possible.

— Et rester au bureau jusqu'à neuf heures le soir, oui.

— Pas tout le temps.

— Clem, c'est pas comme ça que tu vas te trouver un chum.

— Coudonc, qu'est-ce que t'as à être sur mon cas, ce midi?

— S'cuse, c'est juste que ce serait *nice* que tu rencontres quelqu'un.

— C'est pas évident. J'ai pas envie de sortir dans les bars.

— À ton émission, y a personne d'intéressant? Y a du monde *hot* en télé, non?

Ma copine baisse le regard sur son napperon et joue machinalement avec le moulin à sel, trahissant son malaise.

— Ah! Ah! J'ai visé juste, hein?

Quand elle relève la tête, ses joues sont rouges et ses yeux pétillent. Que je l'adore, ma Clémence, avec sa retenue, sa douceur et sa timidité avec les hommes! Bien qu'avec Hachim elle l'ait mise de côté, cette timidité. On a vu ce que ç'a donné, d'ailleurs!

— C'est qui?

— Le chroniqueur sportif.

— Ah ouin? Il doit juste s'intéresser aux Canadiens.

— T'es pleine de préjugés, toi!

— Avoue.

— Pas du tout. C'est un gars hyper brillant qui aime plein de choses.

J'attrape mon cellulaire dans mon petit sac à bandoulière noir et blanc, dans le but de trouver une photo du gars en question. Un *post-it* collé sur l'étui me rappelle de ne pas oublier de passer à la fromagerie, avant de me rendre à l'aéroport tout à l'heure pour cueillir maman.

Elle a exigé que je lui achète un morceau de... de quoi, déjà? Ah voilà... un morceau d'Alfred Le Fermier et un de Gré des Champs, ainsi que des biscottes aux figues. Quelle mère veut manger des fromages québécois en descendant de l'avion? Ça va sentir bon dans ma Honda! Même pas arrivée et elle me fait déjà subir ses caprices. Le temps va être long!

— C'est quoi, son nom, à ton chroniqueur sportif?

— Yanni Tassé.

Je pitonne jusqu'à ce que je trouve l'image recherchée... Oh, wow! Pas laid, pas laid du tout, le Yanni. La trentaine avancée, je dirais, les cheveux châtains légèrement bouclés, les yeux d'un vert perçant et un sourire de cent millions de dollars. Elle sait choisir, mon amie!

— Trop *hot*! Sais-tu s'il est célibataire?

— Yep!

— Des enfants?

— Euh... oui.

— Combien?

— Trois.

— *Oh my God!* Trois flos plus les tiens. T'es courageuse!

— On est pas rendus là. Il sait même pas qu'il m'attire.

— Et comment tu comptes le lui faire savoir?

— Aucune idée.

— Bon, je vois que t'as besoin d'un plan.

— Surtout pas, Juliette. Je t'interdis de t'en mêler.

— Bah, je voulais juste te faire quelques suggestions.

— Non. Est-ce que c'est assez clair?

— Fâche-toi pas. Je vais rester tranquille. Promis.

Sur cet engagement formel, je commande un mi-cuit au caramel pour moi et des profiteroles pour Clémence. Qu'elle le veuille ou non, elle va s'offrir une gâterie!

21

STATUT FB DE **CHARLOTTE LAVIGNE**
À l'instant, près de Montréal
Revenir à Montréal me fait toujours chaud au cœur.
Mais pourquoi faut-il attendre des heures aux
douanes ? #Charlotteimpatiente

— *M*aman !
— Juliette, ma chérie ! Je me suis tellement ennuyée !

Ma mère me serre fort dans ses bras et je me sens
redevenir une petite fille désormais à l'abri de tous
les dangers de la vie. Quand je la revois après de
longs mois d'absence, je réalise à quel point elle me
manque.

Après nous être données en spectacle devant des
dizaines de voyageurs, nous sortons de l'aéroport,
bras dessus, bras dessous. Maman traîne derrière
elle son éternelle valise rouge à pois blancs. Même
à soixante-sept ans, Charlotte Lavigne n'aime pas
passer inaperçue.

Le soleil du Costa Rica lui va à ravir, dois-je admettre. Elle est magnifique avec ses cheveux qu'elle teint maintenant châtain clair et qu'elle porte au-dessus des épaules. Son regard est toujours aussi vif et son sourire, engageant.

La seule chose qui m'énerve, c'est sa robe. Beaucoup trop voyante avec ses couleurs rose, mauve et fuchsia. À en donner le mal de cœur. Mais bon, je ne changerai pas maman…

En marchant vers ma voiture, elle me bombarde de questions auxquelles j'ai à peine le temps de répondre :

— Est-ce que t'aimes être ta propre patronne ?

— Oui.

— As-tu un nouvel amoureux ?

— Non.

— Comment vont tes amies ?

— Bien.

— Est-ce que tu prends soin d'elles ?

— Oui.

— Pas seulement l'inverse ?

— Eille ! Comme si j'étais une égocentrique finie !

— Je dis pas ça, Juliette, mais je nous connais, les Lavigne. On en demande beaucoup à nos proches.

— Je suis une Gagnon, moi.

— Lavigne aussi ! Bien plus, d'ailleurs.

— Dahhhh ! Tu me vois juste deux ou trois fois par année, comment tu peux savoir ça ?

Maman s'arrête en plein milieu du stationnement, bloquant le chemin à une voiture. Son regard rieur a cédé la place à une sincère tristesse. Bon, je l'ai blessée.

— Excuse-moi… Je le pensais pas vraiment.

— Tu m'en veux encore d'être partie ?

Biiiiiiiiiiiiiiiip !

— Maman, pousse-toi ! Y a un char qui veut passer.

— Réponds à ma question, avant.

Biiiiiiiiiiiiiiiiiiiiiiiiiiiiiiiiiiiiiiip !

Exaspérée, j'empoigne sa valise à roulettes et je tire maman par le bras pour la forcer à bouger.

— Mais non, je t'en veux pas.

— Si t'as besoin de moi, je vais revenir, Juliette.

Pas question! Je l'aime beaucoup, ma mère, mais elle peut être très envahissante quand elle s'y met. Si je ne veux pas m'attirer de problèmes, je suis toutefois mieux de prendre des gants blancs pour refuser sa proposition.

— Mais non, je suis correcte. Et puis t'as ta vie là-bas.

— Peut-être, mais là, avec Ugo et sa maladie, je pense que ma place est ici.

À sa tristesse s'ajoute une réelle inquiétude.

— Tu veux qu'on aille chez lui tout de suite?

— Si ça te dérange pas, oui.

— Non, non, moi aussi, j'ai hâte d'en savoir plus.

Depuis que j'ai découvert qu'il était malade, Ugo m'a tenue à l'écart de sa vie et il n'a pas honoré sa promesse d'avoir une bonne conversation avec moi. Mais maintenant que je vais lui mettre Charlotte Lavigne dans les pattes, il ne pourra plus se défiler bien longtemps.

*

— Je suis pas capable! Je peux pas!

Plantée comme un poireau devant l'hôpital de la rue Sherbrooke avec maman, je sens la panique me gagner. Tantôt, nous sommes débarquées au condo de mononcle et il n'y avait personne. Maman a fouillé dans son ordinateur – telle mère, telle fille – pour découvrir qu'il avait une session de radiothérapie ici, dans ce bâtiment qui me terrorise.

— Juliette, il va falloir que tu vainques ta peur des hôpitaux un jour. C'est insensé.

— En plus, on sait même pas où il est exactement. On va errer là-dedans des heures et des heures. On devrait retourner l'attendre chez lui.

— T'exagères. On va s'informer. Me semble que c'est pas compliqué.

Ma mère s'explique mal, elle aussi, ma nosoco-méphobie. Elle a fouillé dans sa mémoire à maintes reprises pour tenter de trouver un indice, de mettre le doigt sur l'événement qui aurait déclenché ce sentiment irraisonné. En vain. Il n'y a rien à comprendre.

Elle me prend par la main pour m'inciter à la suivre, mais je me dégage subito presto. J'ai le souffle de plus en plus court et j'ai l'impression d'étouffer. Je dois quitter cet endroit au plus sacrant avant de faire une vraie crise d'angoisse.

— J'y vais pas. Je vais t'attendre au parc en face.

— Je préférerais que tu viennes. Il peut rien t'arriver.

— NON !

— OK, OK !

Je la regarde s'éloigner et, du coup, je reprends le contrôle de ma respiration. Elle s'apprête à monter les quelques marches qui mènent à la porte d'entrée quand celle-ci s'ouvre sur... Ugo et Bachir.

Ma mère s'arrête, son meilleur ami fait de même et la fixe avec surprise. Il porte ensuite son regard sur moi, me lance un air faussement fâché et tombe dans les bras de maman qu'elle écarte tout grand. Je suis soulagée de constater qu'il ne me tient pas rigueur de l'avoir avisée. Au fond, il a besoin d'elle et il le sait.

Je leur laisse quelques instants d'intimité, Bachir se retire aussi et vient me rejoindre. Il a compris depuis longtemps qu'entre son chum et ma mère c'était spé-cial. Unique, même.

— Comment il va ? lui dis-je en guise d'introduction.

— Pas si pire. C'est dur après les traitements, sinon ça va.

Les voilà qu'ils se rapprochent de nous, mononcle marchant lentement, en tenant ma mère par le bras. Celle-ci a les yeux humides et je suis convaincue qu'elle s'efforce de ne pas éclater en sanglots.

Pendant qu'elle embrasse chaleureusement Bachir, je me réfugie à mon tour contre Ugo. Tout de suite, j'éprouve un léger choc. Il a maigri. Et de plusieurs kilos, si je me fie à ce contact physique.

— Je savais que je pouvais pas te faire confiance, me gronde-t-il gentiment.

— Avoue quand même que t'es content.

— J'avoue tout ce que tu veux, Juliette.

— Il te reste combien de traitements? demande maman.

— Ouin, ça va-tu durer encore longtemps?

— Est-ce que tu réagis bien?

— Il paraît que la radio, c'est mieux que la chimio pour les nausées. C'est vrai?

— Tu sais que le gingembre, ça aide. T'en prends régulièrement?

— Et faut pas que tu te fatigues trop. Est-ce que tu continues à travailler?

— Wô, vous deux! Arrêtez avec vos questions. Je me croirais dans une conférence de presse.

Ma mère et moi, on baisse les yeux, soudain conscientes de notre maladresse. Bachir en profite pour proposer quelque chose.

— Ugo a besoin de repos. Qu'est-ce que vous diriez de venir bruncher demain midi?

— Demain seulement! s'exclame maman.

Ce à quoi Bachir lui répond par un froncement de sourcils.

— OK, demain. Mais vous faites rien. J'apporte tout.

Ils acceptent sa suggestion et nous les quittons, après une longue accolade des deux plus vieux amis de la Terre. Une fois assise dans ma voiture, maman ne peut se retenir davantage. La tête entre les mains, elle pleure tout doucement. Je sens les larmes qui me picotent les yeux, moi aussi.

— J'ai peur, Juliette. Il a tellement maigri.

— Toi aussi, t'as remarqué?

— C'est évident. Et son teint, t'as vu ?

— Oui, il est blême pas à peu près… Qu'est-ce qu'on va faire ?

Elle relève la tête, essuie ses joues avec la manche de sa robe, prend une grande respiration et me regarde droit dans les yeux.

— On va se battre, Juliette ! On laissera pas un maudit cancer nous enlever Ugo. C'est pas vrai !

— T'as raison. On se laissera pas abattre !

— Bon, on part. On a des choses à acheter pour le brunch de demain.

— Ah non !

— Oh, que oui ! Pis on lésinera pas sur la qualité, crois-moi.

Je comprends alors que je vais passer la soirée à faire le taxi pour ma mère. Elle va vouloir que je la conduise chez tel poissonnier de la Rive-Sud parce qu'il offre le meilleur saumon bio, dans le quartier chinois parce que c'est là qu'on trouve les nouilles udon dont son ami raffole, chez ce marchand de fruits et légumes du marché Jean-Talon parce que ses tomates sont les plus goûteuses de la ville, etc.

Mettons que j'avais prévu autre chose pour le retour de ma mère. Comme me faire inviter au resto par elle. Je fais une ultime tentative.

— On peut pas juste acheter des sushis ?

— Non.

— OK, d'abord.

Résignée, je démarre en pestant intérieurement contre ma mère trop perfectionniste.

22

STATUT FB DE **UGO SAINT-AMAND**

Il y a 24 minutes, près de Montréal

Quand je retrouve ma copine Charlotte,
j'ai l'impression de rajeunir de vingt ans.
Quelle boule d'énergie!
#complicité #bestfriendsforever

—— *P*as de rosé pour moi, précise Ugo en mettant
la main sur son verre.

— Pour moi non plus, dans ce cas, ajoute maman,
solidaire.

La bouteille à la main, je me tourne vers Bachir
pour savoir s'il en veut. Il me fait signe de lui en verser
un peu. Je m'exécute et je remplis ensuite ma propre
coupe. J'ai besoin de me détendre pour oublier l'atmosphère lourde qui règne dans le condo.

Ma mère a passé l'avant-midi à cuisiner, mais je
me demande si ça en valait la peine. Le cœur n'y est
pas pour personne, particulièrement pour elle. Ses
cinq salades de chèvre et légumes grillés, de lentilles
au curry, de tomates et basilic, de nouilles et saumon

et de poireaux avec une bizarre de vinaigrette risquent de se gaspiller.

Ugo se lève tout à coup et, à mon plus grand bonheur, il a l'air en bien meilleure forme qu'hier. Il attrape la bouteille de rosé et en verse une bonne quantité dans le verre de son amie.

— Si tu changes pas ta face d'enterrement, je te renvoie au Costa Rica.

— Bien dit, mononcle.

— Pis bois un peu, ça va te faire du bien. T'en as plus besoin que moi!

Elle lui obéit en avalant une longue gorgée de vin. En reposant sa coupe, elle nous offre un sourire. Pas tout à fait sincère, mais un sourire quand même.

— Bon, ça, c'est mieux. Je suis pas mort, à ce que je sache!

— C'est ça, parle-lui! On s'était dit qu'on restait positives, dis-je.

— Bon, OK, je vais prendre sur moi, laisse tomber maman. Mais ce serait plus facile si tu nous expliquais, Ugo.

— Qu'est-ce que tu veux savoir, chérie? Je suis en plein traitement, je sais pas ce que ça va donner.

— C'est quoi, les chances de guérison?

— On parle de survie plus que de guérison. Pis c'est seulement un homme sur vingt-huit qui en meurt.

— C'est bon, ça! Tu vois, maman, faut pas trop s'inquiéter.

— Vous avez raison. On garde espoir... et on mange!

Et voilà qu'elle redevient la Charlotte Lavigne que je connais. Elle se lève et sert une énorme assiette à chacun de nous.

*

L'atmosphère a changé du tout au tout dans le magnifique condo du centre-ville. Tout le monde est joyeux et on rigole de bon cœur aux anecdotes que nous raconte maman sur sa vie en Amérique centrale. Comme la fois où elle a essayé de faire du surf pour «ne pas se sentir la plus vieille de la gang», mais qu'elle n'est jamais arrivée à se tenir debout sur la planche plus de deux secondes sans tomber face première dans la mer.

Ou ce jour où elle a adopté un singe capucin pour s'en faire un animal de compagnie, mais dont elle a dû se débarrasser quelques semaines plus tard. Son «ami» volait toutes les goyaves qu'elle achetait pour ses recettes et s'en servait pour nourrir sa nombreuse famille dans la jungle. Étrangement, il laissait les autres fruits intacts. Elle l'a appelé «le singe à goyaves»!

La complicité qui existe entre ma mère et son ami est palpable, et il serait facile pour Bachir et moi de nous sentir exclus. Mais nous y sommes habitués.

Les rires s'éteignent, et un doux silence s'installe. Nous savourons maintenant les tartelettes aux fraises et à la noix de coco de notre cuisinière attitrée quand Ugo, sans aucune raison, me regarde d'un drôle d'air. Ce qui, bien sûr, n'échappe pas à maman.

— Quoi? demande-t-elle.

— Est-ce que tu crois que je devrais servir la même médecine à ta fille que celle qu'elle m'a servie?

— Hein? Qu'est-ce qu'elle t'a fait, ma Juliette?

— Elle a révélé un secret que je lui avais demandé de taire.

Non, non, non... Qu'est-ce qui lui prend, à lui? Il ne va pas raconter à ma mère que j'ai un amant marié!

— Tu fabules, mononcle. Moi, je t'ai jamais confié de secrets. Il te niaise, maman.

Elle ne répond pas et nous dévisage tour à tour. Je constate qu'il éprouve un malin plaisir à me narguer de la sorte. Douce revanche... Mais il n'ira pas plus loin, j'en suis convaincue. Il m'aime trop pour ça.

Ma mère poursuit son observation en silence. Son visage passe de l'amusement à l'inquiétude.

— T'es pas malade, toi aussi ?

— Mais non. Je te cache rien, juré.

— C'est tes amours, alors ?

— Laisse-moi tranquille !

Quand elle s'y met, elle n'abandonne pas facilement, ma tête de cochon de mère. Mieux vaut quitter la table. Je me lève et j'annonce que je vais aux toilettes. Maman dépose sa main sur la mienne pour m'empêcher de partir. Je soupire d'exaspération, mais je lui obéis quand elle me demande de me rasseoir.

— Juliette, je crois qu'il se passe quelque chose d'important dans ta vie. Quelque chose que je dois savoir. Sinon Ugo n'aurait jamais parlé d'un secret.

Que je déteste parfois la connivence entre ces deux-là ! Avec eux, impossible de gagner ! Je lance un air furieux à mononcle, qui n'en fait pas de cas.

— T'as tort de penser que Charlotte va te juger. Elle est beaucoup plus compréhensive que tu le crois.

— Depuis quand on se dit pas tout, nous deux ? me demande-t-elle d'une voix plus douce.

C'est vrai qu'il m'est arrivé à plus d'une reprise de lui confier mes tourments amoureux. Mais avec le discours que je l'ai toujours entendue proclamer sur l'infidélité, ça ne me donne pas trop envie de m'épancher sur mon histoire avec F-X. Pour elle, il n'y a pas pire trahison que celle de tromper son conjoint. Mais comme elle est tenace, il n'existe qu'un moyen pour m'en débarrasser.

— Ahhh, si t'insistes. J'ai eu une relation avec une femme. T'es contente, là ?

Elle pouffe de rire devant mon affirmation, pensant que j'allais annoncer autre chose de plus grave, tandis qu'Ugo me fait un petit air montrant qu'il s'incline devant la défaite. Croyait-il vraiment que j'allais avouer mon aventure avec F-X ?

— Je vois pas pourquoi tu voulais me cacher ça ! Comme si j'étais pas évoluée.

— C'est pas ça, c'est juste que…

Bon, me voilà bien mal prise avec ma plus ou moins fausse histoire de liaison. Quand c'est arrivé l'an dernier, aurais-je dû lui dévoiler la seule véritable aventure que j'ai eue avec une femme, à savoir une baise ratée dans une roulotte de cowgirl? Maintenant, je ne sais plus comment m'en sortir.

— Ça s'est pas bien passé? Ou si, au contraire, t'as vraiment aimé ça?

Bon, voilà qu'elle me croit lesbienne. Et si j'embarquais dans son jeu… pour voir où tout ça va nous mener?

— Ça m'a tellement plu que j'ai décidé de virer aux femmes, si tu veux tout savoir.

Ne serait-ce que pour le regard éberlué de maman à cet instant précis, ça valait la peine d'entamer pareille conversation.

— Hein? Comme ça?

— C'est moins compliqué qu'avec les hommes. Pis elle me comprend quand j'ai mon SPM.

— Ben voyons donc! C'est pas une raison. Je veux bien croire que t'es pas très chanceuse en amour jusqu'à présent, mais ça va venir.

Je m'amuse beaucoup à la mener en bateau. Mononcle aussi, d'après ce que je remarque. Continuons un peu.

— En plus, on peut échanger notre linge pis nos souliers.

— C'est ridicule! Et puis c'est pas quelque chose qu'on *décide*. On le vit, c'est tout, hein, Ugo?

Complètement désemparée, elle se tourne vers son bon ami, à la recherche d'arguments. Il me sourit avec malice avant de lui répondre.

— Chérie, ta fille se moque de toi.

— Je suis tout ce qu'il y a de plus hétéro, maman.

C'est à mon tour d'éclater d'un rire franc, surtout qu'elle semble outrée de s'être fait prendre de la sorte. Moi, je suis heureuse de constater que ça lui permet d'oublier de me questionner à nouveau sur le fameux secret.

— Tu sais, Juliette, si ç'avait été pour les bonnes raisons, ça m'aurait pas dérangée. À condition que tu me fasses des petits-enfants.

Ah non! Pas le sujet que je ne veux surtout pas aborder avec elle! Pour éviter de lui dire la vérité, soit que je suis loin d'être certaine de vouloir être maman un jour, je débarrasse la table. Elle ne s'aperçoit de rien – ou elle ne veut s'apercevoir de rien – et continue de jacasser sur ses futurs «adorables chérubins qui vont courir sur la plage avec elle, après avoir dégusté une énorme glace à la mangue et à la papaye».

Une fois de plus, je retarde le jour où je vais lui briser le cœur en lui annonçant que sa fille chérie n'a pas du tout les mêmes ambitions qu'elle en matière de maternité. Et que la seule progéniture que je vais peut-être lui donner un jour aura quatre pattes, de longs poils noirs et répondra au nom de Fido.

23

STATUT FB DE **MARIE-PIER LAVERDIÈRE**
À l'instant, près de Ahuntsic
Être monoparentale, c'est parfois fucking compliqué!
#problèmedegardienne #encore

— *J*e peux PAS garder Eugénie! J'ai un *shooting* ce matin.

— Débrouille-toi, t'es sa marraine.

Ça doit être une mauvaise farce! Marie-Pier ne peut pas débarquer chez moi à 8 h 37 pour me laisser sa fille pour la journée! Mais maintenant que je tiens la petite dans mes bras et que ma copine sort au pas de course, je crois bien finalement que ce n'est pas une blague. *Damn!* Qu'est-ce que je vais faire avec elle? Elle est beaucoup trop jeune pour jouer les assistantes.

Si Marie-Pier n'avait pas paniqué, nous n'en serions pas là. Aujourd'hui, c'est le retour de Félix Nadeau chez Honda Laverdière. Conséquence: plus question d'amener Eugénie à la garderie du garage.

Trop dangereux que le nouveau directeur marketing interactif devine qu'il s'agit de sa progéniture.

Marie a donc trouvé *in extremis* une place dans une garderie en milieu familial à Ahuntsic, sur le boulevard Gouin. Loin, pas pratique, mais c'est tout ce qu'elle a pu dénicher grâce à une cliente qui change de minifourgonnette aux deux ans. Et dont la belle-sœur détient un permis pour accueillir des enfants.

Mais quand elle s'y est pointée ce matin, elle a tout de suite su qu'elle ne laisserait pas sa fille là ; l'endroit, selon elle, n'était pas hyper propre, et il y avait deux petites qui semblaient enrhumées. Pas question qu'Eugénie attrape leurs microbes. Elle a rebroussé chemin et me voilà bien mal prise.

Dans moins de deux heures, je dois me rendre sur le boulevard Saint-Laurent, pour les festivités de la Semaine italienne de Montréal. Depuis trois jours, je bosse comme une folle sur ce contrat que ma mère m'a eu à la dernière minute. En fait, le photographe qui a d'abord été engagé n'a pas rempli les exigences de l'organisation et il a été viré.

Ma mère a eu vent de la nouvelle et a pressé le directeur, un bon ami à elle, de m'engager pour le remplacer. Ce qu'il a fait sur-le-champ, sans même m'avoir rencontrée. Faut croire que le charme de Charlotte Lavigne opère toujours.

J'ai donc commencé mon mandat le lendemain du départ de maman, qui est retournée au Costa Rica en me faisant promettre de la tenir informée de la santé d'Ugo. « Juré, craché », lui ai-je lancé avant qu'elle monte à bord du taxi qui l'a amenée à l'aéroport, après son bref séjour.

Une fois seule dans mon appartement, j'ai pu me concentrer à la préparation de mon nouveau mandat, qui m'accaparera aujourd'hui et tout le week-end.

Je suis bien heureuse d'être aussi occupée. Ça m'évite de penser à F-X et surtout à son silence de la dernière semaine. Depuis qu'il m'a annoncé qu'il voulait prendre ses distances, il ne répond plus à mes textos. Le seul signe de vie qu'il m'a donné, c'est quand il m'a écrit un long message par courriel, deux jours après notre chicane. Il me demande du temps. Encore une fois. Il m'a confié être inquiet pour sa conjointe qui fait des crises insensées pour un oui ou pour un non. Il a constaté que, depuis la naissance de Loukas, elle est de plus en plus perturbée. Son but est de l'amener tout en douceur à consulter un spécialiste. Parlait-il ici d'un psychiatre? Je l'ignore, mais, à mon avis, cela aurait du sens.

Il m'a aussi informée que, devant l'état préoccupant d'Ursula, il a remis à plus tard le baptême de son fils. Je ne sais pas comment il a réussi à la convaincre. C'est un véritable tour de force. Elle doit vraiment mal se porter pour qu'il agisse ainsi. Je ne peux pas nier que ça m'inquiète.

Par contre, j'en ai aussi assez de cette situation. Il me jure que c'est moi qu'il aime, que je suis la femme de sa vie, son seul et unique amour… mais ça ne suffit plus. Oui, je comprends qu'il ne peut pas la quitter présentement, mais je digère mal qu'il ne veuille plus me voir. C'est ça qui me blesse le plus. Je m'ennuie et, quand ça arrive, je fais des folies.

Et puis qui sait s'il sera libre un jour? Il a beau me garantir qu'il prend les précautions nécessaires pour qu'elle ne tombe pas enceinte à nouveau, ça ne vaut pas grand-chose. À moins qu'il pratique l'abstinence ou qu'il porte un condom, ce n'est pas lui qui contrôle ça.

— Ouin, ouin, OUIN!

Les pleurs de la petite me ramènent à l'instant présent. Oh là là, Eugénie… Qu'est-ce que je vais faire de toi? Je regarde la fillette en m'interrogeant sérieusement sur la possibilité que le Félix en question découvre la vérité d'un simple coup d'œil. C'est un peu exagéré, il me semble. Surtout si je mets à Eugénie son chapeau lilas en coton et que je le rabats un peu sur son visage.

C'est à ce moment que j'ai une idée du tonnerre. Je m'empresse de la mettre à exécution en fouillant dans le fond de ma garde-robe. L'objet que je recherche n'a jamais été utilisé. Mais aujourd'hui, il pourrait bien me sauver la vie.

*

— Mais c'est ma p'tite génie ! Viens voir grand-papa !

Le père de Marie-Pier tend les bras vers le bébé dès que j'arrive chez Honda Laverdière. Puis il s'arrête, l'air ahuri.

— C'est quoi, ces barbouillages-là ? lance-t-il en regardant le visage maquillé d'Eugénie.

C'était ça, mon idée de tout à l'heure : camoufler ses traits sous des dessins de fleurs et de papillons. Et puisque j'avais une trousse de maquillage pour enfants, laquelle m'avait été offerte lors d'une séance photo à une fête familiale, j'ai pu décorer ses petites joues et le reste de son visage comme bon me semblait. D'accord, le résultat n'est pas fameux, puisqu'elle ne tenait pas en place, mais au moins ça lui fait une sorte de masque.

— Bonjour, David, dis-je pour toute réponse.

— Bonjour, Juliette.

Son ton s'adoucit et il se penche pour me faire affectueusement la bise. Entre David et moi, je dois admettre que c'est spécial. Il est le seul homme de plus de trente-cinq ans avec qui j'ai couché, mais chutttttt ! N'en parlons pas puisque j'ai promis à mon amie d'oublier cet épisode de ma vie et de faire comme s'il n'avait jamais existé. Mais David Laverdière restera toujours pour moi un homme d'une infinie tendresse qui m'a apporté beaucoup de réconfort un soir de l'année dernière dans une spacieuse minifourgonnette.

— Comment vas-tu ? Il y a longtemps qu'on t'a pas vue ici.

— Ouais, j'ai été assez occupée.

Ce que je ne lui dis pas, c'est que je ne voulais pas indisposer sa fille, qui n'aimerait pas du tout me voir placoter avec son père comme je le fais actuellement. Mais aujourd'hui, c'est un cas de force majeure. Il serait toutefois préférable de mettre un terme à ma conversation et de déposer Eugénie à la garderie. Ni vu ni connu.

— Excuse-moi, David, je suis un peu pressée.

— Étiez-vous à une fête?

— Non, non, c'est juste qu'on s'est amusées un peu, elle et moi.

Il regarde soudainement à droite et à gauche de la salle d'exposition, l'air soucieux.

— Si tu veux mon avis, Juliette, ce serait mieux que Marie-Pier ne voie pas sa fille arrangée de même. Tu sais comment elle est.

— Toi aussi, tu trouves qu'elle est un peu *control freak*?

— Pas juste un peu. Ça fait plusieurs fois que j'essaie de lui en parler, mais elle ne m'écoute pas.

— Pareil pour moi.

— Donc ce serait mieux d'aller nettoyer la face de la petite aux toilettes.

— Hein? Non, non, elle est belle comme ça.

— Juliette, je dis ça pour toi. Elle sera vraiment pas contente.

C'est possible, mais je n'ai pas le choix. Je m'apprête à contourner David pour aller déposer Eugénie quand je reconnais la voix de Marie-Pier derrière moi. *Shit!*

— Donc j'attends de vos nouvelles d'ici la fin de la journée. Des offres comme celle-là, je peux pas en faire tous les jours.

Mon amie et des clients. Je souhaite vivement qu'elle soit retenue assez longtemps par ses acheteurs pour que je puisse filer en douce, les mains vides.

David, qui semble avoir saisi que je me trouve dans une position inconfortable, ouvre à nouveau les bras pour prendre sa petite-fille. Mais je l'en empêche. Je sais qu'il va se précipiter aux toilettes avec elle pour lui enlever ses artifices, et c'est hors de question. Elle doit arriver à la garderie barbouillée. Marie-Pier, qui sera sûrement furieuse, comprendra toutefois mon stratagème. Allez, fonce, Juliette!

Je n'ai pas fait deux enjambées que ma copine m'interpelle d'une voix plutôt mécontente.

— Juliette, viens ici!

À contrecœur, je me tourne pour lui faire face, appréhendant ce qui va suivre. Quand elle aperçoit sa fille, elle me lance un regard scandalisé.

— Maquiller un bébé! À quoi t'as pensé?

Elle me l'arrache des bras et se dirige vers les toilettes en claquant des talons. Je la suis et, en passant devant David, je l'entends me souhaiter discrètement bonne chance. Oui, j'en aurai bien besoin.

Une fois dans les toilettes, ma copine m'ordonne de lui rendre le sac à couches que je porte sur mon épaule. En silence, je le dépose sur le comptoir et elle en fait autant avec sa gamine.

— C'est super mauvais pour sa peau! dit-elle en fouillant d'une main dans le sac à la recherche d'une lingette, en encerclant sa fille de son autre bras.

— Veux-tu que je t'aide?

— Non! T'en as assez fait. Si ça lui cause des allergies, je te le pardonnerai jamais.

— Eille! Calme-toi, c'est du maquillage conçu spécialement pour les enfants.

— Pis ça? Elle est encore trop jeune!

— Mais non, ça va être correct. Arrête de dramatiser.

— Je dramatise pas!

Elle nettoie délicatement le menton d'Eugénie, qui se met à pleurnicher.

— Regarde ce que ça donne! Pourquoi tu l'as amenée ici? Je te demande un service une fois par année et t'es même pas capable de me le rendre!

— Je t'ai dit que je pouvais pas. Pis avec le maquillage, c'est sûr que Félix allait rien voir… Mais là, t'es en train de faire rater mon plan.

Tout à coup, Marie-Pier s'arrête et me regarde d'un air dépassé.

— Juliette, ça tourne pas rond dans ta tête.

— Comment ça?

— Je suis tannée de tes crisses de plans à la con. Faut que ça cesse.

— Moi, je trouve que c'était une bonne idée. Pis c'est pas de ma faute si j'ai de l'imagination.

Mon amie pousse un long soupir de découragement et se concentre de nouveau sur sa tâche. Il ne reste que quelques traces rouges sur les joues de la petite.

— Tu m'épuises.

Je ne sais pas quoi répondre à cette affirmation qui, dois-je admettre, ne me surprend pas vraiment. Je suis consciente que mes combines sont souvent un peu tirées par les cheveux, mais ça ne veut pas dire qu'elles ne fonctionnent pas. C'est vrai qu'elles peuvent virer à la catastrophe, mais j'atteins parfois mon but. Et cette fois, je suis convaincue que c'est ce qui se serait passé !

— Je te laisse avec tes problèmes, d'abord ! J'essayais juste de t'aider sans perdre mon contrat qui, je te le rappelle, est seulement mon deuxième en tant qu'entrepreneure.

Mes paroles ont calmé Marie-Pier. Elle réalise que sa requête de ce matin était plutôt égoïste.

— Excuse-moi, Juliette. Je capote un peu depuis que je sais que Félix revient ici.

— C'est correct, je comprends. Est-ce qu'il est rentré ?

— Oui. Il est venu me saluer.

— Fait que… tu vas faire quoi ?

— Prier pour qu'il s'aperçoive de rien.

Et là voilà qui sort des toilettes, résignée à aller mener Eugénie au service de garde du garage. Si elle souhaite que le père biologique de son enfant ne découvre pas la vérité, de mon côté, j'espère le contraire. Et je songe que ce serait peut-être une bonne chose de l'aider à y arriver. Si j'en décidais ainsi, je pourrais compter sur un allié en la personne de David. Mais attendons un peu… histoire que ma copine ne m'accuse pas une nouvelle fois de concocter des plans farfelus.

24

*L*a rutilante Lamborghini rouge stationnée sur le boulevard Saint-Laurent attire l'attention des festivaliers qui assistent à la Semaine italienne de Montréal. Assise à la terrasse d'un resto, j'admire moi aussi la décapotable, en sirotant un kir royal bien mérité. Je viens de terminer ma journée de travail en photographiant le spectacle folklorique qui était présenté en plein air. Tout s'est déroulé à la perfection. Je veux tellement éblouir mes clients que je me mets énormément de pression pour faire les meilleures images possible.

Étant donné que la journée d'hier a été plutôt quelconque côté inspiration, je suis soulagée de m'être reprise aujourd'hui. La colorée représentation à laquelle participaient une trentaine de danseurs vêtus de rouge, de vert et de blanc, les longues jupes qui virevoltaient et les souliers vernis qui claquaient au sol m'ont offert du bon matériel. Et que dire de ces visages à la fois souriants et concentrés qui m'ont permis de faire des gros plans dont je suis très fière. La lumière de fin de journée a apporté une touche *vintage* à certaines scènes que j'ai voulu immortaliser en noir et blanc.

C'est ce que je constate en faisant défiler les photos une à une sur mon portable. D'emblée, j'en élimine plusieurs et je m'attarde à d'autres. Comme celle-ci, prise du point de vue d'un danseur, qui nous montre un plan américain de sa partenaire attendant le signal du départ. L'arrière-plan légèrement flou des festivaliers rassemblés au parc Petite-Italie apporte une deuxième dimension à l'image.

— Belle photo!

Surprise, je me retourne et j'aperçois un gars debout derrière moi. Taille moyenne, cheveux châtains, de magnifiques yeux brun foncé avec des cils hyper fournis et un sourire engageant. Italien? Pas certaine.

— On se connaît?

— Euh, non, non. Je trouvais juste ta photo belle.

— Ah ben, merci.

Je reprends mon travail sans plus de façon, m'attendant à ce qu'il poursuive son chemin. Mais non. L'inconnu, que j'imagine au début de la trentaine, reste immobile, je ne sais trop pourquoi. Intriguée, je lui fais face à nouveau.

— Est-ce que je peux m'asseoir? me demande-t-il poliment, en indiquant du doigt la chaise vide à mes côtés.

J'hésite un moment, le temps de l'observer avec plus d'attention. Il est un brin trop habillé avec son complet gris pâle à carreaux, qui lui va toutefois à ravir.

— T'es pas mal chic pour un festival en plein air.

— Je rencontrais un client. Alors, je peux? J'ai passé le test?

J'avoue qu'un gars qui a autant d'assurance, ça me fait craquer. Mais inutile qu'il le sache tout de suite. Je m'amuse quelques secondes à le faire languir, dans un silence un peu pesant. Je cède finalement, lui offrant mon plus charmant sourire.

— OK. Tu peux t'asseoir.

Moqueur, il affiche l'air de celui qui l'a échappé belle et s'installe à mes côtés. Déjà, il me plaît. J'aime les gens qui ne prennent pas tout au pied de la lettre.

— Juliette, dis-je en lui tendant la main.

— Pierre.

Sa poignée de main est solide, sans aucune moiteur malgré la chaleur de ce samedi de la mi-août. Encore un bon point pour lui. Par contre, son prénom… On ne peut plus banal.

— T'as dit que tu rencontrais un client? T'es dans quel domaine?

— Euh… je suis représentant.

— Représentant de quoi?

— De… de systèmes informatiques pour les supermarchés.

— Ah bon. Pourquoi t'hésites?

— Parce que c'est pas très sexy comme job.

— Là, t'as raison. Ç'a même l'air plate à mort, dis-je en éclatant de rire.

— T'es pas gênée, hein?

— Bah. C'est ta job, ça veut pas dire que c'est toi.

Je lui fais un clin d'œil complice avant de terminer mon *drink* d'un coup.

— T'en veux un autre?

— Coudonc! T'es juste bon pour m'offrir ce qui est en spécial! Nahhh… Sans farces, un kir, c'est bon. Deux, ça tombe sur le cœur.

— Je suis pas *cheap*, tu sauras. Veux-tu souper avec moi?

Vite en affaires, le Pierre-quelque-chose! Une étape à la fois. Faisons tout d'abord connaissance.

— Non, j'ai pas faim. C'est quoi, ton nom de famille?

— Larochelle. Toi?

— Gagnon.

Pierre propose de commander un pichet de bière. Excellente idée! Quand la serveuse arrive avec nos verres, je lui fais de la place à table en déposant mon équipement par terre.

— T'es photographe de métier ou c'est un *hobby*?

— C'est mon travail.

— T'aimes ça?

Il ne m'en fallait pas plus pour me lancer dans un exposé dithyrambique sur les joies de faire de la photo professionnelle et le côté artistique qu'on peut exprimer en choisissant un cadre, un angle, un sujet.

— Moi, je ferais-tu des belles photos?

Oh my God! C'est trop la première fois qu'un gars me pose cette question. Je suis habituée de l'entendre de la bouche des filles, c'est souvent la première chose qu'elles me demandent, mais, là, j'avoue que je suis surprise… et touchée. C'est vraiment trop *cute*! J'en profite pour le scruter à la loupe. L'intensité de son regard me séduit totalement. Et en photo, tout est dans les yeux. Cette petite flamme, cette étincelle de séduction, Pierre la possède. Multipliée par dix.

— Tu serais pas pire pantoute.

Mon compagnon est flatté. Sourire aux lèvres, il verse de la bière dans nos verres. Nous trinquons à notre rencontre.

— Dans quelle position tu me prendrais? Debout? Assis?

Bon, là, ça devient carrément du flirt. Amusons-nous un peu, histoire de lui en mettre plein la vue, puisque c'est ce qu'il souhaite. Je regarde autour de moi à la recherche d'un élément de décor qui pourrait m'inspirer une réponse.

— Étendu.

— Étendu?

— Yep! Étendu sur le capot de la Lamborghini là-bas. Comme les pitounes de char.

Pierre éclate d'un grand rire franc et je l'imite. Nous buvons notre Boréale bien fraîche en profitant d'un moment de silence. Étrangement, je me sens à l'aise avec ce gars-là. Comme si je l'avais connu dans une autre vie.

— Et je garderais mon veston ou pas?

— Ben non. Tu l'enlèverais. Ça, pis le reste.

— Le resteeeeeee?

— Ben oui, le reste. Ton t-shirt, tes bas… pis ton pantalon.

— En bobettes?

— Ça, ça dépend de quoi elles ont l'air.

Pierre se penche, tire sur la ceinture de son pantalon pour regarder à l'intérieur. Je l'observe, fascinée par son sens de l'humour et de l'autodérision.

— Noires, ça ferait l'affaire?

— C'est pas juste la couleur qui compte. La forme, aussi. C'est un boxer ou des bobettes?

— Boxer.

— Parfait, je préfère ça.

— Parce que t'as déjà fait des photos de gars en sous-vêtements?

— Qu'est-ce que t'en penses? lui dis-je, coquine.

— Je pense que c'est ton genre.

— Tu me connais même pas et tu dis ça?

— Un *feeling* de même.

Je le laisse sur ses impressions, n'osant pas lui révéler que certains de mes modèles ne portaient rien. Il m'est arrivé par le passé de prendre des images de mes chums ou amants complètement nus. J'en ai d'ailleurs quelques-unes en réserve sur une clé USB dans le premier tiroir de ma commode, sous ma pile de strings.

Ma collection comprend quatre ou cinq gars qui ont accepté d'entrer dans mon jeu. D'autres ont refusé, craignant que j'utilise ces clichés à mauvais escient. Je me demande ce que F-X en penserait, lui. À mon avis, il s'y opposerait férocement. Songer à mon amant m'amène un moment de tristesse. Je ne peux pas nier qu'il me manque. Et pas juste pour le sexe. C'est tout lui dont je m'ennuie : la façon qu'il a de me faire sentir non seulement belle, talentueuse et compétente, mais aussi sa confiance aveugle dans ma réussite en affaires. Sans parler de l'infinie tendresse que je lis dans ses yeux quand il me voit faire des choses aussi banales que d'attacher mes cheveux en queue de cheval, d'étendre une bonne couche de Nutella sur mes toasts le matin ou de pouffer de rire en regardant pour la énième fois cette vidéo de chat qui se bat contre une imprimante.

Quand nous sommes ensemble, c'est comme si la Terre arrêtait de tourner. Il n'y a que lui et moi... jusqu'à ce que la réalité nous rattrape. Et qu'Ursula et Loukas remontent à la surface.

Oui, je suis profondément amoureuse de mon ami d'enfance, mais je ne peux pas passer ma vie à l'attendre. Surtout qu'il se fait encore et toujours silencieux. À part deux ou trois autres courriels, envoyés depuis son adresse professionnelle, je n'ai pas eu de nouvelles. Et c'est peut-être mieux ainsi puisque, chaque fois que je découvre un message de lui, j'en ai pour des jours à m'en remettre.

C'est qu'il a la plume virtuose, F-X. Il sait gagner le cœur d'une fille en lui écrivant des mots doux :

Je rêve à toi, à la dernière fois que tu as vibré dans mes bras.

Je te sens encore tressaillir tout entière contre ma poitrine.

Chaque fois, tu me fais le plus beau cadeau du monde.

Celui dont je ne peux plus me passer.

Dont je ne sais plus me passer.

Je suis accro, Juliette.

À ton corps, ton odeur, ton rire, tes larmes…
À tout ce qui est toi.
Ton absence rime avec souffrance.

Mais tout ça reste des mots. Pas des caresses, ni des conversations réconfortantes, ni des projets d'avenir.

C'est pourquoi je pense que ce Pierre Larochelle, qui ne semble pas barré à quarante, comme on dit, pourrait très bien mettre un peu de piquant dans ma soirée. Je reprends son style direct.

— Qu'est-ce qu'on fait après la bière ?

Il me jette un regard étonné. Eille, *man*, comme si c'est pas ce que tu souhaitais…

— Une séance photo ? propose-t-il.

— Où ?

— Chez toi ? Tu dois être bien équipée.

— Ah, j'ai tout le nécessaire, mais… non. Ni chez moi, ni chez toi.

— Où alors ?

— Surprends-moi ! On va aller manger une « pizz » avant, ça te donnera le temps d'y penser.

Là, il est déstabilisé pour vrai. Tout en buvant une longue gorgée de bière, je soutiens son regard, le défiant encore plus de m'impressionner.

25

STATUT FB DE **JULIETTE GAGNON**
À l'instant, près de Montréal
Moi, moumoune ? #never

— *J*'es malade ! Tu veux que je grimpe
là-dedans ?

— Fais-moi confiance !

Après un copieux souper au resto de papa, arrosé
d'une bonne bouteille de rouge, Pierre m'a emmenée
au pied de la croix du mont Royal qui illumine la ville
tous les soirs. Et là, il veut qu'on y monte pour aller
soi-disant admirer la vue et faire des photos. Dahhhh !

Je comprends maintenant pourquoi il a insisté
pour aller se changer pendant que je dégustais ma
torta Caprese. Il a troqué son costume contre un jeans
et un t-shirt gris avec l'inscription *Brooklyn NYC*.
Tenue beaucoup plus appropriée pour jouer au singe.

— Avec mon équipement en plus ?

— T'as qu'à le laisser ici, au sol.

— Pis me le faire voler? *No way.*

— Apporte juste ton appareil photo.

— Ça pourrait se faire, mais… non, non, non, ç'a pas de sens.

— Pourquoi?

— On va se casser la gueule. Ou se faire électrocuter. Ou se faire arrêter par la police.

— Ouin, je savais pas que t'étais moumoune de même…

Les paroles de mon compagnon me fouettent. Moi, moumoune? Il va voir que rien n'arrête Juliette Gagnon. Je souffre peut-être de nosocoméphobie, mais pas de vertige, et je ne suis surtout pas une poule mouillée.

— OK! Mais comment on fait pour traverser la clôture?

— On va l'escalader.

— Ben non, ça marchera jamais! Elle est conçue exprès pour nous en empêcher.

En effet, la clôture de métal recourbée m'apparaît infranchissable de ce côté-ci.

— On va faire sauter ça d'abord, suggère-t-il en me montrant une porte métallique verrouillée par un énorme cadenas.

— Hein? Ça va vraiment pas bien dans ta tête, toi!

— Quoi! Tu veux des trucs excitants? Je t'en propose.

— Oui, mais de là à faire du vandalisme, y a des limites. Pis tu vas pas le briser avec tes mains.

— Je peux aller chercher des outils si tu veux.

— Oublie ça, c'est trop mongol, ton affaire!

Je veux bien croire que je suis du genre à me retrouver dans le pétrin, mais quand ça m'arrive, je l'ai rarement vu venir. Là, c'est clair que le plan de Pierre ne peut que m'apporter des problèmes. De gros problèmes. Et puis j'ai beau être un peu soûle, il me reste une once de jugement.

Je m'interroge sur les véritables intentions de mon nouvel ami. Certes, je lui ai mis de la pression, mais qu'est-ce qu'il cherche en me suggérant de prendre part à des actes illégaux ? Seulement à m'impressionner ? Je n'en suis pas du tout convaincue.

— Moi, je m'en vais. Tu m'embarqueras pas dans tes histoires de fous.

Je m'éloigne en faisant attention de ne pas me blesser puisqu'on n'y voit pas grand-chose et que je ne suis pas aussi solide sur mes pieds que quand je n'ai pas bu. Soudain, il m'attrape par le bras. Je me retourne et j'essaie, malgré la pénombre, de lire dans son regard. Tout est flou.

— Non, reste. S'il te plaît, dit-il d'une voix plus douce.

— À condition que t'arrêtes avec tes conneries.

— Promis. Viens, on va aller s'asseoir. Il y a un banc pas très loin.

Je le suis en silence sur le sentier. La tension retombe peu à peu. Je me rends compte que je suis légèrement en sueur. Est-ce à cause de cette chaude soirée ou parce que je me sens un peu craintive ? D'accord, Pierre est super *sweet*, mais, au fond, je ne le connais pas.

Pendant le souper, j'ai tenté d'en savoir plus sur lui, mais tout ce que j'ai appris, c'est qu'il est célibataire depuis deux ans. Le reste du temps, il m'a fait parler de moi. Il m'a écoutée lui raconter mes déboires avec mon ex-*boss*, il m'a félicitée quand je lui ai dit que j'étais devenue ma propre patronne et il a su calmer mes angoisses de nouvelle entrepreneure en me donnant quelques judicieux conseils.

C'est toujours agréable d'avoir autant d'attention, on s'entend. Mais là, je me demande si ce n'était pas une façon de m'amadouer, de m'endormir un peu.

En posant les fesses sur le banc de bois, je ne suis pas plus avancée dans ma réflexion, et mes idées ne sont pas plus claires. Toutefois, je me sens moins coincée qu'au pied du monument lumineux.

— T'avais pas l'intention de grimper pour vrai?

— Si ça t'avait tenté, oui.

— T'es *weird*…

— Un peu, oui, mais j'ai l'impression que t'es le genre de fille à qui il faut en mettre plein la vue.

— Ben non, pourquoi tu dis ça?

— Je sais pas… Ton intensité, ton envie de vivre à fond pis de *tripper*: ça se sent tout de suite.

— Ça, c'est vrai. Mais j'en demandais pas tant… La croix du mont Royal: on sait même pas si on peut se tenir debout là-dessus.

— Oui, oui, je connais sa structure. Il y a une plate-forme en haut.

— Ah ouin? T'es déjà monté?

— Non, mais j'ai vu des manifestants le faire à la télé.

— Ah oui, je m'en souviens.

Assis à mes côtés, Pierre se rapproche sans subtilité et colle sa cuisse contre la mienne. Instinctivement, je me déplace de quelques centimètres. Il pousse un soupir de déception et me regarde comme un petit chien à qui on vient de faire de la *peipeine*. Les yeux suppliants, la tête baissée et le sourire triste… Ahhh, il va me faire craquer!

— J'ai perdu toutes mes chances?

— Là, tu t'aides pas. Tu parles comme un gars qui veut *scorer*.

— C'est pas ça, excuse-moi. Ouin, ça va mal, mon affaire.

— Plutôt, oui.

— Je peux-tu faire quelque chose pour me racheter?

— Me parler de toi.

— Qu'est-ce que tu veux savoir?

— Ta job, tes amis, ta famille… Moi, je t'ai tout raconté au souper, c'est à ton tour.

— T'es loin de m'avoir tout dit, Juliette. Je sais même pas si t'as quelqu'un dans ta vie.

— Est-ce que c'est une question?

— Ben… ouais.

Je m'arrête un instant, songeuse. Si je n'ai pas encore abordé le sujet de mon statut avec Pierre, c'est parce que j'ignore comment le définir. Dans mon cœur, F-X est mon chum et j'ai envie de lui être fidèle de la même manière que je le suis toujours avec mes amoureux. Enfin… presque toujours. Donc, oui, je suis prise. En théorie. Mais si le gars que j'aime couche avec quelqu'un d'autre, pourquoi je ne le ferais pas, moi aussi? C'est pas comme si je le trompais, ça s'annule.

Mes pensées me mettent en rogne contre moi-même. Pourquoi ai-je besoin de me justifier de la sorte? Il n'est pas là, F-X. Il est ailleurs, dans une autre vie, et je ne sais pas quand il va revenir dans la mienne. Ni même s'il va revenir… Alors pourquoi tous ces scrupules? Bien qu'un peu *strange*, Pierre me plaît. Il a un super beau cul, j'ai pu le constater depuis qu'il porte son jeans ajusté. En plus, toutes les conditions gagnantes sont réunies; j'ai des condoms dans mon sac de photo, je suis fraîchement *clippée* et je n'ai pas mes règles. C'est quoi, ton problème, Gagnon?

— Non, j'ai personne dans ma vie.

Le sourire de mon nouvel ami en dit long sur ses intentions. Profite de ta chance, mon homme, parce que si tu ne le fais pas je vais m'organiser pour qu'un autre le fasse.

La main de Pierre se glisse dans mon dos, soulève ma camisole et caresse ma peau moite, s'attardant au creux de mes reins. Je sens mon corps se détendre et je ferme les yeux pour mieux m'abandonner. Il poursuit son exploration et remonte tranquillement le long de mes côtes, jusqu'à mon soutien-gorge. Là, il vient de m'allumer solide. De ses doigts, il effleure mon sous-vêtement et, de ses lèvres chaudes, il m'embrasse dans le cou, juste sous l'oreille, faisant monter le désir encore plus. J'ai trop envie de baiser, là, tout de suite. Qu'il soit Pierre, Jean ou Jacques m'importe peu, je veux qu'il me prenne sans plus de préliminaires.

J'ouvre les yeux, je me lève et je lui indique de me suivre. Nous nous éloignons du sentier trop éclairé, jusqu'à ce que je trouve un arbre robuste. J'appuie mon dos contre le tronc et, coquine, je lui fais signe de me rejoindre.

Quinze minutes et deux orgasmes (pour moi ☺) plus tard, nous sommes encore en pleine action. L'écorce de l'érable érafle mes omoplates nues, et mes fesses que ma jupe relevée ne protège pas. J'ai beau dire à Pierre d'y aller moins fort, il m'écoute deux secondes et reprend son rythme soutenu et saccadé. Je commence à en avoir assez.

— Tu peux-tu venir, s'il te plaît ?

— Tout de suite ?

— Oui, je vais être tout égratignée si ça continue.

— On peut changer de position si tu veux.

— J'aimerais mieux qu'on termine, OK ? Faudrait pas se faire pogner, il doit y avoir des patrouilles ici.

— OK, caresse-moi.

Il prend ma main, la dépose contre sa poitrine et me guide vers ses mamelons. Moi, les gars qui ont besoin de stimulation pour jouir, ça m'énerve. Mais je m'exécute, histoire qu'on en finisse.

Juste au moment où je sens qu'il va finalement exploser, quelque chose de poilu frôle mon mollet droit.

— TABARNAK ! C'EST QUOI, ÇA ?

Paniquée, je repousse Pierre en pleine éjaculation et je m'enfuis en courant.

— Qu'est-ce qui t'arrive ? me lance-t-il.

— Des ratons laveurs ou je sais pas quoi ! Viens-t'en, pis apporte mon sac et mes bobettes.

— Mais non, y a rien pantoute.

— Je te le dis! Y a une bibitte qui est passée à côté de moi.

Une fois sur le sentier éclairé, je respire mieux. Je rabats ma jupe sur mes cuisses et j'attends mon compagnon. Il surgit quelques secondes plus tard, l'air un peu dérouté. Ouais, j'avoue que ce n'est pas terrible de se faire interrompre son plaisir aussi brutalement, mais il n'avait qu'à se grouiller! S'il avait bu moins de vin, il aurait sans doute été un peu plus expéditif.

— Tiens, dit-il en me remettant mon précieux équipement photo.

— Mes bobettes?

— Je les ai pas vues.

— *Shit!* Bon, je vais m'en passer. Pas envie de retourner là-bas.

— T'es certaine qu'il y avait un animal? On l'a même pas entendu.

— Eille, je suis pas folle! C'était peut-être une mouffette? Tu t'imagines si elle nous avait arrosés? Ouache!

— Mais non, une mouffette, ça dégage une forte odeur. On l'aurait sentie.

— C'est vrai. Un renard d'abord? Il aurait pu nous mordre!

— Peut-être, mais il l'a pas fait. Relaxe.

Un silence un peu gêné s'installe entre nous deux. On fait quoi maintenant? Bye-bye et chacun chez soi? Un peu bête, non? Je me sens obligée de lui faire une proposition.

— Bon… ben… Veux-tu aller prendre un verre?

— OK.

— Faudrait juste que je trouve une pharmacie ouverte.

— Pourquoi?

En guise de réponse, je lui tourne le dos.

— C'est-tu pas mal éraflé?

— Honnn… Ouin, faudrait mettre de l'onguent, je pense.

— C'est si pire que ça?

— Non, non, mais c'est rouge… Excuse-moi, j'avais pas réalisé.

— C'est pas grave.

Pierre se rapproche, penaud.

— As-tu aimé ça quand même?

Bon, encore un gars insécure qui a besoin de se faire rassurer sur sa performance. Si on oublie le fait qu'il lui a fallu pas mal de temps pour jouir, l'incident bibitte et mes écorchures, c'était bien. Surtout qu'il a su rapidement comment me contenter. Mais enjolivons les choses un peu, pour qu'il ne perde pas confiance en lui.

— C'était super bon. Vraiment.

Il me fait un large sourire et nous quittons le parc du mont Royal. Lui, son *ego* satisfait, et moi, ma libido comblée.

26

Il y a une heure, près de Montréal
Quelqu'un connaît un bon site de références sur la boxe ? Pour l'instant, le seul pugiliste que je connais, c'est Rocky.

— *J*uju, il aurait fallu que tu soignes ça avec plus de précautions. C'est en train de s'infecter.
— Ben oui, mais c'est pas évident de se mettre de l'onguent dans le dos toute seule. T'essaieras pour voir !
Ce midi, j'ai appelé Clémence à la rescousse pour qu'elle vienne vérifier les blessures que j'ai subies il y a quelques jours contre le tronc d'un érable massif.
Tube d'onguent antibiotique à la main, elle termine mon traitement en me posant des questions sur mon aventure.
— Ce gars-là, tu vas le revoir ?
— Je pense pas, non, on a même pas échangé nos numéros.

— Il te l'a pas demandé?

— Il a dit qu'il allait me faire une demande d'amitié Facebook, mais j'ai rien vu encore.

— T'es déçue?

— Non. Il est fin, il est *cute*, mais…

— Mais?

— Il m'intéresse pas vraiment.

— Et y a l'autre dans le portrait, lance mon amie d'un ton légèrement exaspéré.

Je n'ai pas envie qu'on me fasse la morale quand j'ai le dos tourné. Je me lève et je lui fais face.

— C'est pas ça!

— Ben oui, c'est ça, Juju. Tu t'empêches de vivre à cause d'un gars qui est pas là pour toi et qui le sera peut-être jamais.

— J'ai quand même baisé avec un autre.

— OK, mais avoir un chum, un vrai, c'est pas ça que tu veux?

— Je veux F-X, bon!

J'adopte le ton d'une enfant qui boude. Ce qui, je l'espère, mettra Clémence dans de meilleures dispositions à mon endroit. Et ça fonctionne à merveille, elle m'ouvre tout grand les bras.

— Ah… pauvre chouette, viens ici.

Je me réfugie contre sa poitrine accueillante, en constatant à quel point il manque de *hugging* dans ma vie actuelle. Dès mon enfance, j'ai été habituée aux étreintes. On m'en faisait tous les jours, même plusieurs fois par jour. Quand ce n'était pas maman, c'était papa, nonna Angela ou Ugo. D'ailleurs, depuis que mononcle est malade, je n'ose plus le déranger pour un oui ou pour un non. Je lui parle presque aussi souvent qu'avant son cancer, mais, maintenant, c'est moi qui m'informe de lui et qui tente d'en prendre soin.

Selon ce qu'on en sait, il répond bien à ses traitements, et le dernier est prévu dans quelques jours. Ensuite, il faudra patienter plusieurs semaines, peut-être même des mois avant de savoir si les cellules cancéreuses ont été anéanties pour de bon. L'attente va être longue.

C'est la première fois de ma vie que je suis confrontée à la maladie d'un proche. Et je trouve que je réagis bien mal, comme me l'a fait remarquer Clémence récemment au cours d'une conversation téléphonique. Encore une fois, je lui avais exposé les pires scénarios sur l'avenir de mon sexagénaire adoré, extrapolant sur ses chances de guérison et sa survie.

Ma copine m'a ramenée à l'ordre en me chicanant gentiment. Elle estime que je dois me montrer plus forte, plus optimiste et surtout… moins égocentrique. Je ne le sais que trop bien. C'est quand vient le temps de mettre ça en application que j'en arrache. Je perds les pédales juste à penser à ce qui peut arriver.

Parfois, je crains de ne pas être assez outillée pour affronter les épreuves de la vie qui, inévitablement, surviendront. Comme si j'avais été absente au moment où le courage a été distribué sur la Terre.

Ça me désole. Je tente d'être une meilleure personne, mais j'avoue que je suis un peu démunie quant à la façon de faire. J'ai essayé quelques méthodes lues sur Internet, dont l'autohypnose, mais sans résultats probants.

Je n'ai pas réussi à me calmer en prenant de grandes respirations abdominales. Ni à croire vraiment à la phrase suggestive que je devais répéter une dizaine de fois : « Je suis une fille courageuse et capable de surmonter les difficultés de la vie. »

Mon esprit partait toujours ailleurs. Je pensais à l'organisation de ma séance photo prévue pour l'après-midi, à F-X qui doit être malheureux comme les pierres depuis qu'on ne se voit plus et, bien entendu, à Ugo qui, malgré la maladie, est solide comme le roc.

Il ne se plaint jamais. À un point tel que ça m'inquiète. Maman aussi, d'ailleurs. Elle me l'a mentionné lors de notre dernier rendez-vous sur Skype.

Elle n'en revient pas qu'il ne pique pas de colère, qu'il ne se rebelle pas, qu'il ne crie pas à l'injustice. Toutes les deux, nous avons peur qu'il ne soit pas assez combatif.

Nous étions dans un tel état d'énervement mardi soir que papa a dû intervenir pour nous calmer. Ce n'est pas parce que la réaction d'Ugo est différente de celle que nous aurions nous-mêmes qu'elle est malsaine pour autant, nous a-t-il précisé.

Pour préserver notre santé mentale, nous avons convenu, maman et moi, de ne plus parler de mononcle. Dorénavant, elle obtient ses renseignements par Bachir qui, lui, ne l'encourage pas dans ses élucubrations.

— Ça va aller, tu vas voir.

Douce Clémence qui sait me réconforter. Heureusement qu'elle est dans ma vie, ma sage amie. Parfois, j'ai le sentiment que notre relation est inégale, que c'est elle qui donne et moi qui reçois. Là encore, ça fait partie des choses que je désire améliorer chez moi. Commençons tout de suite.

— Et toi? Y a du nouveau avec ton chroniqueur sportif?

— Un peu, oui.

— Hein? Tu m'as caché ça? Raconte!

Contrairement à ce que je m'attendais, elle n'est pas du tout emballée à l'idée de m'en parler. Je dirais qu'elle est plutôt tourmentée.

— Ben voyons, qu'est-ce qui se passe, Clem?

— Je me suis mise dans le trouble solide.

— Comment ça?

— Il m'a invitée à la boxe.

— Ouin, pis? C'est *hot*, la boxe. C'est vrai que je connais rien là-dedans, mais c'est ce que tout le monde dit.

— Moi non plus, et c'est ça qui me *bug*.

— C'est pas grave, tu peux t'amuser quand même.

— Tu comprends pas. Oui, c'est grave.

J'ai rarement vu ma copine aussi torturée. J'ai de la misère à la suivre. Qu'est-ce qu'il y a de si terrible à être une ignorante de la boxe?

— Juju, je lui ai dit que je connaissais ça sur le bout des doigts.

— Hein? Pourquoi t'as fait ça?

— Je sais pas, pour l'impressionner. À ce moment-là, je savais pas qu'il allait me demander de l'accompagner à un match.

Je suis sidérée par son attitude. Trop pas son genre de se mettre dans le trouble à ce point.

— Depuis quand tu fais des gaffes à la Juliette Gagnon?

— Je sais. C'est pas moi, ça. Mais l'autre matin, au maquillage, il en parlait avec tellement de passion que c'est sorti tout seul. Je lui ai dit que je suivais la boxe depuis des années.

— Qu'est-ce qu'il a répondu?

— Qu'il trouvait ça extraordinaire qu'une femme comme moi s'intéresse à ce sport.

— C'est plutôt gentil, non?

— Peut-être. Mais tu te rends compte de quoi je vais avoir l'air? D'une vraie folle!

Son ton complètement paniqué me laisse croire qu'elle prend beaucoup trop à cœur cette histoire.

— Clem, *come on*! T'as juste à lire des trucs sur Internet, ça doit pas être si compliqué que ça. Ils se cognent dessus, y a rien de sorcier là-dedans.

— C'est pas ça qui m'inquiète. Je suis capable de retenir qu'il y a douze reprises.

— Douze quoi?

— Douze reprises, douze tours.

— Douze *rings*?

— Non, douze combats de deux, trois minutes.

— Ah! Douze *rounds*?

— Exact.

— C'est pas quinze?

— J'ai lu douze sur Internet.

— J'avais l'impression que c'était quinze.

— Ah! Juju! Arrête! Tu me mêles encore plus.

— Bon, bon. Et si tu regardais des films de boxe, hein? Il y en a eu plein ces dernières années.

Je m'empare de ma tablette qui traîne sur la table de la cuisine pour faire une recherche sur Google, mais Clémence me l'enlève des mains.

— Ça sert à rien. C'est l'actualité, mon problème.

— L'actualité?

— Ben oui! Tel joueur qui a gagné tel combat, en telle année. Tout ce dont je me souviens, c'est qu'il y a un Pascal je-sais-pas-qui.

— Jean Pascal, Clem.

— Tu le connais? Jean-Pascal qui?

— Non, Jean Pascal tout court.

— Ah oui, c'est vrai! Tu connais ça, la boxe?

— Pas vraiment. Mais je sais que les vedettes, c'est lui et Lucian Bute.

— OK, mais ensuite? Il va vite s'apercevoir que je lui ai menti.

— C'est quand, le match?

— Demain soir.

— Aïe!

— Comme tu dis.

Je réfléchis quelques secondes à la situation. Il faut que je trouve une solution pour lui venir en aide. Pauvre Clémence! Elle qui misait beaucoup sur ce collègue avec qui elle a développé une certaine complicité.

Elle m'a raconté qu'ils ont commencé à jaser ensemble quand elle l'a vu manger une soupe aux légumes à 9 heures du matin, après l'émission de télé à laquelle ils collaborent tous les deux. Levé depuis 4 heures, Yanni Tassé en avait marre de se nourrir de toasts ou de céréales deux fois par jour. C'est alors qu'il a troqué son deuxième déjeuner contre un dîner léger, presque toujours composé de soupe et d'un morceau de fromage.

Mon amie, en tant que nutritionniste chevronnée, l'a chaudement félicité pour ce choix judicieux. «On consomme jamais trop de légumes», lui a-t-elle mentionné. Flatté, le chroniqueur lui a confié qu'il préparait lui-même la soupe, le dimanche après-midi, avec un bouillon de poulet maison. Il n'en fallait pas plus pour qu'elle le veuille dans son lit et dans sa vie au plus vite.

De fil en aiguille, ils se sont raconté leur quotidien de parents monoparentaux une semaine sur deux, trouvant ainsi une oreille compréhensive. Tout allait pour le mieux dans le meilleur des mondes jusqu'à ce qu'elle ambitionne en voulant lui en mettre plein la vue. Ce qui n'était même pas nécessaire, j'en suis convaincue. Maintenant, on en est à l'étape du *damage control*.

— Clem, est-ce que tu connais un *fan* de boxe? Quelqu'un qui pourrait te fournir des infos?

— Euh… je sais pas trop. Toi?

— Faudrait demander à Marie-Pier. Peut-être que ses frères regardent ça.

— Pourquoi? Pour me donner un cours accéléré?

C'est alors que je lui soumets mon plan qui, s'il fonctionne comme sur des roulettes, lui évitera la disgrâce.

— Mieux que ça. Pour être avec toi, le soir du match.

— Hein? Ça va faire bizarre que j'emmène quelqu'un à notre *date*.

— Non, pas physiquement avec toi. Mais dans ton oreille, pour te souffler les réponses.

— Juliette, voyons donc! On est pas dans un film de James Bond!

— Quoi! Ça existe, ce genre de dispositif. Tu portes un micro et une oreillette. De cette façon, il écoute votre conversation et, toi, tu répètes ce qu'il te dit.

Clémence me regarde comme si j'étais une extraterrestre. Comment se fait-il qu'elle ne réalise pas que mon idée est géniale? Qu'elle va lui sauver la vie? Je pousse mon argumentation plus loin.

— Ça marche, je te dis. Je l'ai vu dans *Revenge*.

— Juliette, on est pas dans une série télé. On est dans la vraie vie. Tu me vois répondre à Yanni avec quelques secondes de décalage? En plus, ça va être hyper bruyant au Centre Bell, j'entendrai rien… Non, non, non!

— Fais ce que tu veux, d'abord. Moi, je voulais juste t'aider.

Vexée de ne pas recevoir les félicitations que j'estime méritées pour mon sens de la débrouillardise et ma créativité, je m'éloigne au salon pour faire du rangement. J'attrape tout ce qui traîne sur la table basse: *gloss* translucide, factures d'épicerie, balle antistress en forme de cochon rose, chargeur pour les piles de mon appareil photo et quelques bonbons égarés. Je dépose le tout dans le petit panier à côté du sofa. J'époussette ensuite la table avec la manche de mon chandail.

Ma copine se pointe derrière moi et me tend une éponge humide.

— Ça va aller mieux avec ça, je pense.

Je prends l'objet de ses mains, je la remercie du bout des lèvres et je poursuis ma tâche ménagère.

— Tu me boudes?

— Non.

— Juju! T'as quel âge?

J'admets que mon comportement est enfantin. Mais je me faisais une telle joie d'organiser une mission d'espionnage pour elle; choisir le matériel, le tester dans un lieu tapageur, trouver notre complice. Ça m'aurait fait un beau programme pour le reste de la journée qui s'annonce plate à mourir.

— Excuse-moi, Clem. Je pense que je me cherche des activités.

— T'as pas de contrat aujourd'hui?

— Non, demain seulement.

— Ça va bien, tes affaires?

— Ouais. J'aimerais que ça aille plus vite, mais au moins je chôme pas.

— As-tu plusieurs trucs de *bookés*?

— J'ai une couple de mariages en septembre, mais c'est pas ce qui va me faire vivre.

— Rien d'autre?

— Pas pour l'instant, mais j'ai offert mes services à des revues féminines pour faire les photos qui accompagnent les reportages.

— Oh, wow! Ce serait *nice*!

— Yep! J'espère que ça va marcher.

— C'est sûr, sois confiante.

Le sourire encourageant de Clémence me réchauffe le cœur. Décidément, elle est une top amie!

— Mais toi? Qu'est-ce que tu vas faire demain au match de boxe?

— J'ai pas le choix. Je vais annuler.

— Pas question!

— Je serai pas capable de le regarder dans les yeux quand il va découvrir mon mensonge. J'ai trop honte.

— Dans ce cas-là, il reste seulement une solution.

— Oui, c'est de ne pas y aller.

— Non. C'est de lui dire la vérité.

— Je peux pas faire ça!

— Pourquoi pas? Moi, si un gars avouait avoir menti pour m'impressionner, je trouverais ça super *cute*.

— Je suis vraiment pas certaine.

— Qu'est-ce que t'as à perdre?

— Ma réputation.

— Pouaaaahhh! Clem, *come on*! Tu t'es pas retrouvée sur Facebook les boules à l'air ou sur une vidéo en train de *frencher* trois gars: ça, ça fait perdre une réputation. Pas un mensonge innocent comme celui que tu as dit à Yanni.

— T'as peut-être raison…

— Bon! Envoye, prends ton cell, appelle-le tout de suite!

— Ahhh, que t'es intense!

— Ben oui! Pis c'est pour ça que tu m'aimes!

Au moment où elle s'apprête à composer le numéro de Yanni, c'est mon appareil à moi qui sonne dans la pièce. Je me précipite dessus.

— C'est F-X !

— Il est temps qu'il te donne des nouvelles, lui.

— Mets-en. Ça fait deux semaines qu'on s'est pas parlé. On s'est juste envoyé quelques courriels.

Je réponds en roucoulant.

— Salut. Je suis trop contente que tu m'appelles.

— …

— F-X ? Tu m'entends ? Parle-moi, ça fait longtemps. Je m'ennuie, moi.

Un autre lourd moment de silence au bout du fil. Soudain, la suite me fait peur… Et ma crainte se matérialise quand j'entends une voix féminine.

— Ostie de *bitch* !

Shit ! C'est Ursula !

— J'étais certaine qu'il y avait quelque chose entre vous deux. Là, j'ai la confirmation.

— De quoi tu parles, Ursula ?

— Tu t'es pas entendue ? Tu mouillais au téléphone.

— Tu dis n'importe quoi ! Il se passe rien pantoute avec F-X. C'est un ami, pis j'ai le droit de m'ennuyer de lui.

Il faut que je sauve les meubles. Ne pas me laisser démonter et lui mentir effrontément : c'est ce que je dois faire. Je jette un coup d'œil à Clémence qui ne peut cacher son air horrifié. Rien pour m'encourager.

— Je le trouvais bizarre ces derniers temps, poursuit miss Tzatziki. Je comprends pourquoi, maintenant.

— Tu te fais des idées.

— Je pense pas, moi. Depuis quand vous couchez ensemble ?

J'hésite. Si je m'écoutais, je lui répondrais que c'est depuis le début de l'été que nous sommes profondément amoureux et que, bientôt, il va la quitter pour vivre avec moi. Mais je repense à sa santé mentale fragile et je conclus qu'il est préférable de m'en tenir à ma première résolution : lui faire croire qu'elle a tort.

— Ursula, je suis persuadée qu'il t'est fidèle. F-X, c'est pas un gars comme ça.

— Ah oui ? Et pourquoi il insiste pour mettre des condoms avec moi, hein ? Parce que tu lui as refilé une *fucking* maladie, je suppose !

— Pas pantoute !

J'avoue que je suis soulagée d'apprendre que mon amant se protège avec sa conjointe. Contrairement à ce qu'elle croit, ce n'est pas pour éviter de lui transmettre une ITSS, mais bien pour qu'elle ne tombe pas enceinte.

— Ça m'étonnerait pas ! Tu dois être du genre à coucher avec cinq ou six gars en même temps.

— Eille, ça va faire, les insultes !

Devant mon ton agressif, Clémence me fait signe de me calmer et de mettre fin à la conversation. Avant, je veux m'assurer d'au moins dissiper le doute dans la tête d'Ursula, qui a décidé de se défouler sur moi.

— T'es rien qu'une petite agace. La première fois que je t'ai rencontrée, j'ai tout de suite su que j'allais avoir des ennuis avec toi.

Je dois vraiment prendre sur moi pour ne pas l'invectiver à mon tour. Respire, Juliette, respire !

— Je te jure que tu te trompes.

— Menteuse ! Pis tu jures en plus ? T'as vraiment pas de morale. Je sais pas comment t'as été élevée, mais tes parents ont manqué leur coup, c'est clair !

Là, c'en est trop ! Je ne peux plus me laisser injurier de la sorte sans me défendre. Encore moins quand on accuse mes parents !

— Tu sais quoi, Ursula ? T'es rien qu'une crisse de folle qui fait chier tout le monde !

Même si Clémence agite les bras devant moi pour me signifier d'arrêter, je ne peux m'empêcher de continuer dans ma lancée.

— C'est toi qui as pas de morale. Tu renies ton amie parce qu'elle est gaie. T'habilles ton garçon en fille. Ça va pas bien dans ta tête. Il est temps que tu te fasses soigner.

J'attends sa réplique, mais rien ne vient. Ursula est muette. Je suis peut-être allée trop loin. J'éprouve soudainement un sentiment de culpabilité.

— Ursula?

— …

— T'es là? T'es correcte?

— Toi, tu me voleras pas mon mari! Pis tu vas payer cher pour ce que t'as fait.

Miss Tzatziki raccroche, et je reste figée de longues secondes, mon téléphone toujours à l'oreille. Le ton menaçant qu'elle vient d'employer me donne des frissons dans le dos.

27

— *E*nfin! Te v'là!

— Juliette? Qu'est-ce que tu fais ici?

— Faut que je te parle.

Voilà une heure que j'attends F-X à la réception de sa firme d'architectes. Aussitôt l'appel d'Ursula terminé, j'ai tenté de le joindre par courriel et par Facebook puisque, visiblement, il avait oublié son téléphone à la maison, ce qui a permis à Ursula de s'en servir pour me piéger.

Mais comme il ne répondait pas, j'ai communiqué avec la réceptionniste de son bureau. Elle m'a informée qu'il serait de retour en milieu d'après-midi. Je me suis donc ruée au deuxième étage d'un bâtiment plus que centenaire du Vieux-Montréal, où je n'avais jamais encore mis les pieds. Pour camoufler les égratignures dans le haut de mon dos, j'ai enfilé un t-shirt à encolure ronde pas très beau, mais bien pratique aujourd'hui.

Mon amant me lance un regard inquiet, puis m'indique de le suivre. En passant devant la réceptionniste qui m'a observée angoisser pendant la dernière heure, je sens le besoin de justifier ma présence :

— Mon chantier va très mal. Les gars de la construction font la grève, je sais plus quoi faire.

— Bonne chance, me répond-elle d'un ton que je ne crois pas très convaincu.

Les petits locaux de la jeune entreprise sont vraiment magnifiques. Les murs de pierre d'origine côtoient les grands pans de verre qui délimitent l'espace de travail de chacun, et le mobilier de bureau contemporain est d'un bel anthracite. Heureux mélange de traditionnel et de moderne. J'adore.

Même si l'endroit est désert, F-X referme la porte de son bureau derrière nous. Pas vraiment privé, puisqu'on peut nous voir à travers les cloisons vitrées.

— Qu'est-ce qui se passe ? me demande-t-il, encore plus soucieux.

Je l'observe avant de répondre. Même s'il a les traits légèrement tirés, je constate qu'il est toujours aussi beau. Ses cheveux, qu'il n'a pas fait couper depuis un moment, tombent sur ses yeux verts, et sa barbe de trois jours lui donne un petit air de *bad boy* que je ne déteste pas. Me retrouver si près de lui me donne envie de lui sauter dans les bras.

Je m'approche et je prends sa main dans la mienne.

— Tu me manques. Tellement.

— Toi aussi, Juliette.

Mes yeux dans les siens, je caresse ses longs doigts fins. Un doux silence, rempli de tendresse, flotte dans la pièce. Je voudrais rester là des heures, à me perdre dans son regard amoureux. Mais la réalité me rattrape au moment où ma main rencontre son alliance. Je m'éloigne d'un coup sec.

— Ursula est au courant pour nous deux.

— Hein? Comment ça?

— Elle m'a appelée tantôt pour m'engueuler comme du poisson pourri.

Je crois qu'il est inutile de lui préciser que j'ai peut-être contribué à sa découverte en commettant une gaffe quand j'ai répondu. *Anyway*, à mon avis, elle le savait déjà.

— Qu'est-ce qu'elle t'a dit, au juste?

— Que je lui volerais pas son mari, que j'allais le payer cher.

— Elle t'a menacée?

— Ouin, on peut dire. Elle avait vraiment l'air en tabarnak.

— Elle criait?

— Non, pas vraiment. C'était plus comme... glacial, méchant.

— Elle va de plus en plus mal, dit-il, secoué par mes propos.

— Qu'est-ce qu'elle fait? Elle habille encore Loukas en fille?

— Quand je suis pas là, oui. Elle pense que je le sais pas, mais je suis tombé sur une pile de linge sale l'autre fois, pis y avait un petit pantalon rose.

— *Oh my God!* Si elle le fait en cachette, c'est pire, non?

— C'est pas bon signe, en tout cas. Pis ce qui m'inquiète aussi, c'est qu'elle s'isole avec lui. Elle ne voit plus ses amies.

— Ah ouin? Et sa famille?

— Elle accepte de voir sa mère. Je lui ai parlé, d'ailleurs, pour qu'elle la convainque de consulter, mais Ursula refuse carrément. Elle non plus ne sait plus quoi faire.

— C'est clair qu'elle a besoin d'aide.

— Oui. Le problème, c'est qu'elle compte beaucoup sur moi. Mais ça suffit pas.

Ce qu'il me raconte me chagrine au plus haut point. Un peu pour Ursula, mais surtout pour lui… et pour nous deux.

— Ça veut dire qu'on se verra toujours pas ?

Il balaie le couloir du regard, puis, comme nous sommes encore seuls, il s'avance vers moi. Doucement, il écarte une mèche de cheveux de mon visage et me caresse la joue. Puis il descend le long de ma nuque jusqu'à mon épaule. Je reste immobile, à espérer une réponse positive.

— Ça va être difficile. D'autant plus qu'elle va toujours me surveiller.

Peinée, je baisse la tête et je fixe le plancher d'érable très pâle. Ma voix n'est plus qu'un murmure.

— Qu'est-ce que tu vas lui dire ?

— Je sais pas encore. Je vais nier.

— C'est ce que j'ai fait, mais elle m'a pas crue.

— Moi, elle va peut-être me croire.

À l'idée de continuer à me passer des bras de F-X, je sens les larmes me monter aux yeux. Je suis triste, mais j'éprouve aussi un profond sentiment d'incompréhension. Pourquoi on n'a pas le droit de vivre notre passion comme les amoureux que nous sommes ? À cause d'une crisse de cinglée qu'on veut protéger ? La vie est injuste ! Je ne veux pas croire qu'il ne peut en être autrement !

Bats-toi, Juliette ! J'essuie mes larmes et je relève la tête, décidée à ne pas abandonner la partie.

— Pourquoi tu la laisses pas ?

C'est à son tour de fuir mon regard. Il demeure silencieux, alors je poursuis :

— Elle va s'en remettre. Tout le monde s'en remet.

Il repose les yeux sur moi.

— Je suis pas certain, Juliette. J'aimerais mieux attendre qu'elle aille mieux, tu comprends ?

Comprendre oui. Accepter, jamais !

— Je veux au moins qu'on se voie. Comme avant.

Tout à coup, je n'en peux plus. Je me jette dans ses bras, et il m'enlace tendrement, en me caressant le bas du dos. Son geste m'apaise, et une partie de mon angoisse disparaît.

— OK, promis. Je vais à Ottawa la semaine prochaine. Si t'es libre, tu viens avec moi.

Tout heureuse, je l'embrasse passionnément en fermant les yeux pour mieux savourer ce moment. Je les ouvre quelques secondes plus tard parce que F-X met fin à notre baiser. Je constate que nous ne sommes plus seuls. De l'autre côté de la vitre, un homme se tient dos à nous, penché sur une table à dessin.

— C'est qui?

— Mon associé. Fais-toi-z'en pas. Il est au courant.

C'est vrai! Je me souviens de lui avoir déjà parlé au téléphone. Rassurée, je retourne à mon amoureux.

— C'est quel jour, Ottawa?

— Mercredi. Je vais m'organiser pour qu'on revienne seulement jeudi matin.

— Yé! J'ai pas de contrat.

— *Cool!*

Je suis tout heureuse à l'idée que, dans six jours, nous nous retrouverons seuls pour une nuit complète.

Derrière moi, on cogne à la porte du bureau. F-X va ouvrir et je me retourne pour voir qui vient de frapper. Et c'est là que j'ai tout un choc! Le gars qui se tient devant moi est celui avec qui j'ai baisé il y a quelques jours dans la forêt du mont Royal: Pierre Larochelle!

— Juliette, je te présente mon associé, Simon-Pierre.

— Salut, dit-il en me tendant la main comme si de rien n'était.

Je suis sans voix. Je n'en reviens pas. Si moi, je suis surprise – *flabbergastée* serait le mot juste – de le trouver ici, lui ne semble pas l'être le moins du monde. Il ne m'apparaît pas aussi mal à l'aise que je le suis.

Comme si c'était naturel que je sois dans ce bureau. Ah, le salaud!

Je suis convaincue qu'il savait exactement qui j'étais quand il m'a abordée sur la terrasse d'un resto du boulevard Saint-Laurent.

— Juliette, ça va? m'apostrophe F-X, étonné par ma réaction, ou plutôt ma non-réaction.

— Euh… oui, oui.

Je garde ma main bien rangée. Pas question de serrer la sienne! Je me demande ce qu'il voulait en baisant avec l'amante de son associé. Le narguer? Est-il en compétition avec lui? Veut-il se prouver qu'il est aussi *hot* que lui? Eh bien, ce n'est pas gagné, mon homme! Tu ne lui arrives pas à la cheville. Ni comme compagnon, ni comme amant. F-X n'a pas besoin de s'éterniser, ni de se faire toucher les seins pour jouir… Ça fait un peu trop fille pour moi!

Simon-Pierre retire sa main. Aucun malaise de son côté, même qu'il affiche plutôt un air victorieux. À croire qu'il souhaitait que son partenaire d'affaires découvre tout. Tordu…

— Qu'est-ce qui se passe?

Ça y est! Mon amoureux se doute de quelque chose. Je dois absolument me composer un visage impassible, effacer toute trace de l'animosité que je ressens.

— Vous vous connaissez ou quoi?

— On peut dire ça, oui, répond Simon-Pierre. On s'est déjà… rencontrés.

Le tabarnak!

Le sourire malsain qui se dessine sur les lèvres de Simon-Pierre me met hors de moi et j'en perds les pédales.

— T'es rien qu'un ostie de crosseur! Tu m'as jamais dit qui t'étais!

— Tu m'as jamais demandé si je connaissais F-X.

— Eille, niaise-moi pas! Tu m'as dit que t'étais représentant en systèmes informatiques, pis que tu t'appelais Pierre.

— C'est quoi, cette histoire-là?

Le ton mécontent de F-X me fait réaliser que j'ai trop parlé. Mais je peux encore m'en sortir. Suffit de dire qu'il m'a *cruisée*… En espérant qu'il n'ira pas s'ouvrir la trappe.

— Je vous laisse régler ça entre vous.

À mon grand soulagement, Simon-Pierre sort de la pièce. Puis, juste avant de refermer la porte, il me regarde d'une façon étrange.

— Juliette, ajoute-t-il, soigne bien tes blessures dans le dos.

Il nous quitte, me mettant dans le pétrin comme il le souhaitait. Quel coup bas! Embarrassée, je me tourne vers F-X. Ohhh, qu'il a l'air fâché.

— Dis-moi que c'est pas ce que je pense…

Je veux disparaître tellement j'ai honte. La gaffe, toi! Coucher avec l'associé de mon amant… Mais en y repensant, ce n'est pas ma faute. J'ai été manipulée et, ça, F-X doit le savoir. Je lui raconte tout, en souhaitant qu'il me pardonne.

Quelques minutes plus tard, j'essuie une larme qui coule sur la joue de mon amoureux. Je lui ai fait de la peine. Beaucoup de peine. Même s'il dit comprendre mes besoins physiques, ça lui brise le cœur de me savoir dans les bras d'un autre. Il a peur que j'en vienne à me détacher de lui et que je me lasse de l'attendre.

— Je sais que je peux pas te demander d'être fidèle, Juliette.

— Je l'étais quand on se voyait. Mais moi, me passer de sexe pendant des jours, j'ai de la misère avec ça.

— Je comprends. Je vais tout faire pour être avec toi le plus souvent possible.

— J'aimerais vraiment ça. Fait que tu me pardonnes?

— Oui. À toi, oui.

Il jette un regard noir du côté du bureau de son associé. Ouch! Je pense qu'il ne perd rien pour

attendre, celui-là. Bien fait pour lui! Moi, si je m'écoutais, j'enverrais quelqu'un lui casser les deux jambes.
C'est ce qu'il mérite. Rien de moins!

28

STATUT FB DE **JULIETTE GAGNON**

À l'instant, près de Montréal

J'aime trop ma vie. Tout est parfait ! ♥♥♥
#confiance #toutvabienaller

— C'était trop une belle soirée ! La plus *nice* depuis longtemps, vous trouvez pas ?

Marie-Pier, Clémence et moi venons de quitter le Furco, où nous avons passé des heures à jaser, à rigoler et à s'émouvoir au point d'avoir parfois la larme à l'œil.

La nuit est douce en cette fin d'août et j'ai envie de marcher dans la rue Sainte-Catherine, histoire de dégriser un peu avant d'aller me coucher. Mais pas question de prendre ma voiture. Elle restera stationnée sous la Place Montréal Trust.

— Êtes-vous correctes pour conduire, vous autres ?

— Moi, oui.

— Moi aussi.

— Certaines ?

Mes deux *best* hochent la tête. C'est vrai qu'elles ont été raisonnables ce soir. Plus que moi… J'ai bu combien de mojitos au final ? Quatre ? Non. Cinq, je crois, dont un double. Vraiment impossible de prendre le volant.

— Ça vous tente-tu de marcher un peu ? Pis après ça, je vais monter avec une de vous deux.

— Euh… c'est juste que je m'en vais pas chez moi.

— Moi non plus.

— OK, je comprends. Je vais appeler un taxi.

Ça, c'est le nouveau dans la vie de mes deux copines. Depuis quelques jours, elles fréquentent chacune un gars. Clémence en est au début d'une relation avec Yanni, et Marie-Pier est sortie avec Félix à quelques reprises.

Comme je l'avais prédit, le beau chroniqueur sportif a trouvé tout à fait charmant que Clem lui ait menti pour l'impressionner. Leur soirée au combat de boxe a commencé par un souper en tête à tête et s'est terminée au lit. Je suis vraiment ravie pour elle.

Selon ce qu'elle me raconte, Yanni m'apparaît un gars hyper gentil qui partage les mêmes valeurs familiales qu'elle. Même si, pour moi, avoir cinq enfants à deux est un scénario de film d'horreur. Pour elle, c'est tout le contraire. Qui de mieux qu'un père monoparental pour comprendre sa réalité et accepter ses horaires ? Ça se défend.

Marie-Pier, de son côté, nous a caché qu'elle a revu Félix, le père d'Eugénie. Il a vite soupçonné que la petite était sa fille, et il a tout de suite affronté mon amie, qui a fini par lui avouer la vérité.

Félix lui a demandé une première rencontre, pendant laquelle il a fait valoir qu'il voulait être présent dans la vie de leur fille. Complètement paniquée au début, Marie-Pier a refusé net, lui interdisant même de s'approcher d'Eugénie. Il ne s'est pas découragé pour autant, passant tous les jours à la garderie du garage pour jouer quelques minutes avec l'enfant.

C'est ainsi qu'il a réussi à faire fléchir ma copine, qui a été attendrie par les yeux amoureux avec lesquels il regardait leur fille. Elle a accepté de prendre un verre avec lui. Puis un deuxième et, finalement, elle s'est retrouvée dans ses bras. Marie-Pier ne sait pas trop où cette histoire va la mener, mais elle a décidé qu'elle devait enfin s'offrir un peu de bon temps… Paraît que Félix est assez extraordinaire pour faire un cunni. Entre autres…

— Moi, je suis stationnée ici, nous indique Clémence en montrant sa minifourgonnette de *soccer mom*.

— Tu t'en vas à Boucherville ? lui demande Marie-Pier.

— Oui, on dort tellement mieux en banlieue.

Elle nous fait un petit clin d'œil complice, avant de nous serrer dans ses bras, tour à tour. Elle me garde de longues secondes contre elle. De trop longues secondes qui me font comprendre qu'elle s'inquiète pour moi.

— Tu vas être correcte, Juju ?

— Mais oui, ça va aller.

— Tu nous en veux pas trop de te laisser seule ?

— Ben voyons, Clem ! Je suis une grande fille !

— T'es pas trop triste qu'on soit en couple ?

Je me détache de son étreinte pour la regarder dans les yeux.

— Pourquoi je serais triste ? Au contraire, je trouve ça extraordinaire, ce qui vous arrive.

— Euh… c'est parce que moi, je suis pas encore en couple, précise Marie-Pier.

— C'est bien commencé, en tout cas, dis-je.

— Peut-être, mais je veux prendre mon temps.

— Tu fais bien.

Clémence nous salue une fois de plus et nous la regardons partir vers son nouvel avenir.

— Sais-tu quoi, Marie ? Je pense que ça va marcher avec son Yanni.

— Yep ! Moi aussi, j'ai ce *feeling*-là.

Nous repartons et passons par la place des Festivals, un de mes endroits préférés à Montréal. Je regrette que la fontaine interactive, celle que j'aime tant admirer, soit éteinte à cette heure-ci. Je m'y serais trempé les pieds.

C'est un mardi tranquille dans le Quartier des spectacles. Un mercredi, devrais-je dire, puisqu'il est passé minuit depuis près d'une heure. Les théâtres et les restos du secteur se sont depuis longtemps vidés, et les quelques personnes qui circulent, comme nous, rentrent à la maison.

Je laisse Marie-Pier devant le stationnement de la Place des Arts, où se trouve son quatre-quatre.

— Il habite où, ton beau Félix?

— À L'Île-des-Sœurs.

— Et c'était la première fois que tu lui confiais Eugénie?

— Ouin... J'espère que tout s'est bien passé.

— Marie! Voyons, tu le sais! Tu lui as envoyé dix mille textos pendant la soirée!

— Peut-être, mais il peut me mentir.

Je la prends dans mes bras et lui dis au revoir.

— Toi, j'ai hâte que t'arrêtes d'avoir peur pour ta fille tout le temps.

Mon amie d'enfance s'écarte et reste silencieuse quelques instants.

— T'as raison. Je fais des efforts, tu sais.

— Ça va venir, alors.

Je lui fais la bise une fois de plus et je m'éloigne, à la recherche d'un taxi.

— Juliette?

— Oui, dis-je en me retournant.

— Bonne journée demain.

Je lui fais un large sourire et nous reprenons notre route chacune de notre côté.

Dans le taxi qui m'amène dans le Mile End, je pense à ce qui m'attend. F-X doit passer me chercher vers 10 heures. Direction Ottawa. L'après-midi sera consacré au boulot. Lui avec ses multiples rendez-vous sur le chantier du musée, et moi à croquer des images un peu partout dans la ville, dans l'espoir de les vendre un jour. Mon objectif : faire découvrir la capitale autrement que par le Parlement et le marché By. Je n'ai pas de plan précis, sauf celui de me laisser inspirer par ce qui s'offrira à moi.

Nous nous retrouverons ensuite à notre chambre d'hôtel, d'où nous ne sortirons pas avant le lendemain matin, pour revenir à Montréal.

Depuis notre rencontre à son bureau, il m'a écrit tous les jours. Plusieurs fois par jour, d'ailleurs. La plupart du temps pour me dire qu'il m'aime, mais aussi pour me tenir au courant de ce qui s'est passé avec Ursula.

Contrairement à ce qu'on s'attendait, elle n'a pas fait de crise. En fait, elle n'a même pas parlé de la conversation que nous avons eue, elle et moi. Au début, son silence a inquiété F-X. Il se demandait ce qu'elle pouvait bien tramer. Puis, samedi soir, après avoir couché leur fils, et devant une bouteille de vin, miss Tzatziki lui a confié qu'elle pouvait comprendre qu'un homme soit attiré par une autre femme quand la sienne se consacrait à son bébé.

Sans jamais parler de leur situation, elle lui a fait savoir qu'elle était prête à lui pardonner, à condition que cela ne se reproduise plus. Étonné de sa réaction, mon amant en a déduit qu'elle préférait passer l'éponge sans faire de vagues, plutôt que de risquer de le perdre. Ce qui est à la fois une bonne et une mauvaise nouvelle. Une bonne parce que nous avons évité le drame. Une mauvaise parce que cela signifie qu'elle est encore plus attachée à lui que je le croyais et qu'il ne lui sera pas facile de la laisser.

Mais j'ai confiance qu'un jour pas si lointain F-X sera à moi. À moi toute seule. Surtout qu'il a l'impression qu'Ursula va un peu mieux ces jours-ci, puisqu'elle a renoué avec certaines amies. Pas avec sa copine gaie, toutefois… Faut pas trop en demander.

Pour l'instant, l'enjeu, pour nous deux, c'est de ne pas nous faire prendre. Et je n'ai pas l'intention que ça arrive.

Mes pensées se tournent ensuite vers mononcle Ugo, qui a subi sa dernière séance de radiothérapie aujourd'hui. Bachir m'a informée que tout s'était bien déroulé et que, maintenant, il faut croire en la vie et être zen. Ce que je m'essaie de faire de toutes mes forces. Mais la réalité, c'est que, tant que je n'aurai pas les résultats de son traitement devant moi, je ne dormirai pas tranquille.

— Ça fait douze et cinquante.

Je tends trois billets de cinq dollars au chauffeur de taxi et je sors de la voiture. En marchant jusqu'à mon appartement, je songe cette fois-ci au sort qu'a réservé mon amoureux à son associé. Ohhh, qu'il n'a pas été tendre envers lui.

Après lui avoir dit ses quatre vérités, il a annoncé à Simon-Pierre qu'il ne lui adresserait la parole que pour les affaires du bureau, que leur amitié était terminée et que leur collaboration ne tenait qu'à un fil. D'ailleurs, F-X m'a révélé qu'il commençait à chercher un nouveau partenaire d'affaires. Comme c'est lui qui apporte la grande majorité des contrats à la petite firme, il ne s'inquiète pas trop pour la suite. Pourvu que ça se fasse en douceur.

J'arrive devant la porte de mon logement et je constate qu'elle n'est pas verrouillée. Il me semblait pourtant l'avoir fait. Je devais avoir la tête ailleurs, ce ne serait pas la première fois.

J'entre et j'appuie sur le commutateur. Rien. Bon, encore une ampoule brûlée. Curieux, j'ai l'impression de marcher sur des éclats de verre. On dirait que l'ampoule s'est brisée en mille morceaux. Par précaution, j'avance à tâtons, faisant également attention à ne pas glisser en marchant sur des dépliants publicitaires que j'aurais pu laisser traîner dans l'entrée, comme j'en ai parfois la mauvaise habitude.

Il y a trop de coïncidences. Je me dis que c'est bizarre. J'ai l'impression qu'on veut me jouer un mauvais tour. Je commence à trouver la situation moins drôle. Qui voudrait me faire peur ainsi ? À moins que ce soit F-X qui est venu me voir ? C'est possible. Il a ma clé. Ah oui, ça doit être ça ! Quelle belle surprise !

— F-X, dis-je, toute contente.

Je pénètre dans le salon et je n'arrive pas à allumer la lampe. J'ai beau appuyer sur l'interrupteur, rien n'y fait. Là, j'ai la chienne. Pis pas à peu près.

Le lampadaire de rue aidant, mon œil finit par s'habituer à la pénombre dans l'appartement. Ce que je découvre me paralyse sur place. Mon cœur s'emballe. J'ai chaud et je sens ma respiration se bloquer dans ma poitrine.

— Je t'attendais, Juliette. Il était temps que t'arrives.

Ursula se tient devant moi. Elle est vêtue d'un bas de pyjama et d'un t-shirt noir que je sais appartenir à F-X. Sa voix est froide, mécanique même. Elle a un regard fou que je ne lui ai jamais vu. Je ne bouge plus, je ne respire plus. Je me suis rarement sentie aussi mal de toute ma vie.

— Viens t'asseoir ici. On a des choses à se dire.

De la tête, elle m'indique une chaise qu'elle a placée au centre de la pièce. Il n'y a plus rien autour. Mes meubles ont été poussés. Complètement apeurée, je tente sans succès de garder mon sang-froid. Je lui obéis et je m'approche de la chaise. Je sens que je ne dois pas la contredire, qu'elle pourrait perdre les pédales.

Soudainement, je réalise qu'elle tient quelque chose dans les mains. Un objet que j'ai peine à distinguer. Au moment où je m'apprête à m'asseoir, j'identifie l'objet en question. Le sol se dérobe sous mes pieds. Je perds connaissance. Encore.

Remerciements

À Yves, qui m'appuie sans réserve dans tous mes projets depuis bientôt vingt-cinq ans. Merci infiniment.

À Laurence, pour sa spontanéité, sa joie de vivre et son aide dans mes recherches.

À ma famille, pour les encouragements à poursuivre ma carrière d'auteure. Merci de comprendre que je suis moins disponible qu'avant.

À mes nouvelles amies de filles, de plus en plus nombreuses ces dernières années. Charlotte et Juliette m'ont permis de faire votre connaissance et de développer de véritables amitiés.

À Nadine Lauzon, mon éditrice adorée, qui n'a rien à voir avec le personnage d'éditeur des *Chroniques d'une romancière angoissée.* Merci d'être là et d'être toi, tout simplement.

À Véronique Déry, ma top relationniste. Merci pour toutes les heures investies à faire la promo de mes romans, pour ta créativité, ton enthousiasme débordant et ton écoute attentive. *You rock, girl!*

À Jean Baril, pour toutes ces années passées à travailler avec toi dans la bonne humeur et le respect. Merci d'avoir cru en la journaliste qui voulait devenir romancière et d'avoir calmé ses angoisses existentielles.

À toute l'équipe de Groupe Librex. Quatre ans et six romans ensemble, c'est ce qu'on appelle un mariage. Heureux, en plus!

À mon agente, Nathalie Goodwin, pour son soutien dans mes projets d'écriture et ses précieux conseils.

À mes lectrices et à mes lecteurs. Vraiment, merci d'être là, sur Facebook, sur Twitter, dans les salons du livre, lors des conférences dans les bibliothèques, etc. Vous n'avez pas la moindre petite idée de tout le bonheur que vous m'apportez. C'est en grande partie grâce à vous et à vos bons mots que je fais ce métier aujourd'hui.

Suivez les Éditions Libre Expression sur le Web :
www.edlibreexpression.com

Cet ouvrage a été composé en Minion 12/14
et achevé d'imprimer en octobre 2014 sur les presses
de Marquis imprimeur, Québec, Canada.

certifié   procédé   100 % post-   archives   énergie
            sans chlore consommation permanentes biogaz

Imprimé sur du papier 100 % postconsommation, traité sans chlore,
accrédité Éco-Logo et fait à partir de biogaz.